PATRICIA LAGES

O SUCESSO não na CABE BOLSA

Vá além de sua conta bancária!
Seja uma pessoa bem-sucedida desenvolvendo sua confiança, coragem e fé.

© 2018 por Patricia Lages

Revisão
Andrea Filatro
Raquel Fleischner

Capa
Rafael Brum

Foto
Wel Calandria

Diagramação
Felipe Marques

1ª edição - Abril de 2018

Coordenador de produção
Mauro W. Terrengui

Impressão e acabamento
Imprensa da Fé

Todos os direitos desta edição reservados para:
Editora Hagnos Ltda.
Av. Jacinto Júlio, 27
04815-160 - São Paulo - SP - Tel.: (11) 5668-5668
hagnos@hagnos.com.br - www.hagnos.com.br

Dados Internacionais de Catalogação na Publicação (CIP)
(Angélica Ilacqua CRB-8/7057)

Lages, Patrícia

O sucesso não cabe na bolsa : vá além de sua conta bancária! Seja uma pessoa bem-sucedida desenvolvendo sua confiança, coragem e fé / Patrícia Lages. -- São Paulo : Hagnos, 2018.

ISBN 978-85-243-0547-4

1. Sucesso – Aspectos religiosos 2. Vida cristã 3. Sucesso nos negócios – Doutrina bíblica 4. Deus I. Título

18-0178   CDD 158.1

Índices para catálogo sistemático:

1. Sucesso 158.1

Editora associada à:

SUMÁRIO

Introdução 5

PARTE 1: QUEM É VOCÊ DIANTE DO SUCESSO?

1. Qual é a sua relação com o sucesso? 11
2. Conquistar é um mandamento 19
3. O jeitinho brasileiro e o raio "problematizador"................. 32
4. Organização: porta de entrada para uma vida de sucesso 41
5. Gestão do tempo 48

PARTE 2: HOMENS E MULHERES DE SUCESSO E SUAS ESTRATÉGIAS

6. Abraão, o pai da fé e a nova identidade de Jacó 61
7. Rute, profissional exemplar.. 77
8. Davi: de pastor de ovelhas a rei de Israel 89
9. As filhas de Zelofeade e sua luta por igualdade 108
10. Neemias: coragem, disposição e liderança........................ 114
11. A mulher de Provérbios 31 124
12. José do Egito: de escravo a governador 136
13. Ester: de órfã a rainha da Pérsia 149
14. Daniel e as quatro características que todo profissional deve ter....... 164
15. A mulher do discípulo de Eliseu 174

PARTE 3: FAZENDO AS COISAS ACONTECEREM

16. Vencendo o seu maior concorrente.................................... 187

17. Os fracassos estão nas entrelinhas 196
18. Abundância não é desperdício 206
19. A dieta financeira 216
20. Três chaves para o sucesso 220

Referências bibliográficas.. 229

INTRODUÇÃO

Nossa vida é feita de escolhas e, em todo tempo, precisamos tomar decisões, desde as pequenas, como escolher o que vestir pela manhã, até as grandes, como qual profissão queremos exercer ou com quem iremos nos casar. Cada decisão que tomamos hoje contribuirá para traçar o nosso amanhã; portanto, boas decisões nos trarão sucesso, enquanto más decisões gerarão fracasso. E é aí que a humanidade se divide em três grandes grupos: **os que fazem suas escolhas por conta própria** – baseados em sua intuição, sentimentos, experiências, autoconfiança etc. –, **os que se guiam pela opinião de terceiros** – por falta de confiança, baixa autoestima, timidez etc. – e **os que pautam suas escolhas na palavra de Deus**, reconhecendo que ele está acima de tudo e de todos.

 A Bíblia, na minha opinião, é o livro de empreendedorismo mais completo que existe. É onde encontramos relatos de homens e mulheres que alcançaram o sucesso mesmo diante das condições mais adversas, pois souberam fazer as melhores escolhas. José, o escravo hebreu, se tornou governador da maior potência mundial de sua época, o Egito. Davi, o jovem pastor de ovelhas, músico e poeta, transformou-se em herói de guerra e, até hoje, é o rei mais celebrado que Israel já teve. Ester, a garota órfã que se tornou rainha e salvou todo seu povo da condenação à morte, decretada pelo imperador mais poderoso do planeta.

 Mas a pergunta é: o que eles fizeram para alcançar um sucesso além da conta? E mais: quais estratégias usaram para obter essa prosperidade que vai muito além das riquezas materiais? Será que foi sorte, predestinação, ou tudo isso não passa de lenda? É disso que trata este livro. Aliás, este já é um bom momento para parar por alguns instantes e avaliar em qual dos três grupos de pessoas você tem vivido até hoje e em qual quer passar a viver daqui em diante. Você é aquela pessoa que só faz o que quer, que só faz o que os outros querem ou que busca fazer o que Deus aconselha?

A leitura deste livro promoverá momentos como o proposto anteriormente: de reflexão, autoanálise e correção de rota. Não se trata apenas de um livro que lhe trará mais conhecimento ou proporcionará frases impactantes para postar nas redes sociais e obter curtidas. Nem é um livro que lhe dará "munição" para aquelas reuniões infindáveis cujo objetivo é "discutir opiniões". A proposta deste livro é levar você a pensar de uma forma diferente e a tomar atitudes diferentes, pois, pensando e agindo da mesma forma, os resultados serão sempre iguais.

Se você for uma pessoa cujo sucesso vai muito além da conta bancária, não precisará discutir com ninguém, nem tentar provar que está no caminho certo. As pessoas testemunharão os resultados e, obviamente, vão querer saber qual é o seu segredo. Você se tornará alguém capaz de inspirar as demais ao seu redor, e é de pessoas assim de que o mundo precisa: pessoas que **vivem** o sucesso e não apenas falem a respeito.

É possível mudar a sua história, mesmo que você esteja muito longe de onde quer chegar. Para isso, organizamos este material em três partes. Na parte 1, você encontrará cinco capítulos voltados para trabalhar o seu *mindset*. Afinal de contas, se você não inovar na sua forma de pensar e não deixar de lado conceitos e hábitos que afastam você do sucesso, nada vai mudar. A parte 2 traz dez histórias empreendedoras da Bíblia, e através delas caminharemos pela trajetória de homens e mulheres que fizeram a diferença em seu tempo. A razão de haver exemplos bíblicos tão diversos é justamente para abranger todo tipo de situação: quem recebeu base cultural, como Moisés, que foi criado como príncipe no palácio do faraó, e quem não teve, como Rute, a viúva estrangeira que precisou recomeçar a vida em uma terra estranha. Quem teve dinheiro, como o rei Salomão, o homem mais rico da terra até os dias de hoje, e quem teve de começar do zero, como José, que foi escravo, sem direito a nenhum bem. Quem começou sozinho, como Davi, que só tinha a companhia de suas ovelhas, ou quem começou com um grupo de pessoas, como os amigos de Daniel, Sadraque, Mesaque e Abede-Nego, que foram levados cativos para a Babilônia. E a parte 3 arremata tudo isso com dicas

INTRODUÇÃO

práticas abordando os problemas mais comuns na vida de quem empreende nos dias de hoje.

Deus fez questão de deixar registradas histórias de homens, mulheres, jovens e idosos, nas mais diversas situações para nos provar que ele não depende de condições para nos levar ao sucesso. A única condição é termos fé e visão para fazermos a nossa parte. Para começar, guarde esta frase:

"Não é a minha conta bancária que determina a minha visão, mas é a minha visão que determina a minha conta bancária."

PARTE 1

QUEM É VOCÊ DIANTE DO SUCESSO?

QUAL É A SUA RELAÇÃO COM O SUCESSO?

*Então, guardai e cumpri as palavras desta aliança,
para que prospereis em tudo o que fizerdes.*
Deuteronômio 29.9

DIFERENTEMENTE DA CULTURA DE DIVERSAS nações prósperas, no nosso país, o sucesso não é visto com bons olhos. E isso começa bem cedo. Na escola, o aluno que se sai bem, aprende de fato e tira boas notas é aquele que, vira e mexe, é ridicularizado pelos colegas, é considerado o "puxa-saco" dos professores, o *nerd*, o que não tem vontade própria, pois "só estuda para agradar os outros", o boboca que "não aproveita a vida". Falo isso por experiência própria.

Aprendi a ler e a escrever com 4 anos e meio de idade, depois de atormentar muito a minha mãe para comprar um caderno e me ensinar reconhecer as letras, a decifrar seus sons e a formar sílabas. Logo vieram as palavras inteiras e, depois, as frases. Agora tudo fazia sentido e eu podia ler para a minha avó analfabeta as receitas do livro anual do açúcar União (sim, eu sou dessa época!) e a organizar os remédios que ela misturava de vez em quando por terem caixas parecidas. Tudo corria às mil maravilhas até que, no ano seguinte, entrei na escola.

Enquanto as crianças ficavam choramingando por terem de desenhar "bolinhas com perninha", eu ia perguntar para a professora por que ela não explicava logo que aquilo era a letra A, assim todo mundo ia querer aprender. A resposta inicialmente era: "Oi, minha querida, as crianças ainda não sabem; vai sentar, vai!"

Depois veio a "voltinha sobe e desce", que ninguém chamava de letra E... Em seguida veio o I, que era o "sobe e desce com pinguinho", e a vida foi ficando muito chata. A minha curiosidade por coisas novas foi irritando a professora ao longo do tempo e a doce frase "Querida, vai sentar, vai" se transformou na ordem "Senta, Patricia!" e, mais tarde, no grito "Cala a boca, Patricia!"

Mudei de estratégia e pensei que, se ensinasse meus colegas a fazerem logo a "parte chata", poderíamos sair das bolinhas e curvinhas e aprender coisas novas. Preciso dizer que foi uma tragédia? Meus colegas se cansaram de mim muito mais rápido do que a professora... Foi aí que ganhei meu primeiro apelido: "sabe-tudo". Depois de perceberem que o apelido não me incomodava mais, eles partiram para uma tática mais contundente: o ataque. E, para atacar alguém, nada melhor do que atingir seu ponto mais vulnerável. O meu era a pobreza. Meus colegas – que já não eram tão colegas assim – perceberam que eu era bem pobre e apontaram suas armas para esse alvo. "Credo, você nem tem mala, carrega as coisas nessa sacola de pano que a sua mãe fez. É melhor ser burro do que ser pobre!" Esse foi o meu primeiro contato com o conceito de que **ter** está acima de **ser**. Eu só tinha 5 anos, mas estava certa de que havia algo errado com essa ideia, embora muitos adultos, até hoje, ainda não tenham percebido isso.

Houve um dia em que minha mãe comentou com um grupo de mães na escola que nosso telhado estava com problemas e chovia muito dentro de casa. Bastou um aluno ouvir para que a notícia fosse espalhada pela sala toda e daí surgissem ataques mais elaborados: "Seu nome é Patricia 'laje', porque sua casa nem tem telhado!" Em seguida, formava-se o coro: "Casa sem telhado, casa sem telhado, casa sem telhado!" Comecei a sentir uma revolta muito grande por ter de passar por aquilo e descobri que teria de escolher entre ser igual àquelas crianças e procurar alguém "pior" para ridicularizar em público, ou saber que teria poucos amigos só porque nem todo mundo sabe lidar com o sucesso dos outros. Daí também surgiu uma revolta contra a pobreza e o desejo de fazer todo esforço necessário para sair daquela condição. Mas como? Eu era filha de um mecânico que gastava todo dinheiro em bebida e jogo, e minha mãe se virava como revendedora porta a porta. Que futuro eu teria?

QUAL É A SUA RELAÇÃO COM O SUCESSO?

Comecei a não querer mais ir para a escola e a inventar dores, febres e qualquer história que convencesse minha mãe a me deixar ficar em casa. Às vezes eu me irritava tanto com o *bullying* (que naquela época nem tinha esse nome), que ficava com febre de verdade... Perceber que o fato de eu saber ler, escrever e fazer as quatro operações matemáticas tão cedo não era visto como algo positivo, nem mesmo pela direção da escola, me desmotivou muito. Minha mãe chegou a pedir para me adiantarem um ano, mas me lembro muito bem qual foi a resposta:

"Olha, dona Maura, a sua filha não é melhor do que ninguém. A senhora precisa se preocupar por ela estar faltando, e não em querer fazer o nosso trabalho. Aliás, por que ela desenha uma família com duas mulheres e duas crianças? Cadê o pai dessa menina?"

Agora, o fato de eu saber mais do que os outros não se limitava apenas a produzir ataques contra mim, mas também contra a minha mãe. Não foi difícil notar que, quando a gente se destaca em algo, seja lá o que for, causa desconforto em muitas pessoas. Com isso, elas tentam nos diminuir, justificando que estão nos colocando "no nosso lugar", mas a verdade é outra: elas querem nos colocar em um lugar que seja confortável para elas, isto é, abaixo delas ou, no máximo, no mesmo patamar. Se você quiser subir, saiba que esse tipo de pessoa sempre estará por perto para puxar você para baixo. Ah! Sobre as figuras retratadas nos meus desenhos de família, eram minha mãe, minha avó Maria, eu e minha irmã Sandra. Meu pai saía antes de acordarmos e, quando ele voltava, já estávamos dormindo. Família, para mim, era quem estava comigo no meu dia a dia, e meu pai quase nunca estava presente. Nada a ver com a imaginação superfértil da diretora da minha escola.

Essa cultura de não valorizar as qualidades das pessoas e da falta de dedicação ao trabalho faz com que o progresso seja visto com maus olhos. Muita gente é capaz de sentir raiva de quem é bem-sucedido e, com isso, cria-se uma barreira mental contra o sucesso que, na visão geral da cultura brasileira, somente é alcançado com fraude, desonestidade, exploração dos mais pobres etc. E as mulheres bem-sucedidas ainda enfrentam um rótulo extra: só subiram na vida porque deitaram na cama do "homem certo". São conceitos mesquinhos, primários e totalmente equivocados, mas que, infelizmente, estão enraizados na mente de muitos brasileiros desde a infância e que infelizmente não se apagam à medida que as pessoas crescem.

Quando entramos no mercado de trabalho, o *bullying* só aumenta. Quem faz mais do que sua função exige é chamado de "caxias", um bocó explorado pela empresa, um capacho do chefe, um lambe-botas qualquer. O bom trabalho não é incentivado ou copiado; ao contrário, é ridicularizado e diminuído. O que vale hoje é a "esperteza" de garantir o salário fazendo o mínimo esforço – e, se possível, não fazendo nada – e colocar a culpa dos fracassos da vida no governo, no patrão, na má sorte etc.

A religião também tem contribuído, há séculos, para a disseminação da ideia de que riqueza é pecado. Para isso, tem usado até mesmo a Bíblia, interpretada de maneira superficial, para justificar o "perigo das riquezas". Há duas passagens, em especial, que demonstram bem isso; vamos à primeira:

> *Então Jesus disse aos discípulos: Em verdade vos digo que um rico dificilmente entrará no Reino do Céu. E outra vez vos digo que é mais fácil um camelo passar pelo fundo de uma agulha do que um rico entrar no reino de Deus* (Mt 19.23–24).

Muitos têm usado esse trecho isolado para "provar" que o próprio Jesus afirmou que os ricos irão para o inferno e, portanto, que riqueza é algo que vai acabar com as chances de um cristão passar a eternidade com Deus. Há muito o que se mencionar para fazer esse conceito cair por terra facilmente. Um dos pontos é que as grandes personagens bíblicas foram extremamente ricas, como veremos alguns exemplos na parte 2 deste livro. Mas vamos nos ater à própria passagem e seu contexto.

O Senhor Jesus fez essa afirmação logo após seu encontro com um jovem que tinha muitas riquezas (Mt 19.16–22) e que havia se aproximado dele para saber como alcançar a vida eterna. Ainda que o jovem fosse religioso e obediente aos mandamentos, Jesus sabia que ele tinha o coração apegado aos bens materiais e, o fato de colocar suas riquezas acima de Deus, é que o afastava da salvação. E isso era tão verdadeiro que, depois de ter recebido a instrução de abrir mão de seus bens e seguir Jesus, o jovem optou por afastar-se dele.

É bem verdade que há pessoas que se afastam de Deus por causa das riquezas, mas isso nada tem a ver com o fato de serem ricas, mas, sim, de colocarem os bens materiais acima da vida espiritual. Por outro lado, os judeus da época consideravam as riquezas como dom divino e, portanto, acreditavam que os ricos entrariam mais facilmente no reino de Deus. Jesus, porém, deixou claro que a salvação não depende de classe social, mas, sim, de uma fé capaz de mudar comportamentos fazendo com que as pessoas coloquem Deus em primeiro lugar, pois ele não abre mão dessa posição. Ou ele é o primeiro, ou a pessoa não faz parte de seu Reino.

A segunda passagem acabou virando até ditado popular que a humanidade repete há séculos sem saber que a palavra principal na frase foi simplesmente excluída. O ditado diz que "o dinheiro é a raiz de todos os males", mas a passagem bíblica afirma:

> *Porque o amor ao dinheiro é a raiz de todos os males; e por causa dessa cobiça alguns se desviaram da fé e se torturaram com muitas dores* (1Tm 6.10).

Esse trecho, quando mal interpretado, é suficiente para fazer muita gente se conformar com sua condição de pobreza. Mas, quando lemos a passagem completa, nós nos damos conta muito facilmente de que, mais uma vez, o problema não são as riquezas, mas a **cobiça** e o **amor** ao dinheiro. Mas será que cobiça e amor ao dinheiro é algo inerente aos ricos? Será que os pobres jamais cobiçam coisa alguma e nunca se apegam ao pouco que têm? Ora, a cobiça é inerente ao ser humano, independentemente de sua posição social e de sua conta bancária. Portanto, cabe a cada um de nós, sejamos pobres, da classe média ou ricos, lutarmos para que a cobiça não se desenvolva dentro de nós.

FAÇA AS PAZES COM O DINHEIRO

Se existe uma coisa que afasta o sucesso da vida das pessoas, é a má relação que elas têm com o dinheiro. E nisso os brasileiros são especialistas! Ao longo da história, nosso país produziu frases, conceitos e ideias que nos afastam do sucesso em nome de uma suposta "boa imagem", já que ser rico é sinônimo de algo muito ruim. Certamente você já ouviu (e deve ter repetido muitas e muitas vezes) a sonora frase "Dinheiro não traz felicidade". Pois bem, sabemos que a felicidade não depende apenas das coisas que o dinheiro pode comprar; isso é óbvio. Mas pense comigo: se dinheiro não traz felicidade, significa dizer que a pobreza traz? As pessoas costumam ir muito para os extremos e se esquecem de manter os pensamentos em equilíbrio. Prova disso é que, quando alguém fala que dinheiro traz felicidade, há sempre quem exponha um extremo do tipo: "É melhor ter um filho com saúde dormindo numa caixa de sapato do que ter um bebê doente em um berço de ouro". Está bem, mas por que uma coisa precisa sempre anular a outra? Será que não é possível ter as duas coisas? Será que o filho do rico nasceu doente pelo "castigo" de ter um berço privilegiado, e o do pobre, para compensar sua "má sorte", veio com saúde? Você acredita mesmo nisso? Em Provérbios 10.22, Salomão registrou: "A bênção do Senhor enriquece sem trazer dor alguma".

Temos de abolir o pensamento de que riqueza é sinônimo problema. Se as riquezas foram alcançadas com honestidade e com a bênção de Deus, não virão acompanhadas de nenhum "castigo"; é isso o que afirma o provérbio.

Já ouvi muitas pessoas dizendo, ao final de uma palestra minha ou durante um curso, que não querem riqueza porque "dinheiro é dor de cabeça para o resto da vida". E a minha pergunta para essas pessoas é sempre a mesma: "A dor de cabeça de vocês passa quando tomam 'pobretil', 'miseriol' ou 'necessigina'?" Porque, se dinheiro traz muita dor de cabeça, então ser pobre é a solução, ou estou enganada?

Tive o prazer de criar o curso "Como e Quanto Cobrar", em parceria com Luciene Scherer, uma consultora gaúcha com um currículo invejável, que me ensinou que há coisas que as pessoas só aprendem no "joelhaço", ou seja, levando um tranco. E que é melhor que esse golpe seja dado por nós, em um curso, do que pela vida. E é a mais pura verdade. Aprendi a lidar melhor com minhas finanças depois de um joelhaço da vida real, onde perdi tudo e me vi numa situação em que não tinha dinheiro nem para comer. Realmente eu teria preferido mil vezes ter levado esse tranco em um curso, por isso não poupo joelhaços para acordar as pessoas! Só consegui sair daquela situação depois de entender que eu tinha direito a uma segunda chance e que, embora tivesse fracassado em um negócio, minha vida não precisava ser um fracasso para sempre. Se eu não tivesse mudado minha mente, nunca teria tido sucesso além da minha conta bancária. Tudo começa do lado de dentro, pois **a maneira como penso, decido e reajo contribuirá decisivamente para ter sucesso ou não.**

No curso, Luciene quebra várias barreiras que muitos têm em relação ao dinheiro, e uma das frases de que gosto muito é: "Se o teu dinheiro não está te trazendo felicidade, é porque tu estás gastando errado". Bem gaúcho e bem real! Pense: quando gastamos nosso dinheiro em coisas boas, é claro que ficamos felizes. Por exemplo: minha irmã viveu quase dezoito anos no exterior e, quando as pessoas se inteiravam de que ela morava no México, logo calculavam a distância em horas, mas eu calculava em dólares. Para mim, minha irmã não estava a nove horas de distância do Brasil, mas a três mil dólares; afinal, eu poderia ter muitos dias de férias, mas, se não tivesse o dinheiro da passagem, não poderia visitá-la. E todas as vezes que pude dispor dessa quantia para vê-la, foi sempre uma alegria imensa. Então, onde está a prova de que dinheiro não traz felicidade? Esqueça esse conceito!

Antes de mais nada, permita-se ser uma pessoa de sucesso. Permita-se ter dinheiro sem sentir peso na consciência. Aliás, esse curso foi criado por vermos que o número de empreendedores com dificuldade para cobrar por seus produtos e serviços é enorme. As pessoas não se acham merecedoras de ganhar dinheiro e, sem perceberem, se autossabotam quando vão precificar seu trabalho ou quando aceitam um salário abaixo do que merecem (grife esta frase com um marca-texto!). Com isso, não é difícil encontrar pessoas que trabalham muito, mas lucram pouco, que não fazem corpo mole quando têm de virar noites trabalhando, mas que perdem o sono quando precisam elaborar um orçamento e mais ainda quando precisam cobrar um cliente inadimplente. Pergunte a qualquer empreendedor que ainda não decolou qual é a parte mais chata do trabalho dele e, provavelmente, a resposta será algo ligado a dinheiro: cuidar do financeiro, pagar as contas, elaborar orçamento, fazer cobrança.

Você percebe como tudo o que envolve dinheiro tem uma certa névoa ao redor? Mas a questão é: como podem existir tantos tabus em relação ao dinheiro se ele é produto do nosso trabalho e se não é possível vivermos sem ele? Se não fizermos as pazes com o dinheiro, viveremos nesse conflito de depender de algo que nos faz mal ou de desejar algo que nos produz culpa. Dessa forma, como poderemos ser pessoas de sucesso?

Em seu livro *Qual é a tua obra?*, o filósofo Mario Sergio Cortella fala sobre a busca do sentido no mundo do trabalho e conclui que a espiritualidade é necessária. Ele define espiritualidade como:

> "a capacidade de olhar que as coisas não são um fim em si mesmas, que existem razões mais importantes do que o imediato. Que aquilo que você faz, por exemplo, tem um sentido, um significado. Que a noção de humanidade é uma coisa mais coletiva, na qual se tem a ideia de pertencimento e que, portanto, o líder espiritualizado – mais do que aquele que fica fazendo meditações e orações – é aquele capaz de olhar o outro como o outro, de inspirar, de elevar a obra, em vez de simplesmente rebaixar as pessoas".

Entendo que só é possível nos livrarmos desses fantasmas quando elevamos a nossa obra, o nosso trabalho, e damos a ele um sentido espiritual. Ou seja, não se trata de trabalhar por dinheiro, mas de conquistar, por meio do nosso trabalho, tudo aquilo que precisamos e desejamos, o que inclui dinheiro e sucesso. Essa "culpa cristã" causada pela má interpretação de trechos da Bíblia tem afastado muitas pessoas da prosperidade, quando, na verdade, as promessas de Deus a respeito do trabalho não vêm carregadas de culpa.

Pois comerás do trabalho das tuas mãos; serás feliz, e tudo te irá bem (Sl 128.2).

Então, por que no meio cristão vemos tanta gente passando necessidade, mesmo com o famoso Salmo 23 na ponta da língua: "O Senhor é meu pastor e nada me faltará"? O que está acontecendo? Será que as promessas de Deus envelheceram ou o tempo em que elas se cumpriam terminou? Claro que não!

A questão é que muitos cristãos não creem que as promessas de Deus, no que diz respeito à vida financeira, podem se realizar em sua vida. Elas dão mais crédito aos ditados populares e aos ensinamentos distorcidos de muitos do que à própria Palavra de Deus. Com isso, vivem repetindo que "o pouco com Deus é muito" e se conformando com sua situação de escassez. Ora, o Deus da Bíblia não é o Deus do pouco; ao contrário, tudo o que vem dele é grande. Além disso, Deus tem prazer em levantar o caído, fazer o necessitado prosperar e dar o melhor a seus filhos.

Do pó levanta o pobre, e da miséria ergue o necessitado, para fazê-lo sentar-se com os príncipes, sim, com os príncipes do seu povo (Sl 113.7–8).

Deus levanta, ergue e, quando faz sentar (não cair), é para estar no meio de príncipes, ou seja, nos melhores lugares. Cabe a cada uma de nós dar ouvidos às promessas de Deus, nos livrar dos preconceitos, obedecer aos mandamentos divinos e estar dispostas a fazer as pazes com o sucesso, sabendo que, embora não sejamos merecedoras de nada, é vontade do Pai que tenhamos o melhor. E esse melhor é fruto de fé, trabalho, empenho e perseverança. Você está disposta a conquistar o seu lugar? Então vamos em frente!

CONQUISTAR É UM MANDAMENTO

E disse Josué aos filhos de Israel: Até quando sereis negligentes em chegardes para possuir a terra que o Senhor Deus de vossos pais vos deu?
Josué 18.3

Terminamos o capítulo anterior falando sobre conquistar o seu lugar, certo? Vale ressaltar que buscar o melhor para si não significa se achar melhor do que os outros, mas obedecer a um mandamento de Deus. Isso mesmo, vou repetir: obedecer a um mandamento de Deus. Esse é um dos motivos que me incentiva a ler a Bíblia, mesmo não sendo um livro tão fácil de entender. Quando nos mostramos dispostas a entender, aprendemos lições riquíssimas e recebemos todo o incentivo de que precisamos para crescer. Ao contrário do que muitos pensam, não se trata de um livro chato, ultrapassado ou cheio de proibições; aliás, quem criou uma série de "não pode isso, não pode aquilo" foram as religiões, e não Deus. Ele fala de liberdade, nos mostra o melhor caminho e traz sempre conselhos que nos animam, ainda que sejam puxões de orelha (quem não precisa de um de vez em quando?).

A passagem acima fala de conquista, e quem nesse mundo quer ser um derrotado? Talvez nem todo mundo tenha disposição para ser vencedor, mas querer ser derrotado, ninguém quer! O que acontece é que, às vezes, as pessoas têm muita disposição para o sofrimento. Não, você não leu errado!

É disposição para o sofrimento mesmo. Elas se dispõem a aceitar um emprego que detestam, a viver em um meio que não tem nada a ver com suas convicções, a receber um salário que mal dá para pagar as contas, mas não se dispõem a fazer algo diferente e lutar para mudar a situação. Só o fato de você estar lendo este livro já demonstra que você quer crescer, que está buscando um caminho, uma direção. Esse é um ótimo começo, mas você precisa ir além e não se deter apenas no conhecimento, pois é a prática que vai transformar a sua vida. O princípio de tudo está em entender que conquistar é uma necessidade, mas precisamos estar dispostas a fazer a nossa parte. Você já ouviu muitas vezes que nada cai do céu, mas talvez você não tenha parado para pensar sobre isso mais profundamente. Para ajudar, aqui vai uma frase daquelas que devem ficar gravadas na memória para sempre: **Deus fará tudo, menos a sua parte!**

Sobre isso, o versículo inicial afirma claramente que, quando não fazemos a nossa parte, quando não conquistamos a herança que Deus já nos deixou, estamos sendo negligentes. Sobre isso, está escrito: "Quem é negligente em sua obra já é irmão do desperdiçador" (Pv 18.9).

A negligência é comparada ao desperdício, pois remete à perda de tempo, à falta de interesse no uso dos talentos que Deus confiou a cada uma de nós, a desperdiçar a própria vida em si. Segundo o dicionário Houaiss da Língua Portuguesa, negligência é: "falta de cuidado, incúria, falta de apuro, de atenção; desleixo, desmazelo; falta de interesse, de motivação, indiferença, preguiça; inobservância e descuido na execução de ato". Na Parte 3 deste livro, falaremos amplamente sobre o desperdício, tão comumente confundido com abundância, mas neste momento vamos focar na negligência em si, por meio da parábola dos talentos descrita em Mateus 25.14–30.

A parábola conta que um homem muito rico, antes de partir em viagem, chamou três de seus servos e confiou a eles os seus bens, segundo a capacidade de cada um. O homem distribuiu entre eles quantias diferentes em prata que, conforme o peso, equivaliam a uma unidade monetária. As unidades de pesos e medidas da Bíblia variam porque não eram praticadas da mesma forma em todas as partes do mundo, nem persistiam por longos períodos de tempo, por isso vamos considerar aqui unidades aproximadas. Segundo a maioria dos historiadores, um talento equivalia a 6 mil denários ou dracmas que, por sua vez, era o valor do salário de um dia inteiro de um trabalhador comum. Ou seja, um talento equivalia a 6 mil dias de trabalho, o que seriam mais de 16 anos, sem considerar os dias de descanso. Assim, independentemente da medida exata, podemos concluir que as quantias deixadas aos servos eram bastante elevadas.

Um dos servos recebeu cinco talentos, o outro, dois, e o último, um. Sabemos que mesmo o que recebeu menos estava diante de uma grande responsabilidade, pois a quantia, embora menor que a dos outros, não era pequena. Além disso, o senhor conhecia seus três servos e sabia da capacidade de cada um, ou seja, ele não deu nada além do que cada um podia administrar.

A parábola segue narrando a atitude de cada servo diante de suas responsabilidades e destacando que o servo que recebeu cinco talentos saiu **imediatamente** para começar a negociá-los e, passado um longo período, obteve lucro de 100%, ganhando outros cinco talentos. O segundo servo também saiu e fez exatamente a mesma coisa: dobrou a fortuna de seu senhor. O terceiro, que recebera um talento, assim como os outros, também saiu, mas foi para cavar um buraco e enterrar o que seu senhor lhe confiara.

Voltando de viagem, chegou o momento da prestação de contas, e o senhor chamou seus três servos. Ao ver a atitude do primeiro e do segundo servos, parabenizou a ambos, com a mesma frase:

> *E o seu senhor lhe disse: Muito bem, servo bom e fiel; foste fiel sobre pouco; sobre muito te colocarei; participa da alegria de teu senhor!* (Mt 25.21).

Veja que, apesar de cinco talentos serem equivalentes ao ganho da vida inteira de um trabalhador comum – cerca de 80 anos – e dois talentos equivalerem ao ganho de mais de 30 anos de trabalho, o senhor considerou pouco, pois tinha muito mais a oferecer aos servos fiéis e diligentes. Note que o senhor não se importou com o lucro auferido, mas, sim, com a atitude de ambos. O que apresentou dez foi parabenizado da mesma forma que aquele que apresentou quatro, pois cada um fez o seu melhor, segundo as suas capacidades, chegando ao mesmo resultado: multiplicar em dobro os talentos recebidos. Já o servo que apenas devolveu o que seu senhor lhe confiara, se aproximou com uma desculpa muito bem elaborada, que incluía elogios e tudo mais:

> *Senhor, eu sabia que és um homem severo, que colhes onde não semeaste e recolhes onde não plantaste; então, fiquei com medo e fui esconder na terra o teu talento: aqui tens o que é teu* (Mt 25.24–25).

Diante disso, o senhor o classificou como "servo mau e negligente" e deixou claro que ele deveria ter reproduzido o comportamento dos outros dois servos, levando o dinheiro aos banqueiros para que sua fortuna fosse multiplicada. Mais uma vez, notamos que o ponto principal aqui não era o valor em si, pois o senhor havia deixado oito talentos antes de partir e agora possuía 15, quantia suficiente para recompensar seus servos e viver confortavelmente com o restante. Mas a questão que fez com que o servo mau perdesse o que recebeu (e que foi dado ao que tinha mais) foi o fato de ter sido vencido pelo medo, de não ter feito o que se esperava dele, por sua acomodação e por ter desperdiçado todo o tempo que poderia ter sido usado para multiplicar o talento recebido.

Entendemos que, nesta parábola, o senhor representa o próprio Deus, e os servos representam eu e você. Deus nos concede um ou mais talentos, segundo a nossa própria capacidade, e ele espera que não desperdicemos o que nos foi confiado, mas que venhamos trabalhar a partir do que nos foi dado. Aqui também fica clara a aprovação de Deus com respeito ao lucro. Ele quer que lucremos e multipliquemos aquilo que temos a fim de que tenhamos ainda mais, e não há nada de errado nisso.

Há cerca de vinte anos, numa época em que minha irmã morou na Argentina, as lojas de 1,99 estavam em alta. As daqui do Brasil se limitavam a vender quinquilharias, mas em Buenos Aires havia muita coisa bacana nessas lojinhas. Um dia, andando por um bairro comercial da cidade, descobrimos que em algumas lojas de 1,99 havia bichos de pelúcia que custavam 10 pesos (equivalente na época a 10 reais) e nós sabíamos que no Brasil custavam muito mais. Eram produtos feitos com bons materiais, tinham um ótimo acabamento e eram lindos! Como naquela altura eu vendia de tudo na empresa onde trabalhava para obter uma renda extra, minha irmã logo deu a ideia de comprar e trazer para vender. Eu tinha o dinheiro, os produtos eram leves e era possível trazer um monte deles na mala, então por que não? Comprei cerca de cinquenta pelúcias e só depois me dei conta de que estava levando muito mais do que podia... (não faça isso em casa!). Mas não houve problemas na alfândega e, chegando a São Paulo, tive uma grata surpresa: fui pesquisar os preços nas lojas e descobri que custavam cerca de 60 reais cada, e nem eram tão bonitos quanto os que eu havia trazido da Argentina. Vendi cada bichinho a 30 reais; com isso, ganhei 200% de lucro, e quem comprou, pagou 50% do preço de mercado.

Minha mercadoria acabou super-rápido, e ainda começaram a me pedir para levar mais (o que não fiz depois de descobrir que as leis de importação não permitiam trazer mais de 10 unidades).

Vendo minhas anotações em cima da mesa, uma das meninas que trabalhavam comigo se deu conta de que eu havia pagado 10 reais e que estava ganhando 20 em cada um. Ela ficou extremamente decepcionada comigo (isso porque ela mesma não havia comprado nenhum!) e ameaçou contar para todo mundo que eu era uma "mercenária desonesta". Expliquei que quem comprou pagou metade do preço que custava aqui, mas ela dizia que isso não vinha ao caso, que, se eu paguei 10, deveria vender, no máximo, a 15. Ganhar 5 reais em cada venda já estaria de bom tamanho e que tanto lucro assim só mostrava quanto eu era "gananciosa". A situação piorou ainda mais depois que ela descobriu, não sei como, que meu salário era mais alto que o dela: - Você não se contenta com o que ganha, não? Precisa ficar aí dando uma de sacoleira todo dia? Você quer o quê, ficar rica?

Esse é um pequeno exemplo de como o lucro é, para muita gente, sinônimo de desonestidade, assim como o querer crescer é classificado como ganância e almejar a riqueza é algo totalmente negativo. Eu não enganei ninguém; simplesmente levei os produtos para vender, mostrei aos interessados, permiti até que levassem para casa para ver se o filho gostava e deixei bem claro o preço. O problema não era nada disso, mas, sim, o fato de eu estar **lucrando**. Ela não viu que arrisquei meu dinheiro investindo na compra dos produtos, que carreguei aquilo tudo de ônibus da Praça Onze até Quilmes, cidade vizinha a Buenos Aires onde minha irmã morava, que tive de trazer tudo numa mala imensa, passar pela alfândega e ainda carregar o carro todo dia para vender na hora do almoço. Nada disso importava, pois a única coisa que ela considerou foram os 20 reais que lucrei em cada unidade, e, na cabeça dela, isso era muito. Foi um alarde tremendo só porque lucrei um total de mil reais... Portanto, abra a sua cabeça para o lucro. Não há nada de errado em lucrar, desde que seja de forma honesta. Sabemos que há comerciantes que trabalham com margens de lucro absurdas e acima do preço de mercado, mas cabe a nós sermos consumidoras mais conscientes e não alimentarmos um comércio que nos prejudica. Não deixei aquele veneno todo entrar na minha mente porque sabia que, mesmo lucrando, eu estava vendendo a um preço mais baixo do que o lojista. Nada mais justo, afinal o comerciante paga aluguel, imposto, funcionários, água, luz, etc., mas eu não tive nenhum desses gastos, portanto podia vender por menos, e foi isso que fiz. Minha consciência estava tranquila, assim como a sua deve ficar.

Se você diz que não tem nenhum talento na vida, saiba que só o fato de pensar assim já é um grande erro. Pessoas que pensam dessa forma, na maioria das vezes, estão se comparando com outras pessoas. E nós, mulheres, somos campeãs no quesito comparação! Queremos ter o cabelo da modelo X, o corpo da modelo Y, a pele da atriz tal, os olhos de não sei quem e, nisso, criamos na nossa cabeça um ser "perfeito" que nem sequer existe... Quando olhamos para os outros, esquecemos de focar em nós mesmas e isso é um tremendo erro. Passamos a vida querendo ter as coisas que não temos e deixamos de valorizar as que temos.

Talvez você não se saia bem na atual função que desempenha, mas já parou para pensar se essa função tem a ver com seus talentos naturais? Existem muitas profissões no mundo, e você pode escolher uma que se adapte a quem você é, em vez de ficar querendo se encaixar em algo que não tem nada a ver com você, seja lá por qual motivo for. Se você calça 38, nunca andará com desenvoltura num sapato 35, por mais lindo, caro e *fashion* que seja. Coloque um tubarão na areia e, mesmo sendo um grande predador, ele acabará morrendo de fome. Agora entre no *habitat* dele, e você vai virar purpurina em questão de segundos!

Você tem, no mínimo, um talento e, além de tratar de descobrir qual é, você não pode confundi-lo com mágica. Nós nascemos com propensão para algumas habilidades, mas é preciso saber que esses talentos precisam ser desenvolvidos. Eu tenho facilidade para me comunicar, mas tive de aprender a fazer isso ao longo da vida. Você já viu que eu era questionadora desde pequena, perguntava tanta coisa todos os dias que as pessoas chegavam a perder a paciência e a me mandar calar a boca! No começo era ruim, mas ter de refrear o que eu dizia fez com que eu passasse a me expressar mais pela escrita e acabei desenvolvendo essa outra forma de comunicação. Eu podia escrever tudo o que bem quisesse, e ninguém se incomodava comigo! Eu não me preocupava se alguém ia ler; eu simplesmente estava fazendo algo de que gostava muito e, sem perceber, me aperfeiçoei naquilo. Ao longo dos anos, fui desenvolvendo mais e mais essa habilidade, e hoje escrever se tornou a minha profissão (ou uma delas). Mas o fato de escrever bem não significa que estou limitada a isso. Gosto muito de fazer rádio, de apresentar meu quadro de finanças na TV, de gravar meus vídeos para o YouTube, de dar palestras e cursos. Eu não preciso fazer uma coisa só. Quanto mais me empenho em abrir meus horizontes, mais descubro que posso dar conta de fazer coisas diferentes. Se alguém me dissesse alguns anos atrás que hoje eu estaria fazendo todas as coisas que faço, não sei se eu acreditaria. No mínimo, acharia que não teria tempo para tudo isso... Mas, quando a gente quer, a gente dá um jeito!

OS PRINCIPAIS CAUSADORES DA NEGLIGÊNCIA

Como vimos anteriormente, a negligência tem várias definições, mas o que faz com que as pessoas sejam negligentes pode se resumir a três coisas:

- Medo
- Preguiça
- Falta de motivação

Nenhuma delas precisa ser ensinada aos seres humanos, pois temos a inexplicável habilidade de desenvolvê-las por conta própria. É certo que há pais que colocam medo em seus filhos no intuito de protegê-los de certas coisas e situações, mas mesmo os que nunca fizeram algo parecido se deparam com o dia em que o filho simplesmente não quer mais dormir com a luz apagada ou teme ficar sozinho em algum cômodo da casa. Ninguém precisa ensinar alguém a ter medo; esse estado simplesmente se manifesta quando menos esperamos. Da mesma forma, quem aqui precisou aprender a ter preguiça? Ou ainda, quem precisou ter uma aula de desmotivação? Tente imaginar a cena: o professor entra na sala e anuncia: - Hoje vamos aprender a nos desmotivar! Quando o professor não der a mínima para o seu trabalho escolar, mesmo que você tenha virado a noite para fazê-lo, sinta-se mal. Diga que nunca mais vai se empenhar tanto, tenha o desejo de nem vir mais para a aula!

Difícil de imaginar e totalmente desnecessário... Nós já sabemos fazer isso muito bem, alguns por coisas maiores, outros por coisas menores, mas igualmente nos desmotivamos sem nenhum sacrifício. E é justamente disso, dessas coisas que vêm "programadas" na nossa cabeça, que temos de nos livrar. E Deus, sabendo das nossas muitas fraquezas, deixou antídotos para todas elas.

Você sabia que a Bíblia cita 366 vezes o conselho "Não temas"? Deus sabe que o medo é inerente ao ser humano, independentemente de sua classe social, cultura, idade, fase de vida etc. Existem os medos irracionais, como o de pequenos insetos que não são páreo para a dupla chinelo e boa pontaria, mas que paralisam muita gente. Existem aqueles causados depois de um trauma, como um assalto ou a exposição a algum tipo de violência. Existem os "justificáveis", como o medo do desconhecido, e até os que se tornam patologias e precisam de tratamento profissional. Enfim, há de tudo: medo de falar em público, medo de morrer, medo de ser mal interpretada, medo de fazer papel ridículo, medo de parecer inadequada, medo do futuro, medo da velhice e por aí vai. Mas, para qualquer tipo de medo que você possa sentir e que ainda que lhe sobrevenha todo santo dia, Deus registrou um "Não temas" para cada dia do ano, inclusive se for bissexto!

Certa vez, escrevi um artigo no meu *blog* (www.bolsablindada.com.br) chamado "Como vencer o medo" e também gravei um vídeo com o mesmo título para o meu canal do YouTube. Meu conselho foi que as pessoas fizessem exatamente aquilo que o medo não permitia que elas fizessem. Eu disse que quem tem medo de dirigir só vai conseguir perdê-lo dirigindo. Ninguém acordará um dia se sentindo o ás do volante, mas terá de vencer esse medo dia após dia, até que nem lembre mais que um dia sentiu algum temor. Se o medo é de falar em público, por exemplo, seria ótimo começar treinando em frente ao espelho, depois conversando com um grupinho de duas pessoas, mais tarde três, depois dez, e assim o medo será vencido.

Muitas leitoras entenderam a mensagem e passaram a se desafiar para perder os medos, mas outras disseram que isso era simplesmente impossível; elas tinham medo e pronto! Porém, se fosse impossível não sentir medo, Deus não teria dito para não temermos, concorda? Ele jamais pediria para fazermos alguma coisa que não estivesse dentro da nossa capacidade. Por isso, não deixe que o medo impeça você de fazer aquilo que você gostaria de fazer ou que realmente precisa fazer. E saiba que há coisas em que ninguém pode nos ajudar; temos de fazer sozinhas. Vencer os medos é uma delas. Uma leitora me escreveu dizendo que nunca iria perder o medo do volante porque seu marido não tinha paciência para ensiná-la e gritava a cada erro cometido. Ela condicionou a perda do medo ao dia em que o marido tivesse paciência e parasse de gritar. Sabe quando isso iria acontecer? Isso mesmo:

CONQUISTAR É UM MANDAMENTO

nunca! Ela sentia até raiva dele cada vez que saía de ônibus deixando o carro na garagem, mas na verdade o medo era dela, portanto era ela quem tinha de vencê-lo. Até que, finalmente, ela se matriculou numa autoescola e aprendeu com um instrutor profissional, alguém habilitado para o papel de ensinar a dirigir, coisa que o marido não era. Quando ela parou de insistir em que a culpa era do marido e buscou a solução no lugar certo, perdeu o medo e ganhou autonomia. Sei que há quem possa achar que o marido poderia ter dado uma mãozinha; sim, poderia, mas não deu, e isso não deveria ser motivo para ela se conformar com o medo. Aliás, a primeira coisa que devemos fazer para perder o medo é parar de justificá-lo.

Já tive um carro roubado por dois ladrões, um que ficou em pé, do lado de fora, com uma arma apontada para a minha cabeça, e outro que abriu o carro e sentou do meu lado, no banco do passageiro, apontando outra arma. Eu estava no meio dos dois, um pouco sem reação, até que um deles deu o comando: "Desce rápido!" Depois desse dia, fiquei com medo até de sair de casa, pois o assalto ocorreu bem na rua onde eu morava. Cheguei a chamar a polícia uma vez para poder entrar em casa à noite, com outro carro. A delegacia mandou uma viatura, mas um dos policiais me disse: - Eu sei que você está com medo, mas agora é questão de tomar certos cuidados e encarar isso sozinha, a não ser que você tenha condições de pagar uma escolta particular... Nós não vamos mais fazer isso; foi só hoje.

Fiquei com uma baita bronca, mas depois vi que ele tinha razão: eu precisava escolher entre me deixar vencer pelo medo ou vencê-lo e seguir em frente, e isso era comigo, eu tinha de resolver sozinha. Hoje saio a hora que for, tomo os devidos cuidados, peço proteção a Deus e sigo adiante. Se eu ficasse justificando meu medo por ter tido duas armas apontadas para mim, e que eu poderia ter morrido etc., estaria carregando isso até hoje. Fui assaltada sim, mas os ladrões levaram só um carro; eles não conseguiram tirar a minha autonomia nem a minha paz.

Cada um de nós deve enfrentar os próprios medos, mas não é só isso: temos também de tomar cuidado para não assimilar os medos dos outros. Sabe quando você conta para um amigo ou familiar algum de seus projetos e eles começam a dizer que não vai dar certo, que é melhor você deixar para lá, manter o que já tem e não ficar inventando moda? Pois bem, eles estão fazendo nada mais, nada menos, do que passar para você um medo que não é seu, mas, sim, deles.

Se você me disser que vai saltar de paraquedas e pedir a minha opinião a respeito, eu vou acabar, mesmo sem querer, desaconselhando você a fazer isso... Saltar de um avião dependendo de alguém que puxe aquela bendita cordinha não é para mim. Mas esse é o meu medo, não o seu. Eu nunca precisei nem tive vontade de saltar, por isso é um medo que não me incomoda (até o dia em que eu tenha de vencê-lo!). Já se você disser que gostaria de fazer uma cirurgia para melhorar sua saúde ou se sentir melhor em algum sentido, vou acabar encorajando-a operar, pois não tenho esse tipo de medo (só não encorajo plásticas bobas!). Fiz várias cirurgias para corrigir problemas como miopia e hiperidrose (transpiração excessiva nas mãos), e foi ótimo. Também fiz uma plástica muito dolorosa para consertar orelhas de abano (essa eu só aconselho para quem se incomoda muito, porque doeu demais e por muito tempo!).

Por isso, se você quer mudar de vida, procurar outro emprego, mudar de profissão ou abrir seu negócio, tome muito cuidado com quem você comenta suas intenções. Às vezes, as pessoas não falam por mal, mas acabam colocando limites para tentar proteger você. É como os pais que inventam uma bruxa que aparece à noite na rua para a criança não sair de casa sozinha. No meu tempo era o "homem do saco", mas com toda modernidade não sei se ele ainda existe! O que sei é que, mesmo com todos os avanços da humanidade, o medo ainda paralisa muita gente. Sentir aquele medo que nos impede de fazer uma grande bobagem é saudável, mas deixar que isso se transforme em um temor limitante não é legal, e você só vai perder com isso. Lembre-se: Não tema!

No entanto, existem mais vilões a serem vencidos, e um deles é a preguiça. Para tirá-la da nossa vida, contamos com um provérbio muito conhecido, o da formiga:

> *Preguiçoso, vai ter com a formiga, observa os seus caminhos e sê sábio. Ela, mesmo não tendo chefe, nem superintendente, nem governante, faz a provisão do seu mantimento no verão e ajunta o seu alimento no tempo da colheita. Preguiçoso, até quando ficarás deitado? Quando despertarás do teu sono? Um pouco a dormir, um pouco a cochilar, um pouco para descansar de braços cruzados. A tua pobreza te sobrevirá como um ladrão, e a tua necessidade como um assaltante* (Pv 6.6–11).

Entendo que esta passagem não tem o objetivo de ofender a pessoa preguiçosa, mas, sim, de alertá-la que esse comportamento vai levá-la à pobreza. E, como vimos, a pobreza não tem nada a ver com Deus. Aliás, cabe a ressalva desde já: Deus ama o pobre, mas não ama a pobreza, assim como Deus ama qualquer pecador, mas não ama o pecado. Como todo pai, Deus quer o melhor para os seus filhos, e qual pai deseja que seu filho passe necessidades, privações e viva na pobreza? Se Deus não estivesse interessado na nossa prosperidade, ele não nos alertaria sobre o perigo de a pobreza nos assolar sem prévio aviso.

Assim como medo, todas nós sentimos preguiça. Seja aquela "preguicinha" de levantar da cama de manhã (eu era campeã em colocar o despertador mais cedo só para poder ativar o "soneca" várias vezes!), até a preguiça que nos compromete e nos faz perder compromissos ou deixar de realizar um trabalho com diligência, o que certamente trará consequências ruins. Cabe a cada uma de nós vencer essa outra batalha diária. Depois que ouvi o autor do *best-seller Casamento blindado*, Renato Cardoso, dizer: "Temos de fazer o que tem de ser feito, sentindo vontade ou não", passei a agir dessa forma. Toda vez que penso que não estou com vontade de fazer algo, lembro-me de que isso é apenas um opcional e que o obrigatório é fazer. Se o "opcional vontade" estiver presente, ótimo, mas, se não estiver, farei do mesmo jeito. Daí sabe o que acontece? A gente começa a fazer e a vontade vem; ela não gosta de ser deixada de lado!

E quanto à desmotivação, o maior problema que vejo é quando a pessoa projeta a sua motivação em coisas e pessoas. É aquela pessoa que depende que alguém a motive o tempo todo. Se ela não tem alguém que a coloque para cima, ou alguma coisa que lhe traga essa motivação, logo se abate. São pessoas que estão sempre murmurando, por tudo e por nada... porque acham que ninguém reconhece o seu trabalho, porque o chefe não as elogiou ou porque não ganharam nenhum incentivo naquela semana. A pessoa que não se automotiva é aquela que só faz algo quando alguém está vendo ou que só quer as melhores atribuições, aqueles trabalhos que aparecem mais, pois precisa de visibilidade, reconhecimento e elogios públicos.

Há pessoas que acham que a motivação está em uma palestra sobre sucesso, na qual as pessoas dão gritos de guerra, cantam e se abraçam, dizendo que tudo vai dar certo. Não é à toa que o mercado de palestras motivacionais aumentou significativamente nos últimos anos. Mas, na verdade, a maioria das pessoas saem dali cheias de emoção, entusiasmadas pelo "oba-oba", flutuando como um balão cheio de gás hélio. No outro dia, porém, boa parte do gás já escapou, e o balão começa a ceder à força da gravidade, ou seja, percebendo que continuam sem saber o que fazer, as pessoas perdem aquele entusiasmo, e tudo volta a ser como era antes.

Veja que, na parábola dos talentos, o senhor daqueles servos não determinou o que eles tinham de fazer com os valores recebidos. Ele não deixou nenhuma instrução, não colocou ninguém para vigiá-los, nem estava ali por perto para aplaudir os avanços de cada um. A motivação que eles tinham era de obter resultados palpáveis, de dar o melhor de si e, dessa forma, superar os próprios limites. Eles sabiam que o senhor demoraria a voltar, mas, mesmo assim, começaram imediatamente a negociar. Era com eles, nada dependia de terceiros.

É preciso que cada uma de nós busque a automotivação, coisa que muitas pessoas acham que nem sequer existe. Pois, além de existir, esse é o tipo mais puro, pois vem de dentro, vem daquilo que você espera de si mesma. E como fazer isso? Você tem de encontrar o seu objetivo, algo que faça valer a pena dar o seu melhor. Quando eu estava altamente endividada – história que conto em detalhes no meu primeiro livro, *Bolsa blindada* –, eu não tinha motivação para nada. Para que levantar da cama se eu passava o dia atendendo a ligações de cobrança e ameaças de credores? Para que trabalhar se eu estava recebendo 800 reais para traduzir uma revista mensal de 48 páginas, quando eu devia mais de 150 mil dólares? O que era aquela gota no mar de dívidas em que eu havia me afundado? Para falar a verdade, eu não tinha vontade de acordar, nem de comer, muito menos de tomar banho e me arrumar. Eu queria simplesmente desaparecer da face da Terra. Mas eu tinha de escolher um entre dois caminhos: arrastar aquela situação até desistir da vida de vez, ou buscar um objetivo que me tirasse da cama todas as manhãs, mesmo cheia de problemas e sozinha para resolver todos eles. Escolhi a segunda opção e firmei como meu objetivo a quitação de todos aqueles débitos.

Minha situação não mudou no dia em que estabeleci esse objetivo, mas meu ânimo já era outro. Comecei a valorizar cada real que recebia, e isso me motivava a fazer não só a melhor tradução, mas também a sugerir melhoras no texto, a desenvolver títulos mais chamativos e a fazer coisas além do que me era encomendado. Passei a receber mais trabalho, mais dinheiro e a negociar melhor cada dívida. Motivei-me a estudar débito a débito, a analisar se o que estavam me cobrando era realmente devido e a propor negociações e parcelamentos conforme minhas condições iam permitindo.

Por mais incrível que possa parecer, o maior problema que tive na vida se tornou a minha maior motivação. Eu não ficava mais choramingando porque não podia comprar nada, mas comemorava a cada dívida negociada e quitada. Tudo o que eu via na minha frente era o meu alvo: ter o nome limpo, e aquilo valia todo e qualquer sacrifício. Você precisa encontrar sua motivação, ainda que não seja comprar um carro esportivo de luxo, nem uma mansão, pois você pode estar longe disso no momento. Foque no que você precisa, no que você deseja para o futuro e pense nisso todas as vezes que vier aquela vontade de jogar tudo para o alto. Você não precisa que ninguém fique dando tapinhas nas suas costas para se sentir bem. Você está acima disso.

E por último, mas não menos importante, lembre-se de que conquistar é um mandamento. Se você quer ser uma pessoa que inspira quem está ao redor, que dá bom testemunho da sua fé e do Deus a quem serve, você precisa parar de negligenciar a batalha pela conquista daquilo que ele já lhe deu. Você tem a faca e o queijo na mão, mas é você quem terá de cortar.

O JEITINHO BRASILEIRO E O RAIO "PROBLEMATIZADOR"

Quem encobre suas transgressões jamais prosperará, mas quem as confessa e as abandona alcançará misericórdia.
Provérbios 28.13

CHEGA A SER DESNECESSÁRIO COMENTAR aqui do que se trata a expressão "jeitinho brasileiro", não é mesmo? Todo mundo conhece bem e sabe exatamente o que quer dizer. Já o raio "problematizador" pode ser novidade para você. De qualquer forma, não há como falar de sucesso sem mencionar essas duas questões que, na minha opinião, têm sido dois grandes impeditivos para o crescimento profissional de muita gente. Vamos começar pelo mais conhecido.

Sejamos realistas: a má fama que nós, brasileiros, temos não surgiu do nada. Não é por acaso que tudo o que envolve o nome do nosso país carrega uma dose de dúvida e desconfiança. Somos mundialmente conhecidos como um país que não pode ser levado a sério... Mas isso não tem a ver apenas com a classe política, pois o "jeitinho" está disseminado em todas as classes sociais e por todos os níveis de escolaridade. As atitudes variam, mas o fundamento é o mesmo. Quer um exemplo?

Certa manhã, eu e meu marido estávamos indo para uma reunião e, como de costume, enfrentando o anda-e-para do trânsito de São Paulo. Em dado momento, paramos ao lado de um catador de papelão que estava fazendo a festa em frente a um prédio onde havia uma pilha grande de caixas. Observando o trabalho do catador, vi que ele era bem organizado: desmontava as caixas e as separava por tamanho. Ele colocou algumas das grandes no fundo da carroça e forrou as laterais com as médias. Até aí maravilha, mas achei muito estranho que, antes de carregar a carroça com as outras caixas, ele começou a molhá-las na sarjeta, onde estava correndo bastante água do condomínio ao lado enquanto lavavam a fachada. Mostrei para o meu marido e, então, surgiu esta conversa que chamo de "diálogo da decepção":

- Olha o que aquele homem está fazendo! Ele está molhando o papelão todo. Ele é maluco?

- Ah... Você não sabia que eles fazem isso?

- Isso o quê? Estragar a própria mercadoria? A intenção não é vender?

- Paty, papelão é vendido por peso, eles molham para pesar mais e ganharem mais.

- ...

Lembrei-me na hora de um provérbio que tem tudo a ver com o ocorrido: "O Senhor odeia pesos fraudulentos, e balanças enganosas são perversas" (Pv 20.23).

A verdade é que somos passadas para trás tantas vezes por dia que nos acostumamos a viver no meio do engano e acabamos ficando sem referência do que é certo e do que é errado. Digo isso porque comentei essa história em um curso que ministrei dias depois e alguns alunos justificaram a ação do catador, dizendo: - Ah, coitado... Ele é pobre, né? Vai ver estava precisando...

Pode parecer um comentário inofensivo, mas é desse tipo de pensamento que nasce a aceitação do jeitinho brasileiro. A questão aqui é a adulteração do peso e não a necessidade de quem o fez. O provérbio não livra da culpa de acordo com o motivo, pois não há motivo que justifique esse tipo de coisa. O catador estava tão confortável com o que estava fazendo que não pensou, nem por um minuto, que estava no meio de uma rua movimentada, onde podia ser visto por um monte de gente. Provavelmente porque ele nem sequer ache aquilo errado e pense: "Eu não pedi para estar nesse trabalho. Faço porque preciso de dinheiro. Vi aquela água toda dando sopa bem ali na minha frente e aproveitei a oportunidade!"

Pois esta é a mesma justificativa que o superintendente de uma grande empresa deu quando foi pego defraudando a companhia em alguns milhares de reais: - Eu não pedi para estar nesse trabalho. Faço porque preciso de dinheiro. Vi aquela quantia toda dando sopa bem ali na minha frente e aproveitei a oportunidade!

E a minha pergunta é: há diferença entre um caso e outro? É claro que a pena varia de acordo com o grau de cada delito, mas os dois cometeram o mesmo erro.

Agora, imagine que, neste momento, o seu computador dê pane e não ligue mais. Calma, é só uma suposição! Por mais que seja um transtorno quando algo assim acontece, surge um segundo problema que, às vezes, se torna maior do que o primeiro: "Será que o pessoal da assistência vai me enganar? Será que não é só uma bobagem qualquer, mas eles vão dizer que tenho de trocar um monte de peças caras? Se eu disser que tenho informações importantes a recuperar, eles vão aproveitar e me cobrar uma nota... Onde eu levo esse negócio para arrumar sem ser roubada?"

É assim ou não é? Essa é a nossa preocupação quando temos de contratar quase todo tipo de serviço do qual não entendemos: pedreiro, mecânico, assistência técnica de tudo e qualquer coisa, encanador, eletricista etc. Cada um deles tem um "motivo" para enganar o cliente e cobrar além do que deveria, mas nada justifica esse comportamento, você concorda?

Certa vez minha máquina de lavar parou e chamei um técnico, pois a garantia tinha terminado havia duas semanas! Ele disse que a placa inteira de controle estava queimada e que o conserto custaria por volta de mil reais. Achei demais e chamei outro que disse que era uma peça da placa que estava queimada e que poderia trocar na hora, pois tinha uma no carro. A peça mais a mão de obra custaram 180 reais. Enquanto ele consertava, comentou o seguinte: - Moça, você deu sorte de eu ser evangélico porque, se fosse antes, eu cobraria um "barão" e diria que tinha de trocar a peça inteira... E olha que eu "tô" precisando comprar material escolar "pra" minha filha e vai ser uma nota!

Paguei o serviço à vista e ainda separei uma sacola de materiais que eu tinha no escritório para ele levar para a filha. Hoje em dia, é preciso reconhecer e valorizar a honestidade porque ela deixou de ser obrigação, para muitos, há muito tempo!

No meio disso tudo, o resultado é que, quando queremos fazer algo de valor, realizar um trabalho sério, honesto e sem segundas intenções, precisamos fazer um esforço muito maior, pois já se parte do princípio de que não somos confiáveis. Há pesquisas sobre relacionamento que apontam um fato curioso: quando o marido faz uma coisa que chateia a esposa (e vice-versa), tem de fazer cinco coisas boas para recompensar o erro. É mais ou menos isso que acontece na vida profissional: temos de fazer muito mais somente para provar que somos honestas. E como as pessoas já têm o pé atrás com as outras, qualquer deslize é motivo de mais descrédito.

Precisamos nos livrar desse rótulo de malandros e enganadores, mas devemos ter o cuidado de não esquecer que isso leva tempo e que qualquer erro pode zerar todo nosso crédito. Por isso, em certas coisas sou radical, como por exemplo, em relação à mentira. Para mim, não existe mentirinha e mentirona; tudo o que não é verdade é mentira, e tudo o que é mentira coloca a sua credibilidade na lata do lixo. Ultimamente as pessoas estão inventando nomes bonitinhos para coisas bem feias e, seguindo essa moda, surgiu o termo "mentira branca". Olha, seja lá qual for a cor, mentira sempre será mentira. Há casos em que uma mentira livra a cara da pessoa de passar por uma saia justa, mas isso é apenas uma solução momentânea que, com o passar do tempo, só vai piorar. A pessoa conta uma "mentirinha" e se livra de um problema, de uma bronca, de uma demissão ou da perda de um cliente. Mas, depois, terá de inventar outra mentira para sustentar a primeira e, mais tarde, a terceira para sustentar a segunda, e por aí vai...

Posso dizer com todas as letras que é possível ser bem-sucedida sem mentir, mas não posso dizer que falar somente a verdade é fácil. É muito difícil ter que dizer para um cliente que não vou conseguir cumprir um prazo porque fui descuidada ou que não retornei porque simplesmente esqueci. Ainda mais no Brasil, onde não basta pedir desculpas por não ter retornado; aqui, a pessoa quer saber porque você não retornou, onde estava e o que estava fazendo. Certa vez cheguei atrasada a uma reunião simplesmente porque não programei o despertador, achando que era sábado. Quando percebi, eu me arrumei voando, mandei uma mensagem de que iria atrasar 30 minutos e perguntei se manteríamos a reunião. Como mantiveram mesmo com atraso, saí o mais depressa que pude, torcendo para não atrasar ainda mais. Assim que entrei na sala, com 35 minutos de atraso, eu me desculpei com uma cara muito sem graça (morro de vergonha de chegar atrasada porque detesto que atrasem comigo). Percebendo o meu embaraço, uma das pessoas disse: - Ah, eu já sei o que aconteceu: você pegou a ponte tal que está em obras, não foi isso?

Eu poderia ter dito que sim, mas respondi: – Não, na verdade eu acordei há menos de uma hora; dormi demais...

O clima ficou meio estranho, então emendei que me confundi, achando que era sábado, e o pessoal deu um sorriso meio amarelo. Durante a reunião, ficou estabelecida uma condição que dependia de informações muito transparentes da minha parte e eles perceberam quanto o andamento do negócio estaria nas minhas mãos. Quando eu disse que podiam confiar, pois lhes diria exatamente tudo o que acontecesse e da forma que acontecesse, eles confiaram na hora. "Se ela foi capaz de assumir que acordou tarde antes mesmo de a contratarmos, porque mentiria depois de contratada?" – esse foi o pensamento deles, e eles estavam certos. E mais: a tal da "ponte em obra" acho que nem existia; creio que foi só para me tirar da saia justa do atraso, mas que poderia ter se transformado em um atraso de vida para mim!

Se você for verdadeira, honesta e realmente fizer o seu melhor, as pessoas certas irão valorizar o seu trabalho. Aqueles que só querem desconto, que não buscam qualidade e que não valorizam as relações duradouras provavelmente não serão seus clientes. Mas os que perceberem que podem confiar, esses não trocarão você por outros, nem que sejam mais baratos.

É muito melhor ter um bom nome do que grandes riquezas e ser estimado é melhor do que a prata e o ouro (Pv 22.1).

Esse provérbio sintetiza bem o título deste livro, pois mostra que ser bem-sucedida vai muito além da conta bancária. É ter um bom nome, manter uma reputação inquestionável, desfrutar da confiança das pessoas e não ter de viver escondendo ou encobrindo o que quer que seja.

Nós falhamos, isso é um fato, então não precisamos ficar mentindo para ocultar nossas falhas e parecer perfeitas. Assumir os erros não é tarefa fácil e nem sempre resulta em um final feliz. Já cheguei a ser demitida por ter dito a verdade. E não uma, mas duas vezes. Porém, apesar de ter passado alguns apuros pela falta do salário, não me arrependo de forma alguma. Os meses que sofri um aperto financeiro serviram para moldar o meu caráter e construir minha reputação, ainda que na hora eu não tenha percebido isso.

Para terminar a questão do jeitinho brasileiro e entrarmos no tema do raio "problematizador" (que eu sei que você já está curiosa para conhecer!), quero tocar em dois assuntos muito delicados, mas que não posso deixar passar em branco: os atestados médicos falsos e a pirataria.

No início de 2016, minha mãe passou mal e corremos para o pronto-socorro. Era um feriado e o local estava abarrotado de gente. Depois de várias horas, minha mãe foi atendida, medicada e mandada para casa. Porém, dias depois, ela passou mal novamente e tivemos de voltar. Era uma segunda-feira, e o PS estava ainda mais cheio que no feriado. Perguntei a um dos atendentes se aquela quantidade de pessoas era normal e a resposta foi: - Toda segunda é assim, é dia de atestado.

Dia de atestado? Perguntei o que era aquilo e ele me explicou que as pessoas faltam ao trabalho no final de semana e, para não perderem o dia, vão buscar atestado de qualquer coisa. Eu não podia acreditar no que estava ouvindo... Perguntei para outros funcionários e eles confirmaram. Alguns, inclusive, disseram que os médicos acabam dando porque são ameaçados pelos "pacientes". Foi um dos dias em que mais fiquei indignada na vida, porque, além de estarem enganando as empresas com atestados falsos, aquelas pessoas estavam atrasando o atendimento de quem realmente estava passando mal. Tenho vários amigos médicos que confirmaram a prática, o que só serviu para me deixar mais indignada ainda. Portanto, se você faltar ao trabalho por qualquer motivo que seja – por preguiça, desânimo, para se divertir ou simplesmente ficar de papo *pro* ar –, assuma os seus atos e abra mão de receber pelo dia não trabalhado. Não minta, não engane e não prejudique outras pessoas por causa das suas escolhas.

E sobre a pirataria, lembre-se da frase que você já ouviu muitas vezes: pirataria é crime. Todo tipo de pirataria? Sim, todo tipo. Mesmo desses produtos que todo mundo sabe onde vende e ninguém faz nada? Sim, mesmo esses!

Certa vez uma amiga me indicou um filme cristão chamado *Quarto de Guerra*, dizendo que era uma história maravilhosa de fé e perseverança. Fiquei curiosa para assistir e fui pesquisar onde encontrar. Para minha decepção, o que achei foi uma quantidade enorme de *sites*, inclusive "cristãos", disponibilizando versões piratas do filme. Sendo jornalista, pesquisa para mim é coisa séria, então fui mais a fundo e acabei me deparando com uma triste realidade: há poucos filmes cristãos no mercado pelo simples fato de que eles são altamente pirateados pelos próprios... cristãos! A indústria do cinema obviamente não investe naquilo que não traz retorno, por isso a baixa oferta de filmes desse gênero.

Até mesmo dentro de algumas igrejas evangélicas são exibidos filmes pirata sob a "justificativa" de serem para a "Obra de Deus". Oi? Como assim? Quer dizer que nós pagamos para ir ao cinema assistir a qualquer tipo de filme, mas aos filmes cristãos podemos assistir de graça em versão pirata? Para Deus, o pirata; para o resto do mundo, o original? Se é mesmo para Deus, então tem de ser o melhor. Exatamente isso: o melhor ou nada.

Quem não tem dinheiro para uma bolsa de grife original, compre outra, não a cópia da bolsa de grife. O mesmo vale para tudo: roupa, calçado, maquiagem, CD, DVD, perfume. Seja autêntica, até porque, quando alguém vê uma pessoa sem condições de pagar, em média, 5 mil reais numa bolsa, usando uma pseudo-Louis Vuitton, sabe muito bem que não passa de uma "luís vintém"... Desculpe, mas o "joelhaço" é necessário para acordar quem ainda não despertou para isso. Muita gente não faz por mal, mas é preciso abrir os olhos e não aceitar esse tipo de engano como se fosse algo normal.

Lembre-se de um conceito básico: não é porque muita gente está fazendo algo errado que o errado passa a ser certo. Ele pode passar a ser **aceito**, mas jamais passará a ser correto. Mentira, engano e jeitinho brasileiro não passarão!

RAIO "PROBLEMATIZADOR"

Há alguns meses publiquei um vídeo no meu canal do YouTube com o título "Cinco coisas que os ricos fazem (e que nós devemos copiar)". O vídeo foi um sucesso e rapidamente passou das 200 mil visualizações (agora o total já deve estar bem mais alto!).

Lendo os comentários, vi que a maioria das pessoas compreendeu o sentido do vídeo, que é **mostrar hábitos que podem nos fazer enriquecer e tornar a nossa vida mais próspera**. Algumas pessoas, porém, conseguem inventar um problema para cada solução, pois de alguma forma, como mencionamos antes, se sentem ofendidas com conteúdos que veem a riqueza como algo bom.

É esse negativismo de sempre buscar o lado ruim das coisas que chamo de raio "problematizador". Nesse vídeo, entre outras coisas, conto como foram criados os copos descartáveis. A ideia surgiu para resolver um problema de saúde pública nos Estados Unidos no ano de 1900, quando havia alta proliferação de doenças transmitidas por germes; naquela época, as pessoas, em locais públicos, usavam um único copo – que não era nem sequer lavado entre um uso e outro – para beber água. O objetivo desse exemplo é mostrar que **cada problema traz em si uma oportunidade de negócio**, mas houve quem comentasse: "Criaram os copos descartáveis, porém começaram a poluir o mundo!"

Além de ignorar o fato de que, na época, esse foi um grande feito e resolveu um problema enorme de toda população exposta àquelas doenças, a pessoa coloca essa única questão como "causa do início da poluição mundial". Ou seja, o detergente que ela usa para lavar louça não polui, o sabão que ela usa para lavar roupa não polui, os meios de transporte que ela usa também não poluem... Haja paciência!

Hoje, as oportunidades estão em outras coisas, inclusive, em soluções mais sustentáveis para o meio ambiente. Quantas empresas estão lucrando com a venda de fraldas de tecido, com a reciclagem de plásticos e coisas do tipo? As questões atuais envolvem a preservação do meio ambiente, e isso se transformou em novas oportunidades para quem traz soluções. Mas isso não importa, não é mesmo? Afinal, o que algumas pessoas querem é apenas lançar seu raio "problematizador" achando que, com isso, estarão justificando o motivo de continuarem na mesma vida de sempre. A pergunta é: será que você está lançando raios "problematizadores" sem perceber? Faça o teste!

PEQUENO TESTE – SEM FINALIDADES CIENTÍFICAS – PARA DETECÇÃO DE RAIOS "PROBLEMATIZADORES"

Escolha a resposta mais próxima à sua realidade hoje (seja sincera, afinal, só você vai saber!).

Toda vez que você ouve uma história de sucesso, qual é a sua reação?

1. Buscar um motivo para diminuir o mérito da pessoa, pensando que ela deve ter tido alguma facilidade que você não teve.
2. Achar-se injustiçada, pois você deveria estar no lugar daquela pessoa (mesmo não tendo feito o que ela fez).

3. Sentir-se desmotivada porque sua vida não é tão boa ou tão fácil como a daquela pessoa.
4. Agir com desdém, fingindo não ligar para o sucesso dos outros.
5. Reconhecer que você deveria estar mais à frente e sentir-se motivada a mudar.

Imagine que você acaba de receber flores; qual é a sua reação?

1. Flores, além de caras, não duram nada. A pessoa poderia ter me dado outra coisa.
2. Essa planta vai me dar mais trabalho do que eu já tenho.
3. Que falta de criatividade! Não é porque sou mulher que sou obrigada a gostar de flores.
4. Até gosto de flores, mas não dessas que me lembram enterro.
5. Vou escolher um lugar para colocá-las onde elas possam ser vistas na maior parte do tempo.

Imagine que um local que você frequenta com assiduidade (pode ser trabalho, academia, casa de alguma amiga, supermercado etc.) muda para um lugar melhor, porém mais longe da sua casa. Qual é a sua reação?

1. Eu sabia... estava muito bom para ser verdade.
2. Com certeza irei com menos frequência ou nem irei mais.
3. Aposto que logo vão se arrepender de não terem ficado onde estavam.
4. Devem ter mudado porque não davam conta de pagar as despesas.
5. Vou fazer um esforço maior, mas se o local é melhor não tem problema.

Este teste não precisa de mais perguntas nem de algum tipo de elaboração de resultados, pois já deu para perceber se você emite ou não raios "problematizadores". Se esse for o seu caso, deve estar se perguntando o que fazer. Vamos a algumas dicas, e a primeira é: mude seus pensamentos! Você pode achar que pensamentos não mudam, mas mudam sim. É uma questão de posicionamento e determinação. Se você não quer mais ser uma pessoa negativa, decida não nutrir mais pensamentos negativos em sua mente. É claro que pensamentos negativos surgem na mente de qualquer pessoa, mas cabe a cada uma de nós a escolha de alimentar esses pensamentos ou fazê-los morrer de fome. Se você quer mudar, passe a pensar diferente, pois toda mudança começa pelo lado de dentro.

E se você ainda não se tornou uma pessoa organizada, não encontrou nenhum método que funcione para você ou não vê tanta importância em se organizar, passe já para o capítulo seguinte!

ORGANIZAÇÃO: PORTA DE ENTRADA PARA UMA VIDA DE SUCESSO

Então Deus os abençoou, dizendo: Frutificai e multiplicai-vos; enchei as águas dos mares, multipliquem-se as aves sobre a terra.
Gênesis 1.22

ANTES QUE AS DESORGANIZADAS DE plantão torçam o nariz e digam que organização não é tão necessária assim, e que é possível conviver com a bagunça, aqui vai outro joelhaço: se existe alguém organizado neste e em todos os universos desconhecidos, é Deus. Amiga, com Deus não tem bagunça!

A criação do mundo, primeira ação de Deus em relação à Terra, foi altamente organizada. Mesmo sendo Deus e podendo fazer tudo de uma vez, ele agiu de forma a nos deixar exemplos de como fazer as coisas. A cada dia ele formou algo, de maneira ordenada e crescente. No primeiro dia, ele criou a luz, pois no escuro não se faz nada, e também criou a separação da luz e das trevas, formando dia e noite. No segundo, ele separou as águas que ficariam abaixo dos céus e acima deles. No terceiro dia, foi a vez de preparar o terreno, separando as águas debaixo do céu da parte seca, formando os mares e a terra firme. Com toda estrutura pronta, era hora de começar a criar vida por meio da vegetação e das plantas. Aqui Deus já mostrou que toda criação deve ser sustentável, pois cada espécie traz em si mesma uma semente capaz de reproduzir-se. No quarto dia, foram criados sol e lua, para demarcar as estações e dividir o tempo em dias. Também foram criadas as estrelas para ampliar a iluminação. Com isso, a reprodução das plantas criadas no dia anterior estaria segura. Toda essa ordem não foi aleatória, tudo teve um porquê.

Lembra-se de que, antes da terra, Deus criou os mares e os céus? Pois ele manteve a mesma ordem quando começou a povoar o planeta, criando primeiro os animais aquáticos e, depois, as aves. Ao final de cada dia, o Criador observou sua criação para avaliar cada uma delas, ensinando a nós que não basta fazer, mas é preciso também analisar o que foi feito. Ele só continuava o trabalho no dia seguinte depois de ter aprovado a criação daquele dia. Mas vale ressaltar um detalhe: o final do quinto dia teve algo a mais, pois, pela primeira vez, Deus abençoou o que havia feito e, também pela primeira vez, deixou um mandamento aos seres recém-criados: que se multiplicassem (versículo inicial deste capítulo). Viu como Deus é o Deus da multiplicação, do crescimento, do encher o que está vazio?

No sexto dia, mantendo a ordem já instalada, ele criou os animais terrestres de todas as espécies. Faltava apenas uma coisa: quem iria dominar sobre toda criação. Para finalizar sua obra, Deus formou homem e mulher, abençoou-os e deixou o mandamento para que se multiplicassem e dominassem sobre todas as coisas. Depois de tudo pronto, Deus nos deixou mais um exemplo: o descanso. Ele sabe que precisamos descansar e não nos priva desse direito; ao contrário, nos demonstrou que é algo tão necessário quanto todas as demais coisas que criou.

A Bíblia é outro exemplo de organização, pois todos os livros sagrados têm uma ordem e falam a respeito de um assunto específico. A primeira grande parte, o Antigo Testamento, possui 39 livros agrupados em 5 partes:

1. **Pentateuco** – da criação do mundo às Leis dadas a Moisés;
2. **Livros históricos** – trajetória de Israel como nação;
3. **Livros poéticos** – louvores, ensinamentos, conselhos;
4. **Profetas maiores** – como Isaías;
5. **Profetas menores** – como Amós.

A segunda grande parte, o Novo Testamento, possui 27 livros também agrupados em 5 partes:

6. **Evangelhos** – contam a trajetória de Jesus em quatro pontos de vista diferentes para alcançar a compreensão de todos os tipos de pessoas;
7. **Histórico** – Atos dos Apóstolos;
8. **Cartas de Paulo** – treze no total;
9. **Cartas gerais** – oito no total;
10. **Profético** – Apocalipse.

Mesmo em meio a tanta informação, é possível localizar facilmente cada livro e cada assunto. Cadê a bagunça, diga-me? Mas existe uma coisa sensacional que talvez você nunca tenha percebido. Como amo escrever e tive a oportunidade de estudar sobre como se estrutura uma narrativa, preparei um apanhado geral de informações muito bacanas para que você veja que, no fim das contas, tudo o que existe vem de Deus, até a forma como se contam as histórias. Veja só!

Para que uma história tenha sentido, é necessário apresentar certos elementos e atender a alguns critérios. Independentemente do tipo de história, ela sempre terá:

- **Espaço** – descrição do local onde as coisas acontecem fisicamente, onde as personagens se movimentam;
- **Tempo** – ordem cronológica, marcação das horas, meses, anos;
- **Personagens** – elementos fundamentais, sem os quais não haveria história;
- **Descrição das personagens** – suas características físicas gerais e detalhes que ajudarão a compreender fatos; as características psicológicas também são necessárias para que possamos entender como cada personagem pensa, qual é sua visão de mundo, suas lembranças, sentimentos e por que faz o que faz; as personagens principais têm destaque no enredo, e as demais vão sendo posicionadas: antagonistas, secundárias e as que só aparecem vez ou outra para sustentar a trama;
- **Narrador** – quem conta a história, um mediador para quem lê, ouve ou assiste; pode pertencer a uma de três classificações:
    1. *Narrador-personagem*: conta os fatos em primeira pessoa ao mesmo tempo que deles participa;
    2. *Narrador-observador*: conta os fatos em terceira pessoa sem nenhum envolvimento;

3. Narrador-onisciente: sabe tudo sobre a história e as personagens, incluindo pensamentos e emoções.
- **Enredo** – como os fatos se desencadeiam, a essência da história e seu encaminhamento ao desfecho.

O mundo se modernizou, a tecnologia e a automação transformaram quase tudo o que conhecemos. O homem andava a pé, depois a cavalo, mais tarde vieram os carros, e hoje podemos voar. Não precisamos cavar poços para beber água nem sair à caça para preparar o jantar. Nós nos comunicamos com quem está do outro lado do mundo em questão de segundos e achamos normais coisas que, há apenas algumas décadas, seriam inimagináveis. Porém, esta continua sendo a estrutura e a forma de contar uma história. Sempre foi assim e nunca será diferente, pois essa é a maneira que o próprio Deus criou. Veja:

Na narrativa da história de Adão e Eva, temos exatamente essa ordem:

- **Espaço:** o Jardim do Éden
- **Tempo:** o início da criação humana, o primeiro homem e a primeira mulher
- **Personagens:** Adão e Eva
- **Descrição das personagens:** que foram criações de Deus, andavam nus e não se envergonhavam, que o homem era criativo, pois deu nome a todos os animais etc.
- **Narrador:** Moisés, fazendo o papel de narrador-observador.

Podemos inventar muitas coisas e transformar tantas outras, mas se há algo que não podemos mudar é a ordem natural das coisas, e tudo o que é natural, é organizado.

Vou usar mais um exemplo bastante interessante de organização: a divisão das 12 tribos de Israel e a definição de suas tarefas. Você verá que cada uma tinha funções preestabelecidas e que, juntando todas elas, se obtinha absolutamente tudo aquilo de que uma nação precisa.

AS 12 TRIBOS DE ISRAEL

Israel foi – e ainda é – uma das nações mais empreendedoras do mundo. Apesar de ocupar uma área menor do que a de Sergipe (o menor dos estados brasileiros), Israel é uma potência e se destaca mundialmente em inúmeros aspectos, como ciência, tecnologia, saúde, sustentabilidade e, por incrível que pareça, até irrigação, mesmo tendo grandes áreas desérticas e apenas uma fonte de água doce, o rio Jordão.

Chamada de Terra Santa, Israel provém das 12 tribos, representadas pelos 12 filhos de Jacó. Cada tribo recebeu uma tarefa diferente, o que garantiu a segurança, a prosperidade e o estabelecimento como nação. Cada tribo recebeu um brasão que a identificava entre as demais; assim, creio que posso dizer que o brasão das tribos é o pai dos crachás de identificação usados até hoje! Cada brasão recebeu um símbolo, segundo sua função.

1. Rubem
- Símbolos: sol e água
- Função: pecuária – responsável pela criação de animais e seu pastoreio

2. Simeão
- Símbolos: fortaleza e torre
- Função: militar – responsável pela segurança de todas as tribos, formada por soldados de guerra

3. Levi
- Símbolo: peitoral das vestes do sumo sacerdote
- Função: espiritual – formada por líderes espirituais, responsáveis em ensinar e receber os sacrifícios e ofertas do povo

4. Judá
- Símbolo: leão
- Função: governar e promover o bem-estar do povo – responsável pela saúde, formada por médicos, enfermeiros, terapeutas e líderes políticos
  Obs.: pertencem à tribo de Judá o rei Davi e o Senhor Jesus

5. Dã
- Símbolo: balança
- Função: direito – formada por juízes que decidiam as causas de todo o povo

6. Naftali
- Símbolo: gazela

- Função: comunicação e meio ambiente – formada por pessoas eloquentes, escritores e porta-vozes do povo, além de cuidarem da natureza

7. Gade
- Símbolo: tenda
- Função: responsáveis pelo acampamento – encarregada de montar e desmontar o acampamento a cada mudança

8. Aser
- Símbolo: árvore frutífera
- Função: abastecimento – responsável pelo armazenamento de alimentos para todas as tribos

9. Issacar
- Símbolo: jumento
- Função: transporte – responsável pela travessia dos bens das tribos em suas peregrinações; criavam jumentos, animais fortes e resistentes que atravessavam até desertos com grandes cargas

10. Zebulom
- Símbolo: navio
- Função: comércio marítimo – negociação de mercadorias com outras nações; o princípio do comércio exterior de Israel

11. José
- Símbolo: trigo
- Função: liderança e negociação – a tribo de José foi dividida em duas de acordo com seus filhos, Manassés e Efraim; José foi próspero na terra de suas aflições e garantiu a sobrevivência de seu povo

12. Benjamim
- Símbolo: lobo
- Função: caça – composta por caçadores e homens valentes que também eram soldados de guerra

Apesar de cada tribo ter uma função individual, todas viviam em dependência mútua, um exemplo de nação harmoniosa. Nenhuma tribo era autossuficiente ou individualista, mas todas trabalhavam para o bem comum da nação. Ah, se o nosso país funcionasse assim, não é mesmo?

As empresas de sucesso são as que seguem esse modelo, dividindo as funções em departamentos e estabelecendo um líder para cada setor, com o intuito de que cada colaborador não trabalhe apenas em benefício próprio, mas, sim, em prol do bem-estar de toda a empresa. Essa é a receita do sucesso: disciplina, organização e cooperação. Nós não podemos responder por todos, mas, se garantirmos que a nossa parte seja feita com excelência, já estaremos colaborando com o sucesso do todo e deixando o exemplo para quem queira seguir.

O mundo exalta a bagunça; afinal de contas, quem é organizado leva o rótulo de neurótico, exagerado, portador de TOC[1] e por aí vai. Eu já fui chamada de tudo isso, mas faz tempo que não ligo mais e também já parei de tentar explicar que organização não é doença.

Procure ser organizada em tudo o que possa fazer a diferença na sua vida. Uma casa organizada, ao contrário do que se pensa, é mais fácil de administrar e dá muito menos trabalho. Um guarda-roupa organizado faz você gastar menos dinheiro, além de lhe poupar tempo procurando o que vestir. Fazer listas de tarefas, usar uma agenda, não sair de casa sem saber o que vai comprar e tantas outras medidas simples podem fazer de você uma pessoa muito mais produtiva e menos estressada.

Uma das causas da baixa produtividade, do estresse e até da ansiedade é a desorganização. Por isso, invista em aprender mais sobre esse assunto, busque livros, vídeos no YouTube, faça cursos, se necessário, pois valerá muito a pena. Você não perde nada em ser uma versão mais organizada de si mesma!

---

[1] [NR] Transtorno obsessivo-compulsivo.

5

GESTÃO DO TEMPO

Ensina-nos a contar os nossos dias para que alcancemos um coração sábio.
Salmos 90.12

SEMPRE QUE PENSO EM GESTÃO do tempo, duas figuras surgem em minha mente: Christian Barbosa, o maior especialista do Brasil em gerenciamento de tempo, e Deus. Achou estranho? Eu explico! Sempre me considerei uma pessoa organizada com meus compromissos, pontual e que raramente desperdiçava tempo. Mas conforme minha agenda foi ficando mais apertada e minha quantidade de trabalho e compromissos cresceu, descobri que não usava tão bem assim o meu tempo. Parte dessa descoberta veio depois de fazer o teste da *Tríade do Tempo* (Editora Sextante, Ano 2011), criado por Christian Barbosa, autor de um livro com o mesmo título (que já aproveito para indicar como leitura obrigatória para quem quer gerenciar melhor seu tempo).

A Tríade do Tempo consiste na classificação do tempo em três esferas, que veremos a seguir. Em outro livro seu, intitulado *60 estratégias práticas para ganhar mais tempo*, Barbosa cita algo muito curioso: "O número três é extremamente associado ao tempo, que muitas vezes é diferenciado em trindades. Nós temos três períodos temporais (passado, presente e futuro; manhã, tarde e noite), em um banco de dados o número três é utilizado para cálculos de datas e horas, entre outras relações físicas, geométricas e astrológicas".

E, sempre que se fala em trindade, de quem nos lembramos se não de Deus, que é Pai, Filho e Espírito Santo? A própria estrutura da vida, o átomo, é composto por três elementos: prótons, nêutrons e elétrons, não é mesmo? O tempo é algo estritamente conectado a Deus, não só porque ele o definiu, criando divisões tríades: dia, mês e ano; décadas, séculos e milênios; horas, minutos e segundos; mas também porque este é um recurso semelhante à direção da nossa vida na Terra. Assim como a vida humana, o tempo tem uma única direção: ele só acaba. A cada minuto que vivemos nós nos dirigimos a um caminho sem volta, da mesma forma que o tempo que passou jamais retornará. Por isso, saber usar bem o tempo é uma das maiores riquezas que qualquer ser humano pode ter; afinal de contas, a pessoa que só ocupa seu tempo em ter dinheiro, está se candidatando a ser apenas o defunto mais rico do cemitério! O verdadeiro sucesso vai muito além da conta bancária e, para alcançá-lo, temos de saber empregar muito bem o tempo que nos resta.

A classificação proposta pela Tríade do Tempo é dividida nas seguintes esferas:

- **Importantes** – coisas que trarão resultados benéficos, atividades associadas à missão de vida de cada um;
- **Urgentes** – atividades que passaram ou estão prestes a passar do prazo e devem ser feitas o quanto antes;
- **Circunstanciais** – coisas que desperdiçam seu tempo, não produzem nada e vão contra o que você gostaria de estar fazendo no momento.

É preciso que, antes de mais nada, você entenda e respeite o que é importante para si mesma. Há pessoas que têm dificuldade de separar tempo para fazer o que é importante para elas; vivem descontentes e com a sensação de não estarem aproveitando a vida. Por exemplo: se para você é importante ter um tempo na semana para cuidar de si mesma, inclua esse compromisso na sua agenda. O seu dia continuará tendo 24 horas e a sua semana não terá mais do que 7 dias, então será preciso cortar outra(s) atividade(s) para poder encaixar o que é importante para você se sentir bem consigo mesma.

A forma que uso há muitos anos para organizar meu tempo – e que o Christian Barbosa cita como a melhor forma de planejamento – é planejar semanalmente. Você terá uma visão mais ampla do que se planejasse diariamente, pois, quando se planeja apenas um dia, provavelmente compromissos e tarefas importantes vão acabar fora da lista e virarão urgências; e ao mesmo tempo, você focará em um período menor e mais fácil de gerenciar do que se planejasse o mês todo. O planejamento semanal é uma forma bem equilibrada de ter um tempo mais produtivo.

Colocando em ordem todos os seus compromissos, fica mais fácil dividi-los ao longo da semana e, assim, não sobrecarregar demais um dia, deixando outros ociosos. Manter o equilíbrio da agenda é fundamental para que você não deixe de incluir as coisas que são importantes para você, ainda que não sejam importantes para os outros. Não pense que só são importantes os compromissos de trabalho ou estudo, pois aquilo que você precisa fazer para se sentir bem não deve esperar pela aprovação de terceiros. Se você precisa ir à academia três vezes por semana, não importa que a sua colega de trabalho ache desnecessário; é você quem define o que quer fazer com o seu tempo.

A organização semanal também ajuda a evitar as urgências, pois você vai priorizar aquilo que tem prazo, distribuindo as tarefas de maneira a não deixar tudo para a última hora. Nisso a matemática ajuda muito! Por exemplo: se você precisa entregar um relatório **importante** de 8 páginas daqui a cinco dias, e você leva, em média, uma hora para escrever cada página, poderá escolher como vai realizar a tarefa: começar hoje, separando 2 horas por dia para escrever e terminando ao final de quatro dias; começar amanhã, separando entre 2h30 e 3h por dia; ou começar depois de amanhã, separando 4 horas por dia. Percebeu que o dia da entrega (quinto dia) não entra na conta? O dia do prazo se refere ao dia da **entrega** e não deve ser considerado dia de produção. Deixar para escrever o relatório usando as oito horas do dia da entrega vai tirar você da esfera do importante e jogá-la na esfera do **urgente**, gerando estresse e fazendo com que a qualidade do seu trabalho diminua. Isso sem contar com a sua imagem como profissional, que pode ser manchada facilmente. Com isso, você já entendeu que o urgente nada mais é do que o importante que passou do prazo!

É claro que urgências podem surgir a todo momento; por isso, o ideal, segundo a Tríade do Tempo, é concentrar a maior parte da sua agenda em coisas importantes, reduzir as urgências e minimizar o circunstancial. E o que vem a ser a esfera da **circunstância**? É tudo aquilo que toma o seu tempo sem trazer nenhum benefício: aquela reunião em que só houve conversas paralelas e nada se resolveu, aquele número absurdo de e-mails que incluem *spams* e assuntos irrelevantes, os telefonemas em hora errada, os aplicativos de mensagens (como o WhatsApp) que desconcentram você a cada cinco minutos, as redes sociais em geral e por aí vai. Também podem ser classificados na esfera circunstancial os convites para um evento que você não tem a menor intenção de comparecer. Graças a Deus, aprendi a dizer não para esse tipo de coisa. Desculpas, na minha opinião, não resolvem, muito menos dizer que você vai e não aparecer no mapa. Eu não sou obrigada a nada! Além disso, ninguém pode devolver meu tempo perdido. Aprenda a dizer não para as coisas que não trazem nada de bom, e você verá seu tempo (e sua paciência) se multiplicar.

Não dá para falar em planejamento sem citar que é preciso manter anotações claras e de uma forma que funcione para você. Confiar na memória não é uma boa estratégia. Ainda no livro *60 estratégias práticas para ganhar mais tempo*, Barbosa comenta sobre os três estilos de organizar seu tempo:

- Estilo sensorial – preferência por anotações em papel, agenda, *planner* etc.;
- Estilo *high-tech* – preferência por anotações virtuais em computador, aplicativos etc.;
- Estilo misto – combinação dos dois estilos anteriores.

Não há uma forma correta, mas, sim, a que melhor se adapta a você. Particularmente, gosto muito de tecnologia, mas não abro mão da minha agenda e de outros controles em papel (*planner* e calendários de tarefas). Já meu controle financeiro é informatizado e minhas planilhas em Excel seguem firmes e fortes, por isso o estilo misto é o que melhor funciona para mim.

Seguem algumas dicas práticas para ajudá-la na organização do seu tempo:

1. Saiba identificar suas prioridades.
2. Não programe tarefas além do que você pode dar conta em determinado período de tempo; delegue, se necessário.
3. Tenha cuidado com prazos e não deixe coisas importantes para a última hora.

4. Cuidado com as redes sociais, que podem consumir muito do seu precioso tempo sem que você se dê conta.
5. Aprenda a dizer não sem ser rude, sem ficar dando muitas satisfações e sem peso na consciência.
6. Conte com imprevistos, pois uma agenda muito apertada pode desmoronar caso aconteça algo diferente do que você imaginou.
7. Inclua-se na sua agenda! Não deixe para fazer o que você gosta "se sobrar tempo", pois tempo não sobra, só acaba.
8. Não queira abraçar o mundo. Trabalhar oito horas por dia, cuidar da casa, dos filhos e de si mesma, fazer faculdade, academia, sair com as amigas, colocar a leitura em dia e ainda ter cachorro, periquito e papagaio não seria possível nem se o dia tivesse 48 horas (não é só o tempo que tem limites; nós também temos). Não idealize uma "vida perfeita" impossível de alcançar.
9. Inclua tarefas corriqueiras, mas necessárias, como ir ao supermercado, ter um momento reservado para cuidar das roupas, limpar e organizar a casa etc. E não se esqueça de programar, de tempos em tempos, compromissos com sua saúde, como retorno médico, dentista e exames de rotina. Amiga, até o Taj Mahal precisa de manutenção!
10. Respeite o tempo.

Para falar sobre o respeito ao tempo, vamos voltar ao versículo de abertura deste capítulo, que registra uma oração de Davi. Leia novamente:

Ensina-nos a contar os nossos dias para que alcancemos um coração sábio (Sl 90.12).

O pedido de Davi, quando analisado no hebraico, nos mostra que ele queria dizer o seguinte: "Se o Senhor me ensinar a contar os meus dias, a valorizar meu tempo e usá-lo com sabedoria, então eu terei um coração sábio". Davi considerou, em sua meditação, que usar bem o tempo faz de nós pessoas sábias.

Tive o prazer de participar como entrevistada do documentário *O Código da Riqueza*, apresentado pelo educador financeiro Thiago Nigro, conhecido por seu canal no YouTube "O Primo Rico". Sem sombra de dúvida, estar em um dos quatro episódios da maior série financeira do Brasil, ao lado do próprio Thiago e de nomes como Flávio Augusto (fundador da Wise Up e presidente do clube de futebol Orlando City, nos Estados Unidos), Robert Kiyosaki (empresário e escritor *best-seller*), Chris Gardner (cuja história de sucesso foi retratada no filme *Em busca da felicidade*) e tantos outros é um enorme privilégio. Poder passar conhecimento em algo tão grandioso como esse documentário foi um presente inesperado, mas o que eu já esperava, desde o dia em que fui convidada a conceder entrevista, é que eu aprenderia muito com todas as pessoas envolvidas. E um dos diversos aprendizados foi ao ouvir o economista e investidor Luiz Fernando Roxo, que criou o conceito de que são necessários cinco recursos para alcançar a verdadeira riqueza:

1. Dinheiro
2. Saúde
3. Conhecimento
4. Tempo
5. Tudo o que não é os quatro anteriores

Quando pensamos em riqueza, a primeira coisa que nos vem à cabeça é o dinheiro, mas o financeiro é apenas um dos recursos para a riqueza plena. Sem saúde ninguém é rico de verdade, sem conhecimento é possível perder qualquer fortuna, por maior que seja, sem tempo não produzimos nem desfrutamos de nada e, em relação ao quinto recurso, se não temos motivação, objetivos na vida e não encontramos a nossa missão no mundo, também não alcançamos a riqueza plena.

Veja que, segundo Roxo, o tempo é um dos recursos para obter a totalidade da riqueza, e nisso eu concordo 100%.

As pessoas desperdiçam demais o tempo sem se darem conta de que esta é uma riqueza irrecuperável. Quando você usa bem o seu tempo, você se torna mais inteligente que a maioria das pessoas. Quando você se torna mais inteligente que a maioria das pessoas, você passa a estar à frente delas e, uma vez estando à frente, você tomará melhores decisões. Toda a sua vida será melhor do que a vida das pessoas comuns e, obviamente, você terá mais dinheiro que a maioria das pessoas.

Isso porque você terá percepções e entendimentos que as outras pessoas não têm, pois elas estarão envolvidas com coisas que não acrescentam nada, fofocando numa rede social, criticando o comportamento de gente que elas nem conhecem, vegetando na frente da TV.

Essa é uma das conexões entre o tempo e Deus: quando você entende que o tempo é algo divino, aprende a respeitá-lo e passa a usufruir da recompensa que ele dá: a sabedoria. O tempo vale mais do que dinheiro quando consideramos que uma quantia perdida pode ser recuperada, ainda que leve tempo; mas o tempo perdido jamais será recuperado, ainda que se tenha muito dinheiro. E mais: nós podemos ter a propriedade do dinheiro, podemos acumular e multiplicar dinheiro, mas jamais seremos donos do tempo, e não poderemos acumular tempo, nem mesmo um minutinho. Você não tem, e jamais terá, uma gaveta no seu escritório ou um armário na sua casa onde poderá guardar uma semana para desfrutar quando estiver cansada. Não poderá ter uma reserva extra, nem que seja de duas horas, para arrumar o seu guarda-roupa. Quando dizemos que não temos tempo, estamos falando a mais pura verdade: não temos mesmo! O tempo não é nosso; nós apenas passamos por ele sem nenhum controle em relação à sua velocidade. Por mais que estejamos ansiosas, jamais poderemos acelerar ou reduzir a passagem do tempo. Você não tem tempo, eu não tenho tempo, ninguém tem tempo; é o tempo que nos tem, por isso precisamos respeitá-lo imensamente. O tempo é seu dono. É por causa do tempo que, a cada dia, ficamos mais velhas, e é também por causa dele que muita gente já desistiu dos seus sonhos.

Quando um sonho demora a se concretizar, o que a maioria das pessoas faz? Desiste. O tempo venceu essas pessoas, conseguiu desanimá-las, apagar-lhes o brilho, fazê-las viver roboticamente. O tempo tem acabado com muita gente que não o respeita. O melhor que podemos fazer em relação ao tempo é aprender a lidar com ele a longo prazo. Uma vez cientes de que nunca o teremos e nunca o controlaremos, o que nos resta é fazer bom uso dele. Como? Aprendendo a "contar os nossos dias", a fazer cada um deles valer a pena.

Talvez você tenha perdido muito tempo da sua vida fazendo coisas que não trazem nenhum proveito, de repente até reclamando com Deus e consigo mesma que a vida não é do jeito que você gostaria que fosse, que seu dinheiro nunca é o suficiente, que seu emprego ou o trabalho que você realiza não a tem feito se sentir realizada. Quem sabe você vive reclamando da sua família ou de outras coisas que a fazem infeliz, mas você não está empregando tempo para fazer alguma coisa e mudar essa situação.

Imagine como seria sua vida se, a partir de hoje, você trocasse a reclamação por uma ação. Você estaria melhor do que está atualmente, concorda?

Então se disponha a isso: em vez de reclamar de algo, faça algo para mudar o que deve ser mudado. Se você fosse empregar cinco minutos reclamando, use esse mesmo tempo para pensar no que pode ser feito para que essa reclamação não tenha mais lugar na sua vida. Vamos parar de agir como loucas, ou seja, querendo que as coisas mudem, mas repetindo sempre os mesmos e velhos comportamentos. Se você não tem tempo para nada, pare de perder tempo! Se está descontente com seu peso, faça uma reeducação alimentar. Se está sempre devendo, pare de gastar com aquilo de que não necessita. Não espere que o tempo vá melhorar as coisas, pois o tempo não é nosso, ele não trabalha a nosso favor. Em vez disso, use o tempo para tomar atitudes diferentes e poder obter resultados diferentes.

Uma das maiores inimigas – se não a maior – da mudança é a justificativa para você continuar como está. O vídeo mais popular no meu canal do YouTube (pelo menos até o momento em que escrevo este livro) chama-se "10 Dicas Para Quem Não Tem Empregada Doméstica". Nele, conto que não tenho empregada nem diarista, e dou 10 dicas do que eu faço no dia a dia para manter a casa em ordem na maior parte do tempo. A maioria das pessoas se animou a implementar as dicas em casa, mas é claro que não faltaram comentários do tipo "É que você mora numa casa pequena", "Isso funciona porque você mora em apartamento" e "Isso só serve para quem mal fica em casa e não suja nada". Bem, eu não moro em apartamento, minha casa tem mais de 100 m², fora o quintal, e eu fico bastante em casa, pois trabalho em *home office* na maior parte do tempo. Não tenho ideia de quais são as premissas nas quais as pessoas se baseiam para tirar conclusões assim, mas o que sei é que elas criam justificativas para nem sequer tentarem mudar. É isso o que normalmente as pessoas fazem: desperdiçam seu tempo – aquele que elas não têm – para justificarem seus fracassos. Por que alguém assiste a sete minutos de um vídeo se não tem interesse em praticar as dicas? Para depois perder mais um ou dois minutos deixando um comentário que não muda nada na vida delas? Por que as pessoas se enchem de informações sobre dieta se, na hora das refeições, comem tudo o que veem pela frente? Para depois reclamarem que as roupas estão apertadas e que elas não têm mais nada para vestir? Por que as pessoas reclamam que não têm tempo para nada, mas não saem do Facebook nem da frente da televisão (muitas vezes fazendo as duas coisas ao mesmo tempo)? Desperdiçamos nossos dias deixando de fazer os ajustes necessários, mas o tempo não deixa de passar; ele continua o seu caminho, levando consigo a nossa vida.

Veja se não é isso o que acontece: imagine que um pesquisador bata à sua porta e pergunte quais são as três coisas mais importantes da sua vida. Talvez você responda: Deus, minha saúde e minha família, pois é isso o que geralmente consideramos importantes. Porém, provavelmente essas são as três coisas nas quais as pessoas menos investem tempo!

Quando entendemos que o tempo vem de Deus, que ele é quem tem o controle de tudo, passamos a valorizar mais nossos dias, horas e minutos. E, quando alcançamos a sabedoria recompensada pelo respeito ao tempo, Deus faz o tempo (que é dele) trabalhar a nosso favor. O tempo de Deus é diferente do nosso. O dia de Deus não está limitado às nossas 24 horas. A Bíblia diz que, para Deus, um dia é como mil anos e mil anos é como um dia (2Pe 3.8). A contagem do tempo como conhecemos só funciona para o nosso planeta, pois em Vênus, por exemplo, 1 dia é o equivalente a 243 dias terrestres. Já em Saturno, 1 dia corresponde a 10 horas e 15 minutos terrestres. Isso só nos mostra quanto não somos donos do tempo.

Se você reconhecer que Deus tem o controle do tempo, passar a respeitá-lo e a fazer bom uso desse recurso de riqueza, ele fará que uma coisa que levaria um tempão para acontecer, se realize em um período menor de tempo e vice-versa. Vou dar dois exemplos pessoais. Certo dia eu estava abarrotada de coisas para fazer, e uma delas era entregar um texto sobre determinado assunto. Por conta disso, quase desisti de assistir a uma reunião especial para empresários no Templo de Salomão, aqui em São Paulo. Eu já havia passado boa parte do dia às voltas com aquele texto, mas o dia não estava sendo produtivo, por isso deixar o trabalho por duas horas iria me atrasar ainda mais. Porém, decidi largar tudo e ir, reconhecendo que deveria usar aquele tempo para investir na minha vida espiritual. Durante a reunião, tive um estalo em uma fração de segundos e, naquele instante, entendi exatamente como desenvolver o texto que estava esquentando minha cabeça o dia todo. Foi chegar em casa e, em questão de 15 minutos, o texto estava pronto e entregue antes do prazo! Fui recompensada por usar bem o meu tempo. Em outra ocasião, recebi um prazo superapertado para cumprir um compromisso financeiro, e o credor estava irredutível. Em vez de reclamar, reuni o máximo de recursos possível, investi tempo em formalizar um pedido justificável de mais prazo e deu tudo certo. Recebi o prazo necessário e cumpri o compromisso. Foram inúmeras as vezes em que o tempo foi meu inimigo, mas, sempre que honro o Dono do tempo, ele me retribui a honra me dando sabedoria para reverter as situações desfavoráveis. Não se trata de papo de autoajuda, trata-se de obedecer à lei do retorno, a lei do plantar para colher. E, quando desperdiçamos o tempo, pagamos um alto preço pela nossa negligência. Pode ser que você trabalhe oito horas por dia, mas não consiga ter foco em nada. A todo momento você precisa conversar com alguém, tomar um café, fazer um telefonema particular, consultar sua popularidade nas redes sociais ou ir ao banheiro mais vezes que o necessário. Não será difícil chegar ao final do dia e perceber que você não produziu nada. Daí você observa um colega de trabalho que, em duas ou três horas, fez o que você não conseguiu fazer o dia inteiro. Você desperdiçou o seu tempo, mas, em vez de reconhecer, o que você faz? Reclama! Do seu colega de trabalho, inclusive! O tempo precisa prosperar nas suas mãos e não escorrer pelos seus dedos. Veja o que diz o texto de Salmos 25.14:

> *O Senhor confia os seus segredos aos que o temem, e os leva a conhecer a sua aliança.*

Quando respeitamos o Dono do tempo, ele nos permite ver coisas secretas. Deus divide seus segredos conosco! É como comentei anteriormente: ele nos dá ideias e inteligência, nos ajuda a sobressair rapidamente e daí viramos o jogo – o que as pessoas levariam uma eternidade para entender, você compreende em segundos. O que os outros levariam dias para realizar, você faz em poucas horas. Você passa a ter **informação privilegiada**.

Várias vezes, em momentos nos quais estou meditando na Bíblia, tenho ideias que só eu sei que jamais sairiam da minha cabeça. Foram inspirações do próprio Deus. Então, quando as pessoas perguntam algo como: "De onde você tirou essa ideia? Eu queria ter ideias assim!", não posso responder que foi pela minha superinteligência. Mas quando digo que é Deus quem me inspira, as pessoas desconversam, achando que devo ser "alguma religiosa fanática" ou coisa do tipo... Mas a questão é que, enquanto a pessoa fica esperando ter ideias, ela não está investindo tempo em ter ideias. Nós só temos o agora, não temos mais o ontem e ainda não temos o amanhã; tudo o que temos será sempre o agora. Então, precisamos aprender a usar o agora. Você precisa estar sempre focada no que está acontecendo neste momento.

Se, nesse minuto, você está realmente focada no que está lendo, aprenderá coisas novas, mas, se está apenas passando os olhos pelo texto e já nem lembra qual foi o parágrafo anterior, você está simplesmente perdendo tempo. Você não está nem aqui lendo nem está fazendo a outra coisa na qual está pensando. A sua cabeça precisa estar onde o seu corpo está agora, pois se não for assim, você apenas jogará suas oportunidades fora. Busque gerenciar o tempo da melhor maneira possível, pois, do contrário, você jamais alcançará o verdadeiro sucesso. E o momento para começar a ser uma boa gestora do tempo é agora!

Visto que os meus pensamentos me impõem resposta, eu me apresso (Jó 20.2).

PARTE 2

HOMENS E MULHERES DE SUCESSO E SUAS ESTRATÉGIAS

PARTE 2

HOMENS E MULHERES DE SUCESSO E SUAS ESTRATÉGIAS

6

ABRAÃO, O PAI DA FÉ E A NOVA IDENTIDADE DE JACÓ

E o Senhor disse a Abraão, depois que Ló se separou dele: Levanta os olhos agora e olha desde o lugar onde estás, para o norte, para o sul, para o oriente e para o ocidente; porque darei para sempre, a ti e à tua descendência, toda esta terra que vês.
Gênesis 13.14-15

A HISTÓRIA DE ABRAÃO – descrita a partir de Gênesis 12 – é, sem dúvida, uma das mais inspiradoras de toda a Bíblia. Pai da fé judaica e cristã, considerado o primeiro hebreu, Abraão também foi um grande homem de negócios com quem podemos aprender lições valiosas.

Quando Deus chamou a Abraão, pediu que ele deixasse sua terra e todos os seus parentes para ir a um local desconhecido, que lhe seria revelado apenas durante o caminho. Pode parecer um pedido simples se considerarmos a realidade dos nossos dias, mas mudar de um lugar para outro naquela época significava um enorme sacrifício por vários motivos.

A terra de Ur era uma metrópole próspera e altamente desenvolvida, segundo estudos e escavações arqueológicas que evidenciam a existência de tecnologias avançadas para a época, grandes fortunas e objetos artesanais bastante elaborados. Além de toda a estrutura existente na cidade, a herança de Abraão também estava em sua terra, pois ele assumiria os negócios de seu pai, Terá, após sua morte. Ao deixar suas origens, Abraão estava abrindo mão de sua herança familiar e teria de construir seu futuro a partir de seus próprios recursos. E não só isso, mas ele também estaria deixando de arcar com sua obrigação de assumir o posto de chefe de seu clã. Podemos entender que a decisão de Abraão em obedecer ao chamado de Deus foi extremamente difícil, pois naqueles dias havia dezenas de deuses, e Terá os servia, assim como todo o povo. Imagine a situação: Abraão vivia em meio a muitos deuses, cada um com seu formato e representação física, e neles toda a cidade cria e confiava, inclusive seu pai, autoridade máxima de sua família. Então, Abraão chega e diz que vai largar tudo o que conhece para obedecer a um Deus invisível, do qual ninguém jamais ouvira falar e que se dirigira apenas a ele. Não é difícil concluir quanto seus parentes, principalmente seu pai, desaprovaram a atitude dele. Quem assumiria o cuidado da família? Quem cuidaria dos negócios? Para que Terá havia se sacrificado tanto em construir riquezas se seu filho estava lhe dando as costas? Para dificultar ainda mais, Abraão nem sequer podia dizer para onde estava partindo, pois nem ele mesmo sabia... Ele simplesmente creu a ponto de deixar para trás tudo o que conhecia e apoiar sua vida e seu futuro nessa fé.

E, falando em fé, esse é um requisito básico para quem deseja empreender, ainda mais no nosso país, onde não há incentivo, nem apoio, muito menos benefícios para quem quer gerar emprego e renda abrindo um negócio próprio. Ouvi uma analogia muito interessante dita por Hélio Beltrão, presidente do Instituto Mises Brasil. Ele conta que seu pai costumava dizer que o Brasil parece um besouro, aquele inseto enorme com asinhas muito pequenas que ninguém sabe como consegue voar! E é bem isso. Como explicar tantas histórias de sucesso em um país onde o governo, além de não ajudar o empreendedor, atrapalha o tempo todo? Só mesmo tendo muita fé e estando disposta a fazer todos os sacrifícios necessários.

A primeira grande lição empreendedora que Abraão nos deixou é a **fé sacrificial**. Afinal de contas, uma coisa é achar que vai dar certo e ficar esperando que as condições se encaixem para que tudo aconteça naturalmente; outra coisa é crer a ponto de colocar todas as fichas na mesa e fazer acontecer. Além dessa fé, há outros fatores fundamentais que todo empreendedor deve desenvolver e que podemos aprender com o exemplo de Abraão. Vejamos a seguir.

DESPRENDIMENTO

Diante do desafio proposto por Deus, para que Abraão abrisse mão de todas as suas garantias como sucessor do clã e herdeiro da fortuna de seu pai, ele não teve dúvidas. E a fé é isso: ausência de dúvida, certeza de coisas que ainda nem sequer existem (Hb 11). Fé não é um sentimento ou um "achismo"; é uma forte convicção, capaz de nos mover a fazer coisas que, sem ela, não seríamos capazes de fazer. Ou seja, sem materialização, a fé não existe. É como está escrito:

> *Pois assim como o corpo sem espírito está morto, também a fé sem obras está morta* (Tg 2.26).

Dizer que crê qualquer um é capaz, mas **agir** de forma a provar que se crê é para poucos. Por isso é que, cada dia mais, os currículos e os diplomas valem cada vez menos. Não adianta dizer que sabe, ainda que seja com documentos oficiais; é preciso materializar esse conhecimento provando, na prática, o que se sabe. Quantas não são as pessoas que, embora tenham diplomas, não conseguem desenvolver uma carreira de sucesso? Aliás, em muitos casos, o diploma só serve de entrave ao sucesso. Isso mesmo, há pessoas cujos diplomas mais atrapalham do que ajudam, pois elas se prendem a eles e não abrem mão de aceitar qualquer outro trabalho que não seja na sua área. Perdem oportunidades pelo simples fato de terem fincado suas raízes em um solo que pode nem ser tão fértil como imaginaram, ainda mais nos dias de hoje, em que tudo muda com uma rapidez impressionante.

De acordo com o relatório *The New Work Order* [A Nova Ordem do Trabalho], baseado em pesquisas conduzidas na Austrália e divulgado em 2017 pela *Foundation for Young Australians* (FYA – Fundação para os Jovens Australianos), 60% dos jovens estudantes estão entrando no mercado de trabalho para ocuparem posições que não existirão dentro de dez ou quinze anos. Devido à tecnologia e à automação, muitos dos empregos de hoje simplesmente deixarão de existir. Assustador, não é mesmo? Ainda mais porque estamos falando sobre jovens que estão estudando atualmente, imagine então para quem já se formou há tempos?

É certo que o desemprego aumentará em diversos setores e não será fácil para ninguém; porém, para quem ficar apegado aos seus estudos, ao seu cargo e à sua profissão, será mais difícil ainda. No mundo moderno, a única coisa que permanece é a mudança. Tudo muda o tempo todo; por isso, quem não se desprender do passado, ainda que tenha sido um tempo excelente, acabará dificultando sua carreira.

Talvez você tenha idealizado um plano perfeito para a sua vida, e isso é ótimo; afinal de contas, quem não planeja dificilmente realizará qualquer coisa que seja. Porém, é preciso saber que as coisas podem mudar e que devemos estar abertas a essas inovações para não ficarmos para trás.

Antes de continuar a leitura, pare por uns instantes e analise a sua carreira profissional e, por que não, a sua vida como um todo, e identifique se há coisas (e pessoas) das quais você precisa se desprender para poder crescer. Talvez seja um mau hábito que você adquiriu e que tem atrapalhado a sua *performance* no trabalho, uma nova norma à qual você não está conseguindo se adaptar por ainda estar ligada à antiga, ou então uma amizade tóxica, uma companhia que não lhe faz bem. É muito importante estar com o caminho livre antes de seguir para o próximo fator, e você já saberá o porquê!

VISÃO

Sem perceber, Abraão estava atrasando o cumprimento da maior promessa de Deus por não ter se desprendido da única coisa que havia trazido consigo de sua terra natal: seu sobrinho Ló. É certo que Deus abençoou muitíssimo a Abraão, pois a Bíblia cita que ele "havia ficado muito rico em gado, ouro e prata" (Gn 13.2), mas a promessa de fazê-lo pai de uma grande nação, dando-lhe o herdeiro que ele tanto esperava, ainda não havia sido realizada. Foi preciso que Deus criasse uma situação entre eles para que Abraão percebesse "que era hora de se separar de Ló". A quantidade de gado que ambos possuíam era tanta que a terra não podia sustentar. Começou a haver brigas entre os pastores de cada rebanho, de forma que Abraão propôs a seu sobrinho que seguissem rumos diferentes. E é aí que encontramos a visão que esse homem de fé teve e que todas nós, que queremos alcançar o sucesso, também devemos ter:

> *Então Ló levantou os olhos e viu todo o vale do Jordão, todo bem regado até chegar a Zoar (antes de o Senhor destruir Sodoma e Gomorra), como o jardim do Senhor, como a terra do Egito* (Gn 13.11).

ABRAÃO, O PAI DA FÉ E A NOVA IDENTIDADE DE JACÓ

Antes da separação de Abraão e Ló, houve fome na terra e eles precisaram descer ao Egito para garantirem sua subsistência e não empobrecerem. Ao regressarem ao Neguebe, onde não havia a mesma prosperidade encontrada no Egito, os desentendimentos entre os pastores de ambos começaram, e daí surgiu a necessidade de se separarem. Abraão deixou a escolha a cargo de Ló, propondo que ele definisse para que lado gostaria de ir. Vendo o vale do Jordão bem regado e próspero como a terra do Egito, Ló escolheu seguir para lá, pois sua visão estava baseada no que era mais fácil, mais garantido; afinal de contas, viver em terra fértil é muito mais seguro do que viver no deserto. Além disso, Ló já havia encarado a fome, a ponto de ter de mudar para outras terras, e ele não queria passar por aquilo novamente. Mas a visão de Abraão era diferente. Ele cria que o local não importava e que poderia ser bem-sucedido ainda que fosse no deserto. A Bíblia diz que "Abraão, ao **contrário do que se podia esperar**, creu com esperança" (Rm 4.18), e é isso o que pessoas de sucesso fazem: andam na contramão do que todo mundo espera.

Trazendo isso para os dias de hoje, vemos que o sucesso acontece, antes de mais nada, a partir da crença que a pessoa tem, tanto em si mesma, quanto em sua capacidade de realização, mesmo que todo mundo diga que não vai dar certo. A coisa mais comum que existe quando alguém propõe algo novo é a oposição da maioria das pessoas. Nem é preciso entrar em detalhes sobre isso, pois só você sabe quanto esperou apoios externos para suas ideias e projetos e acabou mesmo ficando só na espera! As pessoas não apoiam aquilo que lhes causa medo, mas, como vimos, esse é um medo delas, não seu. Quando você está segura do que quer, acredita que pode realizar e está disposta a se sacrificar por isso, você segue em frente, mesmo que ninguém acredite ou que as circunstâncias não sejam aparentemente favoráveis. Por isso, não se deixe abater pelas condições e não fique esperando que as coisas aconteçam exatamente da forma que você idealizou. O mundo é dinâmico, e o que permanece estático tende a ficar obsoleto. Precisamos evoluir e renovar as nossas expectativas, ampliando sempre o alcance da nossa visão. Foi o que Deus propôs a Abraão quando lhe apareceu novamente:

> *E o Senhor disse a Abraão, depois que Ló se separou dele: Levanta os olhos agora e olha desde o lugar onde estás, para o norte, para o sul, para o oriente e para o*

ocidente; porque darei para sempre, a ti e à tua descendência, toda esta terra que vês (Gn 13.14-15).

Observe que aqui Abraão ainda era Abrão, pois até então, Deus não havia mudado seu nome, nem o de Sarai, sua esposa, que posteriormente passou a chamar-se Sara. Somente depois de separar-se de Ló é que ele recebeu a confirmação da promessa. Daí a importância de nos desprendermos de tudo o que nos mantém paradas, que nos impede de crescer. Mesmo que você consiga alcançar algum sucesso, se estiver ao lado das pessoas erradas, provavelmente terá problemas. É muito mais difícil enxergar com clareza até onde podemos chegar quando estamos com parte da nossa visão ofuscada por coisas e pessoas que nos mantêm presas.

Ter visão do que se quer é o primeiro passo para chegar aonde se quer. Se você ainda não sabe o que quer fazer, quais são seus objetivos de vida, e ainda não encontrou algo que, de fato, motive você a vencer, não se aflija! É melhor ser uma tela em branco do que um quadro velho cuja paisagem não tem pé nem cabeça.

Há algumas coisas que você pode fazer para encontrar o seu caminho e traçar planos para começar a percorrê-lo. Uma delas é responder à seguinte pergunta: se você pudesse trabalhar fazendo qualquer coisa na vida, o que você faria? Não se prenda a negativismos do tipo "Eu nunca vou chegar lá", ainda que você esteja longe de seu alvo. Albert Einstein afirmou que a imaginação é mais poderosa do que a inteligência; portanto, você não deve colocar obstáculos à sua imaginação, mas, sim, deixá-la fazer o seu trabalho. Imagine o que você quer, e faça o mesmo que Deus aconselhou a Abraão: olhe ao seu redor e imagine o que você vê como se já fosse seu. E lembre-se: você só chega aonde sua imaginação chegar primeiro. Se você acha que nunca será bem-sucedida em nada, provavelmente não será mesmo. Mas por que você daria força a esse tipo de pensamento se não pode adivinhar o futuro? As pessoas que dizem que tudo vai dar errado não têm como saber se isso vai acontecer ou não. Assim como você não tem como saber se vai ser bem-sucedida ou não. As experiências do passado não podem servir como guia para os passos futuros; elas podem servir de base, mas não de guia. Você percebe a diferença? Algo que você fez de errado no passado pode servir de base para não cair no mesmo erro, mas jamais pode servir como um guia determinante de que, se deu errado antes, vai dar errado agora também. Suas experiências de vida, sejam boas ou ruins, devem servir para ampliar a sua visão e não para diminuí-la.

FORMAR DISCÍPULOS

Por mais capacitadas que possamos ser, todas temos limites e, sozinhas, até conseguimos crescer, mas chegará um momento em que não vamos mais dar conta. Por isso, não basta capacitarmos apenas a nós mesmas; precisamos também de pessoas capacitadas ao nosso redor, ou seja, precisamos formar discípulos. Anteriormente, toda vez que eu pensava na questão de formar discípulos, entendia isso como capacitar funcionários. Hoje, porém, minha visão está mais ampla a respeito disso, pois há muitos modelos de negócio que não contemplam funcionários fixos, mas são baseados em parcerias. Acredito que formar discípulos seja cercar-se de pessoas que tenham os mesmos objetivos que você, acreditam no seu negócio e estejam dispostas a vestir a camisa junto com você. Para mim, a relação patrão-empregado está ultrapassada quando o assunto é começar a empreender. Imagine que você, hoje, resolva abrir seu próprio negócio e comece sozinha, na garagem da sua casa, improvisando um espaço para fazer as coisas acontecerem. Daqui a um tempo, os pedidos crescem e fica inviável dar conta de tudo. Então, você conclui que precisa ampliar a sua produção, certo? Qual desses dois caminhos você acha mais interessante?

• Contratar um funcionário, estabelecendo uma relação de dependência que demandará alugar um espaço apropriado (pois qual funcionário vai querer trabalhar em uma garagem?); registrá-lo em carteira e arcar com toda a carga trabalhista; pagar o salário mensalmente; supervisionar todo trabalho, pois, não importa se as coisas saírem certas ou erradas, o salário deverá ser pago; arcar com custos de transporte e alimentação ou proporcionar um local adequado para que ele armazene, aqueça e faça sua refeição; fazer uma reserva em dinheiro em caso de indenização por demissão; aumentar o preço final do produto para honrar os compromissos assumidos com a contratação. Você arcará com toda despesa gerada, e, havendo produção ou não, o risco é todo seu.

• Fazer uma parceria, estabelecendo uma relação colaborativa que vai demandar: repassar a produção extra para que o parceiro produza em seu próprio local de trabalho; treiná-lo de acordo com seus padrões de processo e qualidade; pagar a parte que cabe ao parceiro mediante entrega e aprovação do trabalho realizado (o que não passar no controle de qualidade não é remunerado). Você pagará pelo que foi produzido, apenas quando houver demanda, o que não aumentará as despesas e o preço final do produto poderá ser mantido.

A escolha é bem fácil, não é? O que não é nada fácil é encontrar pessoas que tenham essa nova visão de que cada um deve ser responsável por seu sustento e por sua renda. Muitas pessoas querem manter essa relação de dependência na qual cabe às empresas fornecer tudo o que elas necessitam. É certo que grandes empresas têm condições de prover todos os direitos que a CLT (Consolidação das Leis do Trabalho) determina, mas precisamos lembrar que, no Brasil, mais de 90% das empresas são micro e pequenas.

Um dia desses, fui fazer um trabalho para uma empresa e, para minha locomoção, me ofereceram uma motorista. Achando que eu era advogada, a motorista começou a perguntar sobre questões trabalhistas. Mesmo depois de eu ter dito que não sou advogada, ela resolveu contar a história inteira para saber minha opinião sobre um processo que ela queria mover contra a empresa. Eis o diálogo (que ficou gravado na minha memória!):

– Eu trabalho aqui há mais de dez anos e desenvolvi uma LER[1] no braço direito, então quero processar a empresa, porque eu não tinha nada disso quando entrei aqui.

– Você ainda trabalha na empresa, certo?

– Trabalho, mas já me informei que isso não me impede de processar.

– Certo... A empresa fornece plano de saúde? Você chegou a ir ao médico?

– Fornece, sim, e o plano é ótimo! Fiz todos os exames, passei nos médicos, tenho todos os laudos. Eu posso provar por A + B que esse problema eu "peguei" aqui, dirigindo!

– Mas os médicos disseram que não tinha jeito? Não existe tratamento?

– Ah, existe, lógico! Eles me mandaram fazer "físio" e usar um "negócio" no braço. Eu comprei, mas não uso, não me adaptei...

– E a fisioterapia?

– Passaram dez sessões para começar, mas devo ter feito duas ou três. É longe, toda uma "função"; não fui mais.

– Mas você quer processar a empresa por quê? Não entendi...

– Como assim? Pela LER que eu "peguei" aqui, lógico!

---

[1] Lesão por Esforço Repetitivo.

— Eles obrigam você a dirigir mais horas do que o permitido por lei?

— Não, na verdade eu dirijo até menos, porque a gente trabalha oito horas, mas dirigindo mesmo é bem menos.

— Então, por que, em vez de processar a empresa, que respeita os horários e não força você a trabalhar além do que deveria, você não aproveita o plano de saúde e se trata?

— ...

— Eu sou escritora, fico bastante tempo sentada, digitando. Muitas vezes tenho dores no braço, no pescoço, na coluna, mas eu mesma que tenho de pagar o meu médico e fazer tudo o que ele manda. Não tenho ninguém em quem jogar a culpa das consequências da profissão que escolhi.

— Bom, aí é contigo! Mas eu não tinha isso dez anos atrás... Eu devia ter a mesma saúde de antes, você não acha?

— Amiga, se nem você mesma se cuida, como quer que uma empresa assegure que você terá a mesma saúde de dez anos atrás? Vai fazer seu tratamento, use o "negócio" que o médico recomendou, e você vai melhorar. Não acho que a empresa tenha culpa das suas escolhas, essa é a minha opinião, já que você me perguntou.

— Ah... mas é meu direito! Eles têm que dar um jeito... é responsabilidade deles!

— OK, e o que você vai pedir nesse seu processo? Um braço biônico?

— Hahaha... Você é engraçada, "doutora"! Não, eu só quero que eles me paguem uma indenização e me coloquem para trabalhar em outro setor.

— Outro setor, está certo... E você sabe fazer o que além de dirigir?

— Nada... eu fiz isso a vida inteira. Eu sei que sou nova ainda, mas não me especializei em nada.

— E em que departamento você acha que eles deveriam colocá-la, uma vez que você não sabe fazer mais nada?

— Não sei, isso não é problema meu... Eles que me treinem *pra* alguma coisa...

— Ah, *tá*... Então, digamos que você ganhe o seu processo, mas a empresa demita você daqui a um tempo. Em que você vai trabalhar?

— De Uber, vou ganhar mais do que meu salário, com certeza!

— Quer dizer que você vai continuar fazendo o que causa a LER?

— Claro! Não é isso que vai me impedir de trabalhar! O que eu quero é aproveitar isso que me aconteceu para garantir uma "poupancinha". De resto é "bola *pra* frente" porque a gente não pode ficar com frescura, né?

Depois dessa, nem precisa comentar mais nada, não é mesmo? É claro que existem empresas que exploram os funcionários, tratam mal, pagam abaixo do mercado e não são idôneas. Mas, como comentei várias vezes, o mundo está em constante mudança, e a nossa realidade hoje já não é aquela em que o funcionário tem sempre razão e o empresário é sempre o explorador. Nosso sistema judiciário é lento e ultrapassado, e as pessoas aprenderam a manipulá-lo em benefício próprio (não em benefício da justiça em si). Por isso, temos de buscar novas formas para viabilizar o nosso negócio, a nossa carreira, e alcançarmos o sucesso que tanto queremos. Sim, o besouro é pesado e as asas são pequenas, mas com fé podemos fazê-lo voar!

Abraão também nos deixou exemplo de formação de discípulos, quando seu sobrinho Ló foi sequestrado. Apesar de ser o pai da fé, ele era precavido e, mesmo vivendo em uma época de paz, havia treinado 318 soldados, homens escolhidos a dedo, nascidos em sua própria casa, para o caso de haver alguma guerra. E é isso o que muitos cristãos não entendem: que a fé tem de ser aliada à inteligência. Você deve ser uma pessoa de fé, claro, mas não deve ser imprudente, ingênua ou ter uma fé baseada em emoções. A fé é razão, é convicção, é uma escolha que nada tem a ver com sorte e sentimento. Você pode estar vivendo um bom momento na sua carreira, mas isso não quer dizer que pode baixar a guarda, parar de se capacitar e achar que as coisas continuarão assim para sempre. Devemos estar preparadas para os momentos ruins (pois eles vêm para todo mundo). Ficar achando que simplesmente eles não vão acontecer ou torcer para que não nos atinjam não é fé; é contar com a sorte. Abraão venceu a guerra e recuperou seu sobrinho usando essa arma poderosa que é a fé inteligente, além de agir nas esferas física e espiritual. No mundo material, ele reuniu seus 318 e traçou uma estratégia: dividiu-os em bandos e atacou à noite, quando havia mais chances de surpreender os inimigos. No mundo espiritual, ele usou a fé no Deus que lhe prometera ser pai de uma grande nação, pois, mesmo tendo homens treinados, o número de seu exército era muito pequeno diante da força de seu oponente.

Quando usamos todas as armas, materiais e espirituais, as nossas chances de sucesso se multiplicam. Devemos agir equilibradamente, não contando apenas com a nossa própria capacidade, mas também sem esperar que a fé resolva tudo. Por isso, cerque-se de pessoas que somem, que colaborem, que acreditem em você e nas suas ideias. Motive quem convive com você e sirva de inspiração para elas. Faça discípulos contagiando-os pelo seu exemplo.

CONSTÂNCIA

Nesse mundo de imediatismos, em que pouco se planeja e tudo precisa ser feito "para ontem", a constância virou artigo de luxo. Ninguém mais tem paciência para dar tempo ao tempo e, com isso, muita gente desiste de seus sonhos, achando que eles estão demorando demais a virar realidade. A tecnologia e a automação aceleraram muitos processos e facilitaram a nossa vidam abreviando o tempo em muitas coisas, porém, por mais tecnológicas que possamos ser, há coisas que não são dispensáveis e a constância é uma delas. Para que você tenha sucesso, principalmente em relação à carreira profissional e à vida financeira, é preciso saber que você não irá muito longe se não der continuidade aos processos necessários.

Uma das perguntas mais frequentes que chegam a mim pelo meu *blog* é: "O que fazer quando equilibramos as contas, mas depois voltamos a nos endividar?" E a resposta é simples: volte a fazer o que você fez para equilibrar as contas! Sei que a resposta não agrada, pois as pessoas estão esperando alguma solução que lhes permita fazer as coisas segundo a sua vontade, e ainda assim obter resultados diferentes. Mas isso não é possível, você concorda? No Capítulo 19, falaremos sobre esse assunto.

Por ora, analise se você não está sendo muito imediatista, esperando que coisas que levam tempo aconteçam milagrosamente rápido e, quando isso não ocorre, você acaba ficando desanimada. Procure ser mais constante e não ser aquela pessoa que começa mil coisas, mas não termina nada. Como diz um amigo meu, seja uma pessoa de iniciativa e de "acabativa". Mais importante que começar dez coisas, e não acabar nenhuma, é começar uma e manter a constância até terminá-la.

A NOVA IDENTIDADE DE JACÓ

Talvez, a esta altura da leitura, você esteja pensando que precisa mudar em tantas coisas que nem sabe por onde começar. Quando passamos por situações assim, a vontade que dá é de pegar um avião e ir para o outro lado do mundo, começar tudo do zero, com uma nova identidade, em um lugar onde ninguém saiba das nossas fraquezas e das bobagens que já fizemos! Bem, sumir daqui e recomeçar a vida no Alasca não é muito viável para a maioria dos mortais (não só pelo frio!), mas mudar sua identidade é possível.

Não me refiro ao seu nome de batismo nem ao seu CPF, mas, sim, à maneira como as pessoas se referem a você. Quando passamos por algum problema ou temos uma conduta pouco ortodoxa, digamos assim, as pessoas acabam relacionando isso à nossa identidade. Por exemplo, quando meu negócio afundou e fiquei endividada, eu já não era mais a Patricia Lages, pois passei a ser a "Patricia Caloteira".

- Sabe a Patricia?
- Que Patricia?
- A Patricia, filha da Maura!
- Maura... não estou lembrando...
- Aquela que abriu uma loja, perdeu tudo e ficou devendo para meio mundo!
- Ah! A "Patricia Caloteira", claro que sei! Por que você não disse logo?

É bem assim! Mas é a esse tipo de identidade que me refiro, aquele rótulo que colaram em você e que está difícil de arrancar. Tudo bem, pode até estar difícil, mas não é impossível.

Veja o caso de Jacó (Gn 25ss): ele era neto de Abraão, filho de Isaque – que também foi um homem poderoso e bem-sucedido em sua época, mas, mesmo com tudo isso, ele sempre carregou uma identidade negativa associada ao seu nome. Na cultura judaica antiga, era comum batizar os filhos com nomes relacionados a fatos ocorridos durante ou após o parto. O irmão gêmeo de Jacó, por exemplo, por ter nascido com muito cabelo, recebeu o nome de Esaú, que significa cabeludo. Jacó, por ter nascido agarrado ao calcanhar do irmão, recebeu um nome que, em hebraico (*Ya'aqov*), vem da raiz *'aqev* que significa somente "calcanhar" que juntamente com o *Yod'* faz a flexão verbal que transforma a palavra em um verbo que não tem correspondente em português mas pode ser traduzido por "ele agarrou o calcanhar". Creio que nenhuma mãe colocaria um nome em seu filho com um significado pejorativo, mas o "suplantar", que poderia ser visto como vencer (no caso de suplantar um rival), ganhou a conotação negativa de usurpador, enganador, trapaceiro.

Essa "identidade negativa" de Jacó ganhou mais força ainda quando ele enganou seu pai, passando-se por Esaú para receber a bênção da primogenitura. Ele pagou um alto preço por esse ato, pois teve de fugir para não ser morto pelo irmão, partindo para uma terra distante, onde não dispunha de nenhum bem material. Em sua nova trajetória, Jacó decidiu construir uma vida nova e seguiu sete passos que o conduziram ao sucesso e a obter uma nova identidade. Esses passos ainda servem de exemplo para quem quer obter sucesso nos dias de hoje.

1. Sair da zona de conforto

E Jacó partiu de Berseba e foi em direção a Harã (Gn 28.10).

Jacó tomou uma atitude ousada, que mudaria toda a sua vida e o tiraria definitivamente de sua zona de conforto. Ele era pacato, caseiro, gostava de cozinhar e de habitar em suas tendas, mas, a certa altura, aquela vida já não era mais suficiente e ele trilhou um caminho que mudou sua história para sempre.

E esse é o primeiro passo para quem quer ser bem-sucedida: sair da zona de conforto. Talvez você esteja até bem, as coisas estejam acontecendo e haja pessoas que dariam tudo para estar no seu lugar. Mas, se você tem uma visão maior, sabe que pode alcançar mais resultados e não quer mais viver na mesmice, é hora de ousar!

A zona de conforto é o pior lugar em que um empreendedor pode estar. Ali não se cria nada, não se inova, não se cresce. Já em momentos de aperto ou até em épocas de crise, é preciso se mexer, se virar, fazer as coisas acontecerem e, por isso, são as situações em que mais crescemos e nos desenvolvemos.

Então, tenha em mente a seguinte regra: sempre que você se sentir muito confortável, é hora de dar uma chacoalhada e partir para um novo desafio.

2. Sonhar grande

Então sonhou que havia uma escada colocada sobre a terra, cujo topo chegava ao céu; e os anjos de Deus subiam e desciam por ela (Gn 28.12).

Já falamos sobre a importância da visão e de não limitar nossos sonhos. Se você tem o desejo de ser bem-sucedida, precisa estar sempre sonhando com algo, mas jamais permita que seus sonhos fiquem apenas na esfera da fantasia. Os sonhos de quem empreende devem ser grandes, ilimitados, porém devemos ter sempre a cabeça nas nuvens sem tirar os pés no chão.

Não adianta sonhar com um iate se você ainda não tem nem um carro para se locomover no dia a dia. Isso não significa que você deva esquecer o iate, mas, sim, que precisa colocar seus sonhos em perspectiva. E mais: você não deve tratá-los apenas como sonhos distantes, mas transformá-los em objetivos, por isso a perspectiva é importante. Liste os seus sonhos, sonhe alto, mas passe-os para a esfera dos objetivos, criando uma estratégia para alcançar cada um deles.

3. Não ficar apenas sonhando

Quando Jacó acordou do sono, disse: Realmente o Senhor está neste lugar, e eu não sabia. E cheio de temor, disse: Como este lugar é terrível! Este lugar não é outro senão a casa de Deus, a porta do céu (Gn 28.16-17).

Antes de sonhar e de se conectar com Deus, Jacó apenas conseguia ver que estava em pleno deserto. Depois do sonho, porém, sua mente se abriu e ele percebeu que estava na casa de Deus, às portas do céu. E é isso que os sonhos fazem conosco: eles alargam a nossa mente e ampliam a nossa visão. Não estou me referindo aos sonhos que temos à noite, quando estamos inconscientes, mas, sim, aos nossos sonhos conscientes, aos nossos desejos, àquilo que queremos conquistar. Quem não sonha acaba perdendo o sentido da vida, não tendo mais motivação para seguir adiante. Por outro lado, a pessoa que só sonha e não realiza, cedo ou tarde também acabará desmotivada. Precisamos sonhar, sim, mas sempre com o objetivo de criar uma estratégia de realização; caso contrário, seremos apenas sonhadoras!

4. Não desanimar diante dos problemas

Assim Jacó trabalhou sete anos por causa de Raquel; e estes lhe pareceram poucos dias, pelo muito que a amava (Gn 29.20).

Nem tudo nessa vida são flores, e os percalços sempre vão acontecer. Essa passagem mostra que, assim como Jacó enganou seu pai, seu sogro, Labão, também o enganou na hora de entregar sua filha mais nova em casamento. O pacto era trabalhar sete anos para ter Raquel como esposa, mas Labão entregou a filha mais velha, Lia, dizendo que esse era o costume local. Para ter também a mais nova, a quem de fato amava, Jacó teve de trabalhar por mais sete anos. Porém, motivado pelo amor que sentia por Raquel, isso não chegou a ser um problema para Jacó.

Quando trabalhamos naquilo que amamos e focamos nos resultados que podemos obter, mesmo com todos os sacrifícios que temos de fazer, seguimos em frente e não desistimos. Por isso é tão importante que cada uma de nós encontre o seu caminho e trabalhe naquilo que realmente ama, pois, quando fazemos o que escolhemos para a nossa vida, nem parece trabalho!

5. Lutar pela própria independência

Porque o pouco que tinhas antes de minha chegada muito se multiplicou; e o Senhor te abençoou desde que vim para cá. Agora, porém, quando trabalharei também por minha casa? (Gn 30.30).

A passagem deixa claro que, por mais que Jacó estivesse sendo abençoado como empregado de Labão, ele tinha o sonho de empreender e trabalhar para si mesmo. Se a condição financeira de Jacó era boa, obviamente a de seu patrão era ainda melhor; e, como Jacó sonhava alto, queria dar mais esse passo.

Mas também quero abordar outro aspecto dessa passagem e levar você a uma reflexão: será que você pode dizer que o seu trabalho tem abençoado a empresa que lhe emprega? Será que você abençoa seus colegas de trabalho, subordinados e superiores por meio da sua *performance* na função que desempenha?

Devemos lutar por nossa independência financeira e profissional, mas também devemos ter em mente o desejo de fazer a diferença na vida das pessoas que nos cercam.

6. Fazer os sacrifícios necessários

Tomou-os, fez com que atravessassem o ribeiro e fez passar tudo o que tinha. Porém, Jacó ficou sozinho. Um homem pôs-se a lutar com ele até o romper do dia (Gn 32.23-24).

Há momentos na nossa vida em que precisamos encarar os desafios e fazer os sacrifícios necessários, ainda que pareça que não vamos dar conta. A passagem acima relata a noite em que Jacó teve de se despojar de todos os seus bens e de todas as pessoas que viajavam com ele, enquanto retornava para a casa de seu pai para se reconciliar com seu irmão Esaú. Ele estava com medo, não sabia se a ira de seu irmão já havia diminuído ou se ele ainda tinha intenção de matá-lo. Era uma questão que cabia a ele resolver; por isso, simbolicamente ele teve de ficar sozinho e enfrentar as consequências, lutando com o homem que surgiu no vau de Jaboque.

A vida de quem empreende tem momentos como esse, quando precisaremos trabalhar mais e ganhar menos, ser as primeiras a chegar e as últimas a ir embora, ficar um longo tempo sem férias e, até mesmo, sem ver a cor do dinheiro durante alguns meses. Mas todo sacrifício traz seus benefícios, por isso devemos ser fortes e saber que os problemas podem até vir, mas nós estaremos prontas para vencê-los.

7. Conquistar e estabelecer

Então disse: Não te chamarás mais Jacó, mas Israel; porque lutaste com Deus e com os homens e prevalecestes (Gn 32.28).

Jacó conseguiu enganar o pai e receber a bênção da primogenitura. Ele realmente agiu de acordo com a conotação negativa que seu nome recebeu, mas, depois de ter passado muitos anos trabalhando, construindo sua vida dignamente, com sacrifícios, e muita dedicação, alcançou seus objetivos. Assim como Abraão, Jacó também usou as armas materiais e espirituais e venceu nos dois campos, por isso a passagem diz que ele lutou com Deus e com os homens.

Talvez a sua identidade atual não seja a que você idealizou para si mesma. Talvez as pessoas rotulem você por alguma coisa ruim que tenha acontecido no passado, mas saiba que, ainda que leve algum tempo, é possível mudar sua identidade.

Posso dizer que foi preciso mais tempo para as pessoas pararem de se referir a mim como a "devedora caloteira" do que para eu pagar todas as dívidas. Porém, com a constância em continuar empreendendo, tomando o cuidado de não repetir os erros do passado e alcançando meus objetivos, meu nome perdeu a conotação pejorativa e, hoje, só me lembro das histórias para poder ajudar outras mulheres que também desejam ser bem-sucedidas. Se aconteceu comigo, pode acontecer com você!

7

RUTE, PROFISSIONAL EXEMPLAR

... aonde quer que fores, irei também; e onde quer que ficares, ali ficarei.
O teu povo será o meu povo, e o teu Deus será o meu Deus.
Rute 1.16

A PASSAGEM ACIMA É, SEM dúvida, a mais conhecida do livro e Rute. São inúmeros os convites de casamento que citam esse trecho, pois ele traduz, em poucas palavras, o significado de um relacionamento de lealdade, compromisso, respeito e fidelidade. Essas características, porém, não são exclusivamente reservadas aos casamentos, mas devem estar presentes em todo e qualquer tipo de relacionamento, seja familiar, de amizade ou profissional, embora cada vez menos estejam sendo praticadas.

Poucas são as pessoas com quem realmente podemos contar, que nos respeitam e nos tratam com fidelidade e lealdade, não é mesmo? Quanto a isso, cabe somente a nós escolher melhor as pessoas com quem nos relacionamos; afinal, o que mais podemos fazer? Quanto aos outros, não podemos fazer nada, pois não é possível mudar a cabeça e as atitudes de ninguém. Porém, você pode mudar a sua cabeça e a sua forma de agir para ser essa pessoa em quem se pode confiar, que tem compromisso com a palavra dada, que respeita a opinião dos outros e que se mostra fiel e leal. Isso é fácil? Claro que não! Mas é perfeitamente possível, e Rute nos deixou um grande exemplo, pois foi fiel à sua sogra, mesmo enfrentando situações muitos difíceis. Para entender os sacrifícios que Rute fez em nome da lealdade, precisamos conhecer em que cenário ela vivia e quais eram os costumes da época.

Rute nasceu em uma terra chamada Moabe, cujo povo não era bem visto pelos hebreus, e por dois motivos: primeiro, porque os moabitas tiveram sua origem no incesto de Ló com sua filha mais velha (Gn 19.31-38), trazendo uma lembrança vergonhosa para os hebreus, que os consideravam impuros; e, segundo, por terem sido hostis com Moisés e todo o povo, quando estes precisaram atravessar Moabe a caminho da Terra Prometida (Nm 21.21-23). Resumidamente: os moabitas não eram um povo amigável, e os hebreus não se associavam a eles.

Porém, houve uma época de fome muito severa em Belém de Judá, e o hebreu Elimeleque se mudou para Moabe, levando consigo Noemi, sua esposa, e seus dois filhos jovens, ainda solteiros. Depois de algum tempo morando entre os moabitas, Elimeleque morreu e Noemi ficou viúva, em uma terra estrangeira, com seus dois filhos. Eles sabiam que não deviam se associar aos moabitas, mas mesmo assim se casaram com mulheres de Moabe. O mais velho casou-se com Rute, e o mais novo, com Orfa. Passados quase dez anos, os dois também morreram, ficando na casa nada mais que três viúvas, sem terem como se sustentar. Naquela época, as mulheres dependiam totalmente de seus maridos, por isso o fato de as três estarem desamparadas as deixou em uma situação de pobreza e, por ter se tornado chefe da família, Noemi era responsável por suas noras.

Ouvindo que a prosperidade havia voltado a Belém de Judá, Noemi enxergou uma luz no fim do túnel: voltaria para sua terra natal e lá buscaria uma vida melhor. Porém, enquanto as três se dirigiam a Belém, Noemi percebeu que não teria como sustentá-las. Era idosa, não tinha perspectivas de casar-se novamente e gerar filhos e, ainda que os gerasse, seriam necessários vários anos até que eles crescessem e pudessem sustentar suas noras. Com isso, ela propôs o caminho mais seguro: que Rute e Orfa voltassem a viver com suas famílias de origem em Moabe e buscassem maridos que lhes pudessem dar um futuro diferente. Elas ainda eram jovens e poderiam refazer a vida, mas, inicialmente, ambas se negaram a abandonar a sogra, pois além de ter de seguir viagem sozinha, como Noemi iria se sustentar já sendo uma senhora de idade? Mas, por insistência da sogra, Orfa concordou, se despediu e voltou chorando para sua terra. Rute, porém, não se deixou convencer e, dizendo as palavras do versículo que abre este capítulo, partiu com a sogra para Belém.

A questão é que, uma vez em Belém, os problemas só aumentariam, pois como Noemi iria introduzir uma viúva moabita entre seus conterrâneos hebreus? Já seria uma vergonha estar voltando sem marido, sem filhos e sem bens, mas trazer consigo uma moabita deixava a situação ainda pior. Por isso, ao chegar a Belém, Noemi falou bem de Rute, contou a todos os seus parentes as coisas boas que ela havia feito à sua família em Moabe, o quanto fora fiel a seu filho e o sacrifício que havia feito em não a abandonar mesmo sem perspectivas de um bom futuro. Pela conduta impecável de Rute, ela acabou sendo aceita na cidade.

Noemi e Rute tinham poucas opções em Belém para poderem se sustentar e, como chegaram na época da colheita da cevada, uma das oportunidades seria trabalhar no campo, nem que fosse a troco de comida. Devido à idade de Noemi, essa função caberia a Rute, que logo se ofereceu para buscar trabalho. Podemos dizer, então, que foi aí que a carreira profissional de Rute teve início, mas mesmo antes de começar a trabalhar, ela já demonstrou várias características que toda boa profissional deve ter. Por isso, vou contar o restante da história destacando cinco características de Rute que todas nós devemos desenvolver em nossa carreira.

1. COMPROMETIMENTO

Até aqui já pudemos perceber quanto Rute era leal e comprometida. Apesar de não ter obrigação nenhuma de seguir a sogra, ela não a abandonou, pois sabia que isso significaria deixá-la em uma situação de necessidade.

Essa é uma das características que pouco se vê atualmente no mercado de trabalho (e na vida!). A maioria das pessoas não cumpre nem sequer com suas responsabilidades, muito menos se preocupa em fazer algo que vá além de suas obrigações. Fazer algo pelo qual não estão sendo pagas? Nem pensar! Mas deixar de fazer o que estão sendo pagas para fazer, aí tudo bem! Não faltam pessoas para culpar as empresas e os empresários, dizendo que eles não respeitam seus funcionários, que não pagam salários dignos, não oferecem boas condições de trabalho etc., mas imagine agora se você estivesse "do outro lado do balcão". Imagine que você tem sua própria empresa, na qual investiu seus sonhos, seu dinheiro, suas esperanças, horas sem dormir, sangue, suor e lágrimas. Sua empresa está crescendo e agora você precisa contratar um funcionário. Minha pergunta: quais são as chances de você encontrar alguém que realmente vista a camisa da sua empresa, aquele funcionário que não vai fazer corpo mole, que não vai deixá-la na mão por uma dorzinha de cabeça (nem vai fazê-la pagar pelo dia perdido apresentando um atestado qualquer), que vai cuidar dos seus equipamentos e materiais como se fossem dele, que vai dar o seu melhor e fazer de tudo para que a sua empresa cresça e, assim, a carreira dele cresça junto? Posso lhe dizer, por experiência própria, que se trata de uma das tarefas mais difíceis que alguém pode ter. Encontrar pessoas competentes não é difícil, nem que tenham ambição de crescer e gostem de trabalhar, mas com esse nível de comprometimento é realmente um enorme desafio.

Por outro lado, se você tem o seu próprio negócio, imagine que você seja um dos seus funcionários e responda: até que ponto você é comprometida com eles? Você sabe reconhecer os esforços que eles fazem, oferece boas condições de trabalho, proporciona um ambiente agradável, trata-os com o devido respeito, paga o que é justo? O comprometimento deve existir de ambos os lados e não há um que esteja sempre certo enquanto o outro está sempre errado.

Comprometer-se com algo ou com alguém é entender que, em primeiro lugar, você se comprometeu consigo mesma, ou seja, você deve cumprir o que se propôs a fazer por zelo ao seu nome, à sua imagem, à sua carreira. O comprometimento não equivale a cobrar a parte que o outro tem a fazer, mas, sim, a cobrar primeiro o cumprimento de sua própria parte, e depois ter crédito suficiente para requerer o mesmo do outro. Precisamos entender que quem faz primeiro não é bobo, explorado ou a parte mais fraca, pois se trata exatamente do contrário. Se você cumpre a sua parte primeiro, mostra-se comprometida, responsável, a parte mais confiável, a que pode cobrar o mesmo do outro. Se as pessoas entendessem isso, teríamos altas disputas para ver quem faz primeiro e melhor que o outro!

O que vemos, porém, é muita gente que promete o que jamais vai cumprir e que se autointitula uma série de coisas, mesmo sabendo que não chega nem perto disso. O que essas pessoas não percebem é que estão, antes de mais nada, descompromissadas com elas mesmas. Um fato corriqueiro são os currículos inflados, nos quais as pessoas têm parcas noções de inglês, por exemplo, mas informam "inglês intermediário". Elas se esquecem de que, se forem colocadas à prova, será a credibilidade delas mesmas que se perderá, ou seja, elas não estão comprometidas nem mesmo em preservar a própria imagem, que dirá a da empresa em que querem trabalhar? Por isso, qualquer que seja o seu lado do balcão, dê o seu melhor e procure fazer coisas além das suas obrigações, pois assim você estará mostrando que é capaz de oferecer mais e que é, de fato, uma pessoa comprometida.

2. ENCARAR OS DESAFIOS (MESMO!)

Em quase todas as entrevistas de emprego, os candidatos usam, em algum momento, a palavra desafio. "Estou aqui porque gosto de novos desafios", "Estou pleiteando uma vaga em outra área porque será um desafio", "Quero fazer parte da equipe porque será um grande desafio para a minha carreira" e por aí vai. Em muitos casos, não passam de frases bem ensaiadas... Lembro-me da época em que precisei contratar um tradutor espanhol-português e, pela quantidade de currículos que recebi, achei que seria fácil, mas quando comecei a agendar as entrevistas logo percebi que havia me enganado... Dividi alguns currículos com minha assistente para agilizarmos os agendamentos das entrevistas, mas enquanto ela agendou vários, eu não consegui marcar nenhum! No final do dia, estranhamos que ela tivesse conseguido tantos agendamentos e eu nada, mas percebemos um detalhe crucial: minha assistente falava com os candidatos em português, enquanto eu fazia isso em espanhol. Quando eu notava que a pessoa – que havia se candidatado a uma vaga de tradutor – nem sequer entendia o idioma, eu já eliminava do processo, enquanto a assistente simplesmente passava data, horário e local. Como já era tarde e a maioria das entrevistas estava marcada para a manhã seguinte, preferi não desmarcar e deixar os candidatos virem para entrevistá-los pessoalmente como combinado.

Na recepção, a assistente avisava que a entrevista seria em espanhol e, de cara, via o nervosismo estampado no rosto de muitos. A conclusão disso tudo é que não houve um candidato sequer que realmente entendesse o idioma, apesar de, no currículo, constar como "fluente". Fiquei muito aborrecida e só melhorei de ânimo quando a assistente disse que os candidatos haviam terminado. Porém, cerca de meia hora depois, ela voltou perguntando se eu atenderia uma jovem que havia acabado de chegar. Ela estava mais de uma hora atrasada, mas já que estava ali, mesmo sem vontade nenhuma, acabei atendendo. Era uma moça bem vestida, maquiada e com um sorriso meio nervoso. Achei que fosse por causa do atraso, mas logo vi que não, pois, em vez de se desculpar, justificou que tinha chegado "um pouco fora de hora" porque o meu escritório era "fora de mão" e que ela "nunca precisou ir tão longe atrás de uma vaga". Perguntei, então, o que a havia feito se candidatar à vaga, e a resposta veio em uma fração de segundo: "Porque eu adoro desafios!" Devido ao meu mau humor, não percebi que estávamos conversando em português, mas quando ela tocou na palavra "desafio", propus que continuássemos em espanhol.

- Em espanhol? Mas por quê?
- Porque a vaga é para alguém que saiba falar espanhol. Isso é um problema para você?
- Sim, porque eu não estou acostumada a falar... Eu traduzo, mas... assim... no papel. Além do mais, estou vendo que você é brasileira, não vejo por que falar em espanhol. Seria estranho!
- E se o editor da sede na Argentina telefonar para você? O que vai acontecer?
- Eu prefiro que outra pessoa atenda!
- Seria um desafio para você falar espanhol?
- Sim, seria; prefiro ficar no português mesmo!
- Mas você não disse que gosta de desafios? Por que, então, este já é o terceiro que você não aceita?
- Terceiro? Não, esse seria o primeiro e o **único!**
- Não, querida. O primeiro desafio era chegar aqui na hora combinada, o segundo seria assumir que você não é pontual ou calculou mal o horário de sair de casa. Falar espanhol já é o terceiro desafio que você deixa passar em apenas um dia.
- ...

Encarar desafios não é uma coisa fácil. O próprio significado da palavra já deixa claro: "ato de incitar alguém para que faça algo além de suas possibilidades". Se você não é pontual, por exemplo, podemos dizer que chegar no horário certo é um desafio para você. Isso não significa que você pode simplesmente avisar a todo mundo que não é pontual e pronto, mas, sim, que se disponha a fazer algo que está além das suas possibilidades. Isso é encarar um desafio. Para mim, ser pontual não é um problema, mas me locomover pela cidade é. Tenho pouquíssimo senso de localização, demoro muito para decorar um caminho e tenho dificuldade em ler mapas (nunca sei se eles estão de cabeça para baixo!). Antes do advento do aplicativo Waze – meu preferido entre todos os *apps* do mundo! –, eu tinha de fazer um esforço enorme para chegar aonde quer que fosse. Na maior parte do tempo eu ia de casa para o trabalho, então estava tudo bem, mas, quando surgia um compromisso em outro local, eu já começava a suar frio. Sabendo do meu problema, eu marcava quase tudo às segundas-feiras, pois aproveitava o sábado e o domingo para aprender o trajeto. Sim, era um trabalhão, uma perda de tempo e um tremendo gasto de combustível, mas fiz isso inúmeras vezes, até que ganhei um GPS e fui feliz para sempre!

Para mim, entender onde é o norte e o sul é algo acima das minhas possibilidades. Eu me sinto uma "analfabeta" quando o assunto é localização, mas sou assim e aceito minha deficiência nesse aspecto. Porém, o que eu não posso aceitar é que essa dificuldade me impeça de fazer o que tenho de fazer. Se eu não quisesse depender de alguém para me levar para todos os lados, teria de enfrentar esse desafio da maneira que me era possível, ainda que custasse tempo e gasolina. Pegar um táxi seria o caminho mais fácil, mas, se eu fizesse isso, não ia aprender nunca. Eu precisava pelo menos tentar.

E é exatamente assim que você deve agir diante dos seus desafios: buscar formas de fazer o que está além do que é possível para você. Não se trata apenas de fazer algo difícil, por isso volto a repetir: é fazer algo além das suas possibilidades. Rute fez isso, pois nunca havia trabalhado em um campo, não conhecia ninguém, não sabia se seria aceita, e nem sequer tinha o direito de estar lá. Ela traçou uma estratégia: juntar apenas o que sobrasse depois que os ceifeiros passassem, e foi em frente. E é aí que passamos para a terceira característica.

3. TRAÇAR ESTRATÉGIAS PARA IR ALÉM DO PLANEJAMENTO

Diante de todas as dificuldades que Rute e Noemi sabiam que teriam de enfrentar, elas não se deixaram abater, nem desistiram do desafio de conseguir seu sustento. Rute criou uma estratégia que tinha tudo para dar certo: pedir para recolher as espigas que fossem deixadas para trás. Era como se, nos dias de hoje, ela fosse a uma feira livre e pedisse para ficar com os alimentos que sobrassem. As chances de que alguém lhe dissesse um não seriam bem pequenas; afinal, quem se importaria com restos se havia campos inteiros para serem colhidos? O plano funcionou, e ela começou a trabalhar recolhendo o que sobrava entre os feixes.

Noemi também havia traçado uma estratégia anteriormente, logo que ambas chegaram a Belém. Lembra-se que ela falou bem da nora para toda a cidade? A boa fama que Rute havia conquistado certamente ajudaria a conseguir trabalho e, mais, tarde, também a ajudaria a se casar, como veremos mais ao final do capítulo.

Talvez você não esteja alcançando o sucesso que deseja, mas a pergunta é: você já traçou alguma estratégia para conseguir o que quer? Em caso positivo, por que ficou apenas na primeira tentativa? Devemos traçar estratégias de ação sempre que necessário, seja no início de algum projeto ou quando a estratégia anterior não tiver dado certo. E, claro, devemos executá-la da melhor forma possível, pois às vezes o problema não está na estratégia, mas, sim, na execução. Em administração, dizemos que, para criar uma boa estratégia, são necessários três passos básicos:

a) **Diagnóstico preciso** – trata-se simplesmente de saber com clareza o que se quer. E é aqui que muita gente já se perde no caminho para o sucesso. As pessoas querem ser bem-sucedidas, porém ainda não têm claro em sua mente o que, para elas, significa sucesso. Antes de mais nada, é preciso que tenhamos nitidez sobre o que queremos, pois só assim poderemos alcançá-lo.

b) **Conduta padrão** – é definir como você colocará a sua estratégia em prática e qual será a sua reação diante dos problemas e percalços que forem surgindo pelo caminho. Quanto mais você estiver à frente das questões que aparecerem, melhor. Por exemplo: você vai vender um perfume caro e, para isso, apresenta todas as qualidades e benefícios daquele produto para que o preço seja apenas um detalhe. Porém, o cliente pode muito bem encafifar com o preço e, nessa hora, é preciso ter uma resposta, ou seja, já ter definida a sua conduta-padrão, que pode ser, por exemplo, parcelar o valor para facilitar o pagamento. Quando você se antecipa aos problemas, é mais fácil vencê-los.

c) **Coerência** – pode ser que, no momento de executar a estratégia, você aja diferentemente do planejado ou em desacordo à conduta-padrão, e isso é bem comum. Dificilmente a prática segue fielmente o que diz a teoria. Nessas horas, é preciso corrigir a rota, analisar o que não está funcionando e buscar certezas. O que chamo de buscar certezas é, por exemplo, quando você percebe que cometeu um erro por não dominar completamente um conhecimento ou certa habilidade. A saída é buscar melhorar nessa deficiência e ter a certeza de que, se acontecer novamente, não será um problema.

Na carreira profissional, bem como no empreendedorismo, estamos sempre em busca de crescimento, porém não podemos esquecer de que somos e seremos eternas aprendizes e, por isso mesmo, muitas vezes teremos de recomeçar. E essa constatação já nos leva para a característica 4.

4. DISPOSIÇÃO PARA COMEÇAR DE BAIXO (E RECOMEÇAR SEMPRE QUE PRECISO)

Hoje em dia não é difícil encontrar pessoas que acabaram de sair da faculdade querendo um cargo de chefia no primeiro emprego. Por isso, diversas empresas têm criado cargos pomposos para funções simples, a fim de atrair candidatos interessados em ter um crachá no pescoço com um título cheio de *status*. Mesmo que a universidade tenha preparado esse aluno para um alto cargo, não é pelo telhado que se constrói uma casa, você concorda? Isso me faz lembrar dessa passagem do livro de Zacarias 4.10: "Por que, pois, desprezar esses humildes começos?" Em algumas versões a passagem diz: "Quem despreza o dia das coisas pequenas?"

Não devemos menosprezar qualquer função que seja, pois todas elas têm sua importância e, no geral, ajudam a roda toda a girar. Se na sua cidade já houve greve dos coletores de lixo, você já sabe bem do que estou falando!

Rute demonstrou essa disposição, mesmo sabendo que Noemi tinha parentes importantes na cidade e que elas poderiam recorrer a algum deles (existiam leis que lhes davam esse direito). Além do mais, em Moabe ela não precisava trabalhar e, por isso, poderia considerar derrota ou humilhação o fato de se sujeitar à lavoura, ainda mais para colher restos. Mas Rute foi prática e fez o que tinha de ser feito, por isso foi aceita na cidade, na lavoura e, posteriormente, pelo dono do campo.

Ninguém gosta de estar ao lado de pessoas que se dizem humildes, mas agem com arrogância, pois no fundo "se acham". Lembro-me de um dia em que um entregador empilhou cerca de vinte caixas no meio da recepção e, com pressa, acabou deixando tudo por lá mesmo. Quando cheguei no escritório me deparei com aquela montanha e, pela cara da recepcionista, já entendi que tinha acontecido algum "sinistro". Coloquei a bolsa de lado e pedi que ela me ajudasse a levar tudo para o depósito, ao que ela respondeu com toda firmeza: - Eu não carrego caixa. Jurei para mim mesma que nunca mais carregaria uma caixa de papelão na minha vida!"

Fiquei tão surpresa que falei, quase sem querer: - Por que alguém juraria uma bobagem dessas? Deixa disso e me ajuda aqui!

Quando vi que a coisa era séria e que ela realmente não iria carregar caixa nenhuma, tentei consertar a saia justa, mas confesso que não deu certo e me faltou tato...

- É sério isso? Alguém te prendeu numa caixa de papelão quando você era criança?

- Não! Mas eu tive uma chefe que me obrigava a carregar caixas à toa, só para ficar rindo da minha cara, me chamando de escravinha... Então jurei que ninguém mais ia me obrigar a carregar caixas de papelão!

- Quer dizer que porque você teve uma chefe imbecil eu vou ter de carregar tudo isso sozinha?

- É, exatamente!

- ...

Resultado: falei o que quis e carreguei sozinha o que não quis! Por mais que eu não tenha lidado bem com o fato na hora, depois entendi que a recepcionista estava tentando se resguardar de que alguém a fizesse novamente de gato e sapato. Só que isso não tinha nada a ver com caixas de papelão ou com a função que ela exercia, mas, sim, com o abuso de autoridade de uma pessoa sem noção. Ela simplesmente apontou os canhões para o alvo errado, e é isso o que muita gente tem feito, sem perceber.

O problema não está na função, no cargo, no título, nem naquilo que você faz, mas, sim, em como você faz, seja lá o trabalho que for. Meu marido nasceu no interior de São Paulo e ele conta que, por diversas vezes, visitou pessoas na roça, onde o chão da casa era de terra batida, mas que as panelas penduradas na cozinha brilhavam de tanto serem ariadas. Ele se lembra de ter tomado água em uma caneca de alumínio toda amassada, mas que brilhava como um espelho. Isso se chama capricho, zelo, fazer o melhor, ainda que seja em um trabalho considerado inferior. É não desprezar os humildes começos nem as coisas pequenas.

5. CONQUISTAR, PELA COMPETÊNCIA, OS COLEGAS E SUPERIORES

Quando alguém aconselha uma pessoa a conquistar as demais no trabalho, há quem entenda a frase como "Elogie, adule, agrade, puxe o saco dos seus colegas e superiores", mas conquistar de verdade não tem nada a ver com isso. Você consegue conquistar as pessoas ao seu redor quando dá exemplo, quando age com competência e quando faz, com esmero, aquilo que tem de ser feito, assim como Rute fez. Ela trabalhou a manhã toda, sem descanso, mas justo quando Boaz – dono do campo – chegou, ela estava descansando em um abrigo. Assim ele foi até os ceifeiros, e a primeira coisa depois de cumprimentá-los foi perguntar quem era aquela moça. Os trabalhadores responderam quem era ela, mas foram logo explicando: - Então ela veio e está em pé desde cedo. Só agora descansou um pouco no abrigo (Rt 2.7).

Era o primeiro dia de trabalho de Rute, mas, ao verem sua humildade, seu empenho e por terem ouvido falar coisas boas a respeito dela, os ceifeiros a defenderam, para que Boaz não pensasse que ela havia passado o tempo todo descansando.

É claro que, como mencionei antes, muitas pessoas vão odiar você por ser competente e fazer mais do que os outros. Nem sempre haverá colegas como os ceifeiros do campo de Boaz, mas, ainda que você sofra injustiças, sua melhor advogada será a sua conduta. Cedo ou tarde a verdade aparecerá e, sendo competente, você conquistará o respeito das demais pessoas, ainda que não conquiste a amizade.

Considere as cinco características de Rute e, certamente, seu caminho em direção ao sucesso será mais assertivo.

Quanto à nossa personagem, sua forma de ser cativou tanto Boaz que ele resolveu ser seu resgatador. Naquela época, havia a Lei do Levirato, que dava às viúvas a oportunidade de serem resgatadas por um parente próximo que poderia ficar com seus bens, caso se casasse com ela, e lhe dar filhos que teriam o nome do falecido marido, suscitando a ele descendência.

Boaz não era o parente mais próximo, por isso só poderia casar com Rute se o resgatador abrisse mão de seu direito. Ele convocou uma reunião com as autoridades da cidade, pediu ao resgatador que analisasse o caso e, como não houve interesse da parte deste, Boaz se casou com Rute. Isso nos mostra que, quando fazemos o melhor e nos empenhamos em sermos melhores, recebemos recompensas que nem sequer poderíamos imaginar. No fim das contas, todo sacrifício aplicado da forma correta vale a pena!

8

DAVI: DE PASTOR DE OVELHAS A REI DE ISRAEL

*Então Samuel pegou o vaso de azeite e o ungiu diante de seus irmãos;
e, daquele dia em diante, o Espírito do Senhor se apoderou de Davi.
Depois, Samuel se levantou e foi para Ramá.*
1Samuel 16.13

Tive o privilégio de trabalhar em alguns projetos especiais em Israel, entrevistando pessoas, estudando a cultura e conhecendo lugares incríveis. A Terra Santa é cheia de contrastes, e a preservação de coisas ancestrais convive lado a lado com tecnologias de ponta; é rica em história, ciência, gastronomia e habitada pelos mais variados tipos de pessoas, além de berço das três maiores religiões monoteístas do mundo: cristianismo, judaísmo e islamismo. As opiniões são divergentes sobre quase tudo, mas, se há alguém extremamente respeitado por todos em Israel até os dias de hoje, é Davi. Cristãos e judeus o consideram o maior rei que Israel já teve, mas ele também aparece no Alcorão, livro sagrado dos muçulmanos. Para o Islã, Daud (Davi em árabe) é considerado profeta e mensageiro de Alá.

Tido como um homem segundo o coração de Deus (1Sm 13.14) e escolhido por ele para ser líder e legislador de seu povo, Davi teve uma trajetória de solidão, devoção ao Altíssimo, desafios, provações, guerras e sacrifícios, mas também alcançou inúmeras vitórias, as mais altas glórias e riquezas, além de conquistar um dos seus maiores desejos: ver seu filho, Salomão, sucedê-lo ao trono. Davi teve seus momentos de erros e fraquezas e, assim como acontece com cada uma de nós, pagou caro por todos eles.

A certa altura, Davi se cansou de viver escondido em cavernas e buscou proteção junto aos inimigos de Israel, aliando-se a Aquis, rei dos filisteus. Teve de derramar muito sangue para manter a confiança do rei e, por isso, apesar de possuir todas as riquezas de que precisava, não pôde construir o Templo de Deus, seu maior sonho. Um homem cujas mãos haviam tirado tantas vidas não poderia estar à frente de uma obra tão sagrada. Sua conduta de adultério e assassinato não foi excluída da Bíblia cristã, nem da Torá judaica, embora o Alcorão não a reconheça em seus registros. Os erros de Davi lhe custaram muito caro, mas sua intimidade com Deus sempre o resgatou de seus atos impensados e o manteve firme até o fim. Não acredito que Deus o tenha castigado, assim como não creio que ele castigue ninguém, mas, sim, que sua justiça não lhe permite ser conivente com os nossos erros. Deus é misericordioso para nos perdoar, mas não nos livra de colher as más sementes que plantamos. Nada mais justo, não é mesmo?

A história de Davi é repleta de ensinamentos riquíssimos para quem quer ser bem-sucedida e, exatamente por isso, é muito difícil organizar tudo o que ele fez em um pequeno capítulo de um livro. Seriam necessários, na verdade, vários livros para contar e analisar seus feitos, mas, no momento, separei dez características empreendedoras de Davi para nos inspirar a sermos mulheres de sucesso.

DEZ CARACTERÍSTICAS EMPREENDEDORAS DE DAVI

1. Reconhecer a importância de seu trabalho, sem esperar reconhecimento de terceiros

Antes de ser líder de uma nação, Davi foi líder de ovelhas. Ninguém discorda de que ovelhas são fofas, mas o problema é que o que elas têm de fofas, têm de bobinhas! Ovelhas vivem se metendo em encrenca, não se defendem por si sós e, ainda por cima, destroem todo pasto que veem pela frente (você nota alguma semelhança entre elas e os seres humanos?).

Davi exercia uma atividade extremamente cansativa e desmotivadora, pois imagine ter de percorrer grandes distâncias para achar um bom pasto e ver suas ovelhas destruírem tudo em um curto período de tempo. Depois da destruição total, lá ia ele fazer tudo de novo... Se as ovelhas estivessem bem, ele não tinha feito nada de mais, pois era sua obrigação; mas, se viesse a perder alguma, a culpa era toda dele.

Quantas vezes nos vimos numa situação assim? Damos um duro danado para cumprir com nossos deveres para, depois disso, ouvirmos apenas um: "Não fez nada mais que a sua obrigação!" Ficamos chateadas e queremos que os outros reconheçam o nosso valor, mas Davi não era assim. Ele não se importava em liderar animais estúpidos, nem com o fato de jamais receber um "obrigado", e nem com a falta de uma plateia para ver seus feitos. Mesmo que muitas pessoas na época dessem valor apenas aos soldados e heróis de guerra, Davi sabia que seu trabalho era essencial, ainda que não tivesse nenhum *glamour*. Você já parou para refletir que ele arriscou a vida enfrentando um urso e um leão que atacaram seu rebanho sem uma viva alma sequer que estivesse assistindo à façanha? (2Sm 17.34). Ao que tudo indica, nem mesmo sua família acreditou que ele tivesse realizado tais feitos, até que veio Golias (o gigante filisteu que Davi derrubou com uma pedra e lhe cortou a cabeça) e, com ele, o reconhecimento de sua coragem e confiança em Deus.

Hoje em dia, quantas não são as pessoas que, se o chefe não está vendo, simplesmente não fazem nada? Se ninguém as parabeniza por seus feitos, ficam desmotivadas e cheias de "mimimi"... Se têm de trabalhar uma hora a mais, fazem questão de receber todos os "seus direitos", mas, por outro lado, se acham no direito de enrolar por horas e horas quando ninguém está vendo. Davi não estava nem aí com o que achavam de sua profissão, muito menos em não receber reconhecimento de ninguém. Ele fazia o que tinha de fazer e em tudo dava o seu melhor; com isso, aprendeu na solidão dos campos o que é ser um verdadeiro líder.

2. Observar, analisar, planejar e executar

Essas quatro características vêm juntas, pois ainda que todas sejam importantes, não são suficientes quando usadas separadamente. Davi possuía todas elas e as executava com muita competência. Ele tinha de **observar** seu rebanho permanentemente, uma vez que, como mencionei, as ovelhas podem se meter em grandes frias. E qual a empreendedora que não precisa ficar de olho no seu negócio o tempo todo? Ainda que não tenha funcionários (que na maioria das vezes requerem supervisão o tempo todo), a empreendedora de sucesso precisa estar ligada em tudo o que diz respeito ao seu trabalho, pois ela sabe que nenhum negócio anda sozinho. Porém, não basta apenas ficar na observação, é preciso **analisar** o que se vê, ponderar, refletir. Observação sem análise dos fatos não nos leva a lugar nenhum, a não ser ficar criando caraminholas na cabeça (o que se vê aos montes por aí em forma de boato). Nós vivemos rodeadas de muita informação, de muito "leva e traz", de opiniões divergentes e dos mais variados pontos de vista sobre tudo; portanto, precisamos analisar os fatos para tomar nossas decisões da forma mais correta e justa possível. E toda análise justa precisa estar livre de sentimentos e emoções. No mundo corporativo (e na vida), precisamos nos abster ao máximo do que sentimos nos momentos de tomada de decisão. Você pode gostar muito do funcionário A e não ir muito com a cara do funcionário B, mas se o B está correto e o A deve ser penalizado, o fato de gostar mais de um e menos do outro não deve pesar na balança. Davi liderava um rebanho irracional, por isso tudo dependia de sua análise: se ela não fosse correta, nada daria certo.

Com base na observação e análise, passamos à terceira etapa: **planejar**.

Davi se tornou perito em planejar seus passos, uma vez que não havia ninguém com quem dividir as responsabilidades, nem quem lhe desse conselhos. Era dele e de mais ninguém que dependia aquele rebanho, que, por sua vez, representava o sustento de sua família. Sozinho nos campos, cabia a ele decidir se ia para a esquerda ou para a direita, sabendo que qualquer erro poderia representar a perda dos animais. Apenas ir para "ver no que vai dar" não era uma opção, pois, quando corremos risco de perder o que temos, não devemos contar com a sorte. Infelizmente, é isso o que vemos em muitos negócios que tinham tudo para dar certo, mas que, em questão de poucos anos, acabam quebrando, pois quem está à frente do negócio não se preparou o suficiente para administrá-lo. São pessoas que "apostam" em empreender como se estivessem em um cassino, contando que a "sorte" esteja a seu lado. Sucesso não tem absolutamente nada a ver com sorte, mas, sim, com um conjunto de ações, características e estratégias que, quando bem executadas, resultam no objetivo que se deseja.

Por isso, a etapa final dessa fase fica a cargo de **executar** assertivamente o que foi planejado em cima de observações e análises. Há pessoas, principalmente as que professam alguma fé, que acreditam que Deus fará tudo por elas. Algumas só observam e agem, sem analisar e planejar, e, quando tudo dá errado, culpam a Deus por seus erros. Outras observam e não agem, mas vivem questionando e reclamando com Deus o motivo de sua vida não sair do lugar... Outras ainda só planejam, planejam, planejam e nunca executam, esperando que Deus faça o que elas têm de fazer ou mande magicamente alguém para executar seus planos. É como eu disse anteriormente: Deus fará tudo, menos o que você tem de fazer. Por isso, antes de continuar a leitura, seria interessante que você parasse por alguns instantes para responder, sinceramente, às questões a seguir:

- Você só trabalha sob supervisão ou faz o que tem de fazer ainda que ninguém esteja vendo?
- Você vê importância no seu trabalho, seja ele qual for, ou vive se subestimando e achando que as funções dos outros são sempre melhores (ou mais fáceis) que a sua?
- Você observa o que acontece ao seu redor ou vive no "mundo da lua", deixando a vida acontecer?
- Você analisa os fatos ou sai repetindo boatos empresa afora e compartilhando coisas nas redes sociais sem saber se são mentiras ou verdades?
- Você planeja antes de agir ou faz as coisas sem pensar?
- Você executa seus planos ou fica adiando com a justificativa de estar esperando o "momento certo"?

É importante que, de tempos em tempos, possamos refletir sobre quem somos, o que fazemos e porquê fazemos, sobre se estamos sendo obstruídas por algo ou alguém e se nossas decisões estão mesmo conduzindo ao sucesso que tanto queremos. A vida moderna é corrida e, por isso mesmo, passa muito depressa. Mas, em meio a toda essa agitação, precisamos ter momentos de tranquilidade para podermos parar e refletir, para observar, analisar, criar novos planos e estratégias de execução. Se você acha que isso é perda de tempo, provavelmente terá de investir mais tempo ainda para enfrentar as consequências das más escolhas. Somos os únicos seres racionais desse planeta, por isso jamais podemos achar que pensar é perder tempo.

3. Exercer liderança

Se fôssemos resumir o trabalho de um pastor de ovelhas a um único verbo, certamente seria "liderar", o que coincide com a função principal de toda empreendedora. Quem pensa que ser líder significa mandar nas pessoas e não se acha capaz disso, pois "não nasceu para mandar", está completamente equivocada. Liderar está longe de ser uma função autoritária e ditadora. Liderar é inspirar, mostrar como se faz, motivar as pessoas pelo exemplo, e não pela imposição. Liderança, embora seja algo natural para alguns, pode perfeitamente ser desenvolvida por qualquer pessoa, desde que esteja disposta a aprender.

Talvez você não seja aquela pessoa que pretende estar à frente de grandes equipes ou ter uma empresa com muitos colaboradores, e não há nada de errado nisso. Mesmo assim, se você quer ser bem-sucedida, tem de ser líder de si mesma. Uma empreendedora de sucesso, bem como uma funcionária exemplar, é aquela que não precisa de alguém que a esteja motivando o tempo todo, é aquela que não se abate com os percalços ao longo do caminho. É aquela pessoa que muda qualquer clima ruim, que se empenha com toda energia necessária e, em consequência, contagia os outros ao redor. Ela traz aquela agitação boa, o movimento, o brilho nos olhos, a vontade de fazer acontecer. Você acha que isso tem alguma coisa a ver com mandar? Claro que não!

Estar em um cargo de liderança ou à frente de um negócio muitas vezes é uma função solitária, assim como a do pastor de ovelhas. As pessoas que estão sob sua liderança, em vários momentos, poderão não entender as suas decisões, não concordar com tudo o que você propõe e não ter as mesmas opiniões que você, e isso sempre vai ser assim. Mas o que não pode acontecer é seus liderados perderem a confiança que têm em você, assim como as ovelhas não podem deixar de sentir que estão seguras sob os cuidados do pastor, pois, se isso acontecer, elas irão debandar e o rebanho ficará comprometido.

Comece a desenvolver as qualidades de líder consigo mesma, impulsionando-se a fazer o que tem de ser feito, na hora que deve ser executado e da melhor maneira possível. Se você conseguir liderar a si mesma, alcançará nota máxima no quesito liderar.

4. Focar no objetivo principal

Como líder, você terá vários objetivos; mas, ao mesmo tempo que precisa manter todos em perspectiva, não deve perder o foco do objetivo principal. E qual deve ser o objetivo principal de uma pessoa bem-sucedida? O sucesso em si? O dinheiro? Os bens que deseja conquistar? Poder dar o melhor estudo para os filhos? Viajar o mundo? Ser famosa?

Uma amiga muito querida, a fantástica Candice Pascoal, fundadora da plataforma de financiamento coletivo Kickante (que também chamo de "fábrica de sonhos"), esteve em uma palestra na Singularity University, em Amsterdã, onde ouviu a seguinte frase: "O novo bilionário não é aquele que tem 1 bilhão de dólares, mas, sim, aquele que impacta a vida de 1 bilhão de pessoas". Ela relata esse acontecimento no livro *Seu sonho tem futuro* e acrescenta: "Isso é incrível porque muda nossa forma de pensar de 'quanto quero ganhar' para 'qual é o impacto que posso causar no mundo'". Candice não é líder por acaso; seu foco realmente está em fazer a diferença na vida das pessoas. Ela ganha dinheiro com isso? Claro que sim. Ela conquistou bens por meio de seu trabalho? Sem dúvida! Mas o objetivo principal está mantido em tudo o que faz: ajudar as pessoas a realizarem seus sonhos.

Seu trabalho não precisa estar diretamente ligado a ajudar as pessoas para que você foque nesse objetivo, pois, se você parar para pensar, todo trabalho, no final das contas, visa o bem-estar das pessoas.

Estou, neste momento, cheia de dores enquanto escrevo esse livro. São muitas horas sentada, digitando. A coluna dói, meu cotovelo direito lateja, meu ombro pesa, mas preciso seguir em frente, pois meu objetivo principal não está nos *royalties* que vou receber pelas vendas, pois eles não virão tão cedo nem farão tanta diferença na minha conta bancária (acredite!). Mas o que me impulsiona a continuar é o impacto que estas palavras terão na vida de milhares de pessoas. Durante boa parte do tempo que estou aqui escrevendo, o computador e o celular mandam notificações de pessoas que, de alguma forma, estão sendo beneficiadas pelo meu trabalho. São mensagens pelo *blog*, recadinhos nas redes sociais e comentários em algum dos diversos vídeos do meu canal no YouTube contando alguma ideia que tiveram, os resultados da economia que fizeram ou o fato de que, finalmente, elas se livraram das dívidas. Tudo por causa de alguma dica que puseram em prática, por menor que possa parecer. Hoje mesmo uma pessoa me mandou um agradecimento por um vídeo em que ensino a fazer um *bullet journal* financeiro. De todas as formas que ela tentou se organizar financeiramente, nenhuma havia funcionado, até que ela fez o *"bujo"*, conseguiu manter o controle do dinheiro e estava festejando a primeira sobra de salário que teve em anos e anos. Como posso parar de escrever? Não são algumas dores (que depois passam com alongamento e massagem) que vão me fazer parar! Minha motivação está focada no objetivo principal, e isso é o suficiente.

Davi sempre foi um bom líder, e isso começou desde que ele pastoreava nos campos, pois seu objetivo era o bem-estar de seus liderados. Se como pastor ele chegou a arriscar a vida por suas ovelhas, como rei ele se entregou muito mais. Davi não reinou para si, mas por seus súditos, servindo ao povo e trabalhando por ele sem medir esforços. Já imaginou se nossos governantes fossem assim nos dias de hoje? Já pensou se cada pessoa trabalhasse para o bem da empresa e de seus clientes? O mundo certamente seria outro. Mas, em vez de querer mudar o mundo e reclamar da nossa política, vamos focar no objetivo certo e fazer a nossa parte. É como eu sempre digo: se cada um varrer a sua calçada, toda a rua ficará limpa.

5. Evitar confrontos diretos

Quem conhece a história de Davi sabe que ele, apesar de ungido rei, teve de se preparar durante vários anos para ser rei. As coisas de Deus acontecem em um tempo diferente do nosso, o que pode fazer parecer que estão demorando a se concretizar. E é aí que entra a fé; afinal, se as coisas acontecessem automaticamente, a fé não seria necessária.

Quando pedimos algo, crendo que receberemos, temos de esperar e **continuar crendo**, leve o tempo que levar. Essa espera sem perder a confiança é a prova de que realmente cremos; aliás, isso é que é provação. Se você pensava que provação era doença, miséria ou castigo divino, enganou-se. Basta consultar o dicionário para ver que a palavra provação significa "ato ou efeito de provar; prova; dificuldade que põe à prova as convicções de um indivíduo". Qual mãe provaria seu filho com doenças, fazendo-o passar necessidade e infligindo castigos? Quando passamos por situações difíceis, estamos colhendo as sementes que plantamos e, quando aceitamos permanecer nessas situações, neutralizamos nossa fé. Afinal de contas, se você acha que está tudo bem, não vai ativar a fé para mudar, melhorar, crescer. Você aceita e simplesmente fica esperando o dia em que a sua "sorte" mudará. Mas Deus não trabalha com sorte; ele trabalha com fé.

A primeira grande luta de Davi foi ter de se sujeitar a Saul enquanto ele ainda detinha a coroa, pois, apesar de tudo, Deus também havia ungido Saul. Durante todos os anos em que Davi teve de se preparar para assumir sua função, ele jamais confrontou Saul; ao contrário, Davi o respeitou em todas as ocasiões, mesmo quando o rei armou várias ciladas para matá-lo. Sabendo que Saul o queria morto, Davi não se levantou contra ele e nunca usou seu exército para tomar o trono, porque jamais duvidou da sua unção para reinar. Então, para que tomar de alguém uma coisa que já é sua? Em vez de enfrentá-lo, Davi se afastou de Saul e, durante suas fugas, por duas vezes teve oportunidade de matá-lo, mas não o fez. Ele continuou provando sua fé e sua crença na promessa de tornar-se rei.

E o que isso tem a ver com a sua carreira profissional? Tudo! Pode ser que, no seu local de trabalho, alguém esteja assumindo um posto que deveria ser seu. Não que você esteja invejando ou querendo puxar o tapete de ninguém, mas você sabe que tem mais competência para estar ali. Pode ser que a pessoa esteja lá só porque tem amizades, influência ou qualquer outro motivo, e você não acha isso justo. Bom, não é mesmo. Mas o problema começa quando você se volta contra a pessoa, quando começa a tratá-la mal, a boicotar suas ordens, a se opor às suas ideias, enfim, a posicionar-se contra, achando que isso fará os seus superiores corrigirem o erro e passarem o cargo para você. Sinceramente? Não creio que essa estratégia vá funcionar... O confronto direto, o bate-boca e as discussões intermináveis para provar quem está certo só servirão para provar que as duas partes estão erradas. No mundo corporativo, o que importa são os resultados; por isso, se a pessoa que está à frente não apresenta resultados, cedo ou tarde sua incompetência virá à tona. Por isso, não é preciso forçar a situação para apressar esse dia. Creia que na hora certa o seu momento virá. Enquanto isso, faça a sua parte da melhor maneira possível. Aprenda, esforce-se, trabalhe para o crescimento da empresa e para a evolução da sua carreira, o que não inclui atrapalhar a carreira do outro. Pessoas que constroem suas carreiras sobre a areia (indicação, amizade, influências pessoais), e não sobre a rocha (conhecimento, competência, merecimento), não precisam que ninguém as derrube. Por falta de base sólida, elas mesmas caem sozinhas. E, não para o nosso deleite, mas porque construíram sua casa de forma errada.

O mesmo se aplica a quem empreende. Talvez seu concorrente não tenha produtos tão bons quanto os seus, ou não ofereça serviços de qualidade como você, mas esteja sendo mais bem-sucedido, vendendo mais, crescendo mais, sendo mais reconhecido etc. Não é através do ataque, de querer sujar o nome dele no mercado ou de fazer os clientes se voltarem contra ele que ajudará você a subir. Enquanto você estiver focada em diminuir o outro, tirará o foco do que realmente importa: manter-se fazendo o melhor, continuar crendo e não se cansar de fazer o bem. Não creia que a resposta virá com você se indispondo com todo mundo. Foque em você mesma, prepare-se para ser melhor a cada dia e permaneça firme, ainda que pareça estar demorando muito.

Ainda que demore, espera-a; porque certamente virá, não tardará (Hc 2.3).

6. Ser o exemplo

Certamente você já ouviu o conselho de que deve dar exemplos de como agir, do que fazer, de como fazer etc. Mas o que quero destacar neste item é que não basta **darmos** exemplos, temos de **ser** exemplos. O ditado "Faça o que eu digo, não faça o que eu faço" é um dos mais furados que existem; só perde para "Faça o que eu faço, mas não seja como eu sou". Sei que esse último não é um ditado popular, mas isso só o torna ainda pior, porque, mais do que meras palavras, essa tem sido a conduta de muita gente.

Há pessoas que sabem o que falar, o que fazer e como agir para manter as aparências. Elas até dão bons exemplos, mas isso não chega a ser algo natural, pois elas não **são** assim. Trata-se daquele tipo de pessoa que é muito boa na empresa, prestativa, disposta, mas em casa, por exemplo, é totalmente diferente. Parece que duas pessoas vivem dentro de um mesmo corpo: a profissional exemplar e a "ovelha negra" da família.

Um dos acontecimentos da vida de Davi que mostram que ele **era** o exemplo é a entrada da Arca da Aliança em Jerusalém. Ele já havia assumido o reinado, tinha conquistado Jerusalém e vivia com sua família em um palácio, mas, apesar disso, sentia falta da Arca de Deus, que representava sua presença. Davi decidiu trazer a Arca para junto de si e preparou uma grande festa, convocando todo o povo a testemunhar sua chegada. Mas o que demonstrou quem era Davi – não só o que ele fazia – foi o fato de ter escolhido vestir-se como os levitas, tribo eleita para o serviço de Deus desde o Tabernáculo de Moisés, séculos antes. Por nascimento, Davi pertencia à tribo de Judá, que era encarregada de governar e promover o bem-estar do povo, conforme vimos no Capítulo 4. Porém, Davi não se colocava como rei, mas como um servidor de Deus, como um levita. Ele agia para o serviço de Deus e **era**, de fato, um servo. Nem todo mundo entendia a posição de Davi, nem mesmo sua esposa Mical, filha de Saul, que, ao vê-lo sem seus trajes reais, sem ostentar a coroa na cabeça e no meio dos levitas cantando e dançando, acabou por desprezá-lo intimamente (1Cr 15.27-29). Mas, para Davi, o que importava era **ser** quem ele era verdadeiramente. Ele entendia que **estava** como rei, mas que não era nada mais que um instrumento de Deus.

Você não é o que diz o crachá da sua empresa ou o que está escrito no diploma da faculdade. Isso é apenas o que você faz ou tem habilitação para fazer. O que você é deve estar muito acima disso. Portanto, procure ser o exemplo, muito mais do que apenas dar exemplos.

7. Ser imparcial

Criticar os outros é muito fácil, mas fazer melhor que os outros é que é difícil. Hoje em dia, parece que vivemos na era do "eu discordo", em que aquele que vai contra tudo e contra todos se considera muito inteligente. Com isso, poucas pessoas apoiam projetos que não são seus e ideias que não saíram de sua própria cabeça, e acabam tornando-se críticos de plantão, aqueles que falam muito, mas fazem pouco.

Ninguém, por melhor que seja e por mais bem-intencionado que esteja, fará sempre tudo certo. E o contrário também vale. Quando decidimos ser parciais e apoiar apenas um lado, deixamos de pensar e corremos o risco de nos tornar radicais, fanáticas, vaquinhas de presépio. Ao mesmo tempo, precisamos saber que nem sempre estaremos certas e que nossa opinião pode não ser a mais coerente. É preciso analisar as questões com a mente aberta, sem pré-julgamentos, e procurar em todo o tempo sermos imparciais.

Davi era assim. Ele ouvia seus homens, ponderava suas palavras, apoiava quando tinham razão, mas não passava a mão na cabeça deles quando erravam ou davam maus conselhos. Em uma das diversas vezes que Saul saiu à caça de Davi, entrou justamente na caverna onde ele estava escondido, mais ao fundo, com seus soldados. Vendo Saul bem ali, diante dos olhos deles, os soldados aconselharam Davi a matá-lo, dizendo que, finalmente, Deus havia entregado seu inimigo em suas mãos. Davi poderia facilmente tê-lo matado ou mandado que um de seus homens o fizesse, pois Saul havia entrado sozinho. Davi assumiria o reino e, assim, a promessa de Deus se cumpriria. Porém, ele não foi parcial nem consigo mesmo, mas considerou que Saul também havia sido escolhido e ungido por Deus, que, portanto, não se agradaria de sua morte. Suas convicções estavam acima de seus próprios interesses. Essa atitude enfureceu os soldados de Davi, a ponto de ele ter de contê-los, não permitindo que ninguém atacasse (1Sm 24.7).

Ser imparcial é, muitas vezes, desagradar as pessoas ao seu redor, é ir contra seus interesses pessoais e profissionais, é manter uma posição firme, escolhendo ficar ao lado do certo, e não do conveniente. É fácil? Obviamente que não. Mas quem disse que ser uma pessoa de sucesso é moleza, não é mesmo?

8. Saber lidar com as pressões

A diferença entre quem desiste de ser bem-sucedida e quem permanece em busca do sucesso está em saber lidar com as pressões que vão surgir de todos os lados. Neste item, vou destacar os dois tipos de pressão mais comuns que enfrentamos no dia a dia: a pressão do trabalho e a pressão das pessoas.

Alguém que se destaca no meio da multidão sempre será testado, pressionado, invejado e, para rimar, ter seu tapete puxado! Mas o fato de as pessoas tentarem e até puxarem seu tapete não significa que você vai cair. Quem sabe lidar com esse tipo de pressão "dá um pulinho" na hora H e se mantém de pé!

A caminhada em busca do sucesso é uma decisão que inclui tomar posições que nem sempre agradarão a todo mundo. As pessoas querem ter sucesso, mas nem todas têm disposição para fazer os sacrifícios necessários, preferindo pegar um atalho e tomar o lugar de quem já abriu o caminho e chegou lá. Como isso sempre vai existir, é melhor aprender a lidar da melhor maneira possível, que é não deixando que isso lhe atinja. Mais um grande desafio, pois isso não é nada fácil. Ver que as pessoas estão armando contra você e criando situações para que você se dê mal é uma pressão muito forte, que exige que sejamos ainda mais fortes.

Mais uma vez, Davi nos traz um exemplo incrível. Buscando a morte de Davi a todo custo e, por ter falhado diversas vezes, Saul criou uma armadilha para que os filisteus o matassem. Era um plano que parecia perfeito: Davi morreria pelas mãos dos inimigos, e Saul não teria culpa nenhuma. Para maquiar a situação e criar a ilusão de que havia feito as pazes com Davi, o rei decidiu cumprir a antiga promessa de dar sua filha como esposa ao homem que matasse Golias, mas, como Davi não tinha dote para pagar ao rei, ficou definido por Saul que bastava lhe entregar cem prepúcios filisteus. Na verdade, esse dote seria desnecessário, pois Davi já havia entregado a cabeça do gigante a Saul, cumprindo sua parte do acordo. Além de não cumprir o prometido, o rei criou essa situação com a única intenção de livrar-se de Davi e sair como inocente.

Obviamente aquela tarefa era dificílima e colocaria a vida de Davi e seus homens em alto risco. Não bastava matar cem filisteus, mas cortar os prepúcios para entregá-los a Saul. Por quanto tempo eles teriam de permanecer no meio dos filisteus até que tivessem completado o dote? Como resistiriam aos inimigos até terminarem a tarefa? Para Saul, aquele seria um fim certo para Davi, mas para Davi aquela era mais uma oportunidade de mostrar seu valor. Ele não só aceitou o desafio, como trouxe o dobro do que lhe fora pedido, antes do prazo combinado.

> *Davi se levantou, partiu com seus homens e matou duzentos filisteus. Davi trouxe os prepúcios deles e os entregou, bem contados, ao rei, para que se tornasse seu genro. Então Saul lhe deu sua filha Mical por mulher* (1Sm 18.27).

Que remédio, né? Saul teve de ceder, pois acabou caindo na própria armadilha, mas nem por isso ele desistiu.

> *Mas quando Saul viu e compreendeu que o Senhor estava com Davi e que todo Israel o amava, temeu muito mais a Davi; e cada vez mais Saul se tornava seu inimigo* (1Sm 18.28-29).

Situações assim sempre existirão e, quanto mais crescermos, mais elas se intensificarão. Por outro lado, quanto mais vencermos esse tipo de desafio, mais experientes ficaremos e menos nos importaremos com elas.

Outro tipo de pressão é a do trabalho em si, que também vai se tornando cada vez mais desafiador. Para vencer essa pressão, devemos estar em constante aprendizado, buscando sempre nos aprimorar naquilo que fazemos e jamais achar que sabemos tudo. Por mais que sejamos boas no que fazemos, sempre poderemos melhorar, usar novas ferramentas, otimizar mais nosso tempo e apresentar melhores resultados.

9. Networking

É como disse Clarice Lispector: "Quem caminha sozinho pode até chegar mais rápido, mas aquele que vai acompanhado, com certeza vai mais longe".

Networking é um trabalho que toda boa profissional deve desenvolver ao longo de sua carreira. Não se trata de amizade por interesse, mas, sim, de manter boas conexões profissionais com pessoas com quem você possa desenvolver parcerias, lembrando que uma boa parceria é aquela em que ambas as partes ganham. O *networking* nada tem a ver com interesses próprios, mas, sim, com interesses mútuos.

Com o advento das redes sociais e de *sites* como o LinkedIn, essas conexões se tornaram muito mais fáceis, pois você pode ter acesso a milhares de pessoas e, ao mesmo tempo, outros milhares podem ter acesso a você. Porém, como tudo na vida, existe sempre o "lado B". O fato de as redes sociais levarem suas informações a lugares e pessoas que você nem sequer conhece só será benéfico se essas informações forem positivas. Por mais incrível que possa parecer, há pessoas capazes de depor contra si mesmas nas redes, todos os dias, sob as mais diversas circunstâncias. Como diz minha prima Eloisa, fiquei "pretérita" (porque "passada" já está batido!) quando li isto no Facebook de uma conhecida: "Depois de seis tentativas frustradas, finalmente passei no exame da OAB! #advogada #custoumaschegou #quasedesisti #deisorte #agora foi".

Sabe quando eu contrataria uma advogada que "bombou" seis vezes em um exame, depois de ter feito quatro anos de faculdade? Isso mesmo, você acertou: nunca! É óbvio que não sabemos os motivos que a fizeram fracassar nas tentativas anteriores, mas certamente esse não é o tipo de informação que deve ser divulgada publicamente.

Este é outro quesito que Davi executou com maestria, pois em todas as terras vizinhas sua boa fama o precedia. Ele cometeu erros, não há dúvida, e até deixou de confiar em Deus quando foi buscar abrigo em meio aos filisteus, tornando-se fiel ao rei Aquis, inimigo de Israel (1Sm 27). Mas o que se divulgavam eram os feitos, as vitórias, as conquistas e a reparação dos erros.

> *Davi fez como Deus havia ordenado, e eles derrotaram o exército dos filisteus, desde Gibeão até Gezer. Assim a fama de Davi se espalhou por todas aquelas terras, e o Senhor fez com que todas aquelas nações tivessem medo dele* (1Cr 14.16-17).

Você precisa produzir um bom conteúdo sobre si mesma e não jogar contra. Quando errar, assuma seus erros, arque com as consequências e procure não errar mais. Mas deixe de fazer alarde sobre coisas que não irão depor a seu favor. Além disso, invista em conhecer bons profissionais e cercar-se de pessoas que possam desenvolver boas relações e bons negócios, pois isso certamente será de grande valia ao longo de sua carreira.

10. Ter visão

É inegável que Davi era um homem de visão, mas não me refiro apenas àquele tipo de visão empresarial de quem prevê acontecimentos e imprevistos e se prepara para eles, ou de quem sempre vislumbra uma posição melhor do que a atual, não vê limites e não se deixa abater pelas barreiras que aparecem pela frente. Refiro-me principalmente à visão que Davi tinha em detectar o que realmente era importante.

Desde os tempos em que ele habitava os campos, pastoreando as ovelhas de seu pai, Davi sabia que precisava estar conectado com Deus. Sua visão estava além do mundo material, pois seus olhos enxergavam as coisas espirituais e ele se fortalecia nessa fé a cada dia. Tudo aquilo que Davi podia fazer, sem dúvida era feito, porém, em sua visão extremamente inteligente, ele sabia que não tinha condição de fazer tudo sozinho e nem mesmo com a ajuda de seu poderoso *networking*. Davi considerava que precisava de uma ajuda maior para poder realizar feitos maiores. Ele tinha a visão de que só Deus poderia realizar através dele o que nem ele mesmo seria capaz de fazer.

Quando vejo alguém que deseja empreender, mas que não tem essa fé e crê que pode tudo pela força de seu próprio braço, logo vejo que aquilo não vai muito longe. Devemos nos capacitar cada vez mais, aprender cada vez mais e melhorar a cada dia, mas jamais devemos esquecer que, sem a ajuda do alto, dificilmente seremos totalmente capazes. Todo empreendedor precisa de uma boa dose de autoconfiança e, ao mesmo tempo, precisa ter a mesma dose de humildade. É bom mencionar que humildade não tem nada a ver com pobreza, como muita gente confunde, mas, sim, com o reconhecimento de que nada somos e de que dependemos de uma força superior para nos guiar em todos os nossos caminhos. A fórmula para o sucesso é saber dosar bem essas duas qualidades e, para ilustrar quanto essa falta de equilíbrio é nociva, veja a seguir o que a falta de reconhecimento da soberania de Deus causou a Salomão, filho de Davi, o homem mais rico do mundo até os dias de hoje e cuja riqueza a Bíblia afirma que jamais será suplantada.

A QUEDA DE SALOMÃO

Além de alcançar o topo da riqueza, Salomão também foi o homem mais sábio de todos os tempos, segundo a sabedoria humana. Porém, ele não teve a mesma sabedoria espiritual de seu pai. Isso fica muito claro quando comparamos a fala de Davi em 1Crônicas 29.11–17 à de Salomão em Eclesiastes 2.4–8:

Salomão – "Fiz para mim obras magníficas; edifiquei para mim casas; plantei para mim vinhas. Fiz para mim hortas e jardins, e plantei neles árvores de toda espécie de fruto. Fiz para mim tanques de águas, para regar com eles o bosque em que reverdeciam as árvores. Adquiri servos e servas, e tive servos nascidos em casa; também tive grandes possessões de gados e ovelhas, mais do que todos os que houve antes de mim em Jerusalém. Amontoei também para mim prata e ouro, e tesouros dos reis e das províncias; provi-me de cantores e cantoras, e das delícias dos filhos dos homens; e de instrumentos de música de toda a espécie" (Ec 2.4–8).

Davi – "Tua é, Senhor, a magnificência, e o poder, e a honra, e a vitória, e a majestade; porque teu é tudo quanto há nos céus e na terra; teu é, Senhor, o reino, e tu te exaltaste por cabeça sobre todos. E riquezas e glórias vêm de diante de ti, e tu dominas sobre tudo, e na tua mão há força e poder; e na tua mão está o engrandecer e o dar força a tudo. Agora, pois, ó Deus nosso, graças te damos, e louvamos o nome da tua glória. Porque quem sou eu, e quem é o meu povo, para que pudéssemos oferecer voluntariamente coisas semelhantes? Porque tudo vem de ti, e do que é teu to damos. Porque somos estrangeiros diante de ti, e peregrinos como todos os nossos pais; como a sombra são os nossos dias sobre a terra, e sem ti não há esperança. Senhor, nosso Deus, toda esta abundância que preparamos para te edificar uma casa em teu santo nome, vem da tua mão e é toda tua" (1Cr 29.11–16).

Vemos aqui um Salomão que dava a si mesmo os méritos de todos os seus feitos, enquanto Davi reconhecia sua condição com humildade, atribuindo a Deus todo o seu sucesso. Detalhe: as palavras de Davi foram ditas enquanto ele oferecia **todo** seu tesouro para a construção do templo que Deus não lhe havia permitido construir. Davi não se preocupou em deixar herança a Salomão, pois sabia que a maior riqueza não residia ali, ao passo que reconhecia estar apenas devolvendo a Deus o que ele lhe havia confiado durante a vida.

A falta de visão espiritual de Salomão não o empobreceu financeiramente, pois Deus lhe havia prometido riquezas como nenhum homem teria e o Senhor não voltaria atrás em sua palavra. Mas, à medida que Salomão tirou os olhos de Deus, este tirou dele o prazer das coisas e Salomão se tornou um homem deprimido, a ponto de dizer que a vida se resumia a "vaidade de vaidades", que tudo não passava de ilusão e que "todas as coisas resultam em canseira", que "não há nada de novo debaixo do sol", que a tarefa que Deus atribuiu ao homem é pesada e que a vida é "correr atrás do vento". São palavras de quem não tem prazer na vida, de quem se cansou, desistiu e entregou os pontos.

A falta de visão espiritual pode não afetar as riquezas das pessoas, visto que muitos bilionários neste mundo nem sequer creem em Deus, mas a falta de Deus causa esse vazio que nem todas as riquezas do mundo podem preencher. Que cada uma de nós jamais venha perder a visão do que realmente é importante, um sucesso que vai muito além da conta bancária!

A IMPORTÂNCIA DO SILÊNCIO

Antes de terminar este capítulo, quero abrir um parêntese importante sobre algo que fez parte da vida de Davi por muito tempo e que é uma das chaves de todo o seu sucesso: o silêncio.

Creio que você já notou que o mundo está cada vez mais barulhento, mas talvez você não tenha percebido que isso pode ser um grande problema. Todo mundo sabe que não é possível raciocinar direito com barulho, por isso, quanto mais barulho, menos as pessoas pensam. Você entende a gravidade da questão? Em meio a essa confusão toda, cada vez mais as pessoas fazem as coisas sem pensar, apenas seguindo a multidão, perpetuando o tão famoso "efeito manada". Por que você acha que algumas lojas são tão barulhentas? Elas passam uma sensação de urgência, de que você tem de comprar logo, ser rápida na sua decisão e, de preferência, fechar negócio sem pensar. Para isso, o barulho é um bom aliado. A música alta se junta às vendedoras que ficam atrás de você a cada passo perguntando: - Gostou? Serviu? Quer ver esse modelo em preto? Quer ver uma blusinha além da calça? Quer um café? Quer aproveitar essa outra promoção? Quer parcelar?

Os restaurantes também deram de transformar o que antes era um local tranquilo em uma barulheira total, com um ambiente que reverbera o som por todo espaço e televisores espalhados por todos os lados. Sério mesmo que a gente precisa ver TV enquanto come?

O barulho distrai, perturba, incomoda e faz com que a gente tome atitudes sem pensar, mesmo sem perceber que a falta de silêncio é a causa disso tudo. Você já percebeu como quase todo mundo baixa o som do carro quando tem de prestar atenção no caminho? A pessoa pode até estar curtindo o som alto, mas no momento em que mais atenção se faz necessária, imediatamente ela baixa o volume ou até desliga o rádio, ou seja, só percebe que o som estava atrapalhando no momento em que sentiu necessidade de maior concentração.

Certa vez, lancei uma série de desafios no *blog*, e um deles era tirar um tempo na semana para estudar sobre algo necessário para seu crescimento profissional. Várias leitoras escreveram contando que aquilo seria impossível pelo simples fato de morarem com uma família barulhenta. Uma delas contou que todo final de semana era um fuzuê, com o som nas maiores alturas, junto com a TV ligada para as crianças (que eram obrigadas a gritar para serem ouvidas) e com amigos e parentes entrando e saindo o tempo todo. Agora veja que fofa: essa leitora me pediu para "dispensá-la" daquele desafio porque não ia conseguir. Minhas leitoras são mesmo incríveis, imagina que ela precisava me pedir alguma coisa! Mas eu não fui fofa e pedi que ela pegasse os livros e fosse para algum local tranquilo: um parque ou um banco de praça, mas que não se deixasse vencer pelo barulho!

Ligue a TV e perceba como muitos programas são superbarulhentos. É música alta, o apresentador gritando, o auditório aplaudindo, assoviando, berrando, até sirene eles tocam! E eu pergunto: para quê? A troco de quê? O que se aprende com isso? Você trabalha a semana inteira para depois, no final de semana, "descansar" na frente da TV assistindo a esse tormento? Com razão as pessoas estão mais estressadas do que nunca!

Em meio a uma sociedade tão barulhenta, é preciso separar um momento no dia para simplesmente **praticar o silêncio**. É preciso parar, relaxar, pensar e refletir, e nada disso se faz com barulho. Você perceberá quanto o silêncio é importante e passará a tirar proveito do que ele fala. Sim, o silêncio fala muito. É nele que você consegue ouvir a si mesma, raciocinar e tirar conclusões do que é melhor para si.

Davi viveu durante muitos anos de sua vida em meio ao silêncio dos pastos, sozinho com suas ovelhas. Lá ele tocou sua harpa, compôs vários de seus salmos, falou com Deus e o ouviu. Não é à toa que Deus levou muitos de seus escolhidos para o deserto. Abraão teve de atravessar um deserto para oferecer Isaque; Moisés viveu quarenta anos no deserto com todo o povo após tirá-los do Egito; João Batista viveu muito tempo no deserto, e o próprio Jesus teve de passar por ele. Nada disso é à toa. Quando estamos nos desertos da vida, sem paisagem, sem ninguém e sem distrações, só podemos recorrer ao nosso raciocínio e à única pessoa que está em todos os lugares: Deus. E é aí que ele tem todas as condições de falar conosco. Deus não vai falar com você no meio da balada, pois ele não desperdiça suas pérolas. Deus só vai falar com você quando você estiver ouvindo. Ele não grita nem faz escândalo, mas fala com uma voz suave e tranquila que só podemos ouvir em silêncio.

Muitas pessoas detestam ficar sozinhas justamente porque não querem encarar quem são, mas nós não devemos ser assim. Comece a praticar momentos de silêncio na sua vida, e certamente você será uma pessoa mais centrada, mais focada e mais pronta para o sucesso.

AS FILHAS DE ZELOFEADE E SUA LUTA POR IGUALDADE

Por que se tiraria o nome de nosso pai da sua família, por não ter tido um filho? Dai-nos uma propriedade entre os irmãos de nosso pai.
Números 27.4

JÁ OUVI VÁRIAS PESSOAS FALANDO que a Bíblia deveria ser "atualizada" por se tratar de um livro "machista" e que, pelo avanço dos direitos da mulher, algumas coisas deveriam ser "mudadas". Bem, para começar, a Bíblia é um conjunto de livros bastante antigos, escritos em várias épocas diferentes, mas que está mais atual do que nunca. Homens e mulheres vivem seus dilemas há milênios, mas, sempre que usaram a cabeça para resolvê-los, foram bem-sucedidos, assim como as cinco descendentes de Zelofeade, um contemporâneo de Moisés que não teve nenhum filho, em um tempo em que as mulheres tinham menos direitos que os homens. Portanto, não há nada de moderno no fato de as mulheres terem de encarar a vida com menos direitos que os homens. Assim como não há nenhuma novidade em como nós, mulheres, devemos agir para requerer essa igualdade de direitos que sempre nos foi negada, e não pela Bíblia, nem por Deus, como veremos nesta história, mas pela própria humanidade, a qual institui regras, normas e leis que contemplam alguns em detrimento de outros.

Homens e mulheres não são iguais, não pensam do mesmo jeito, não têm a mesma visão de mundo e sempre serão diferentes, o que, aliás, é ótimo! Essa história de que as mulheres devem agir como os homens, e vice-versa, sempre me pareceu uma bobagem... É como se agora nós tivéssemos de ser caricaturas um do outro e, para mim, isso não faz nenhum sentido. Cada um é o que é e deve aproveitar suas próprias características em favor de todos, e não querer ser como o outro, nem o diminuir.

As mulheres são mais detalhistas, mais sensíveis aos fatos que acontecem ao redor, mais meticulosas e com um poder incrível de persuasão. Quando um homem não sabe lidar com uma mulher, ele **manda** que ela faça alguma coisa, o que, na maior parte das vezes, gerará algum contratempo, desde um simples revirar de olhos, passando pela cara emburrada e culminando numa discussão ao melhor estilo "Você não manda em mim". Mas, quando ele e é inteligente o bastante, **pergunta** como ela faria aquela mesma coisa e **ouve** a resposta. Provavelmente ela não só dará a sua opinião, como acabará fazendo de bom grado, sem que ele tenha de pedir. E, quando a mulher revida querendo mandar no homem, a coisa fica ainda pior... Nós gostamos de ajudar, está no nosso DNA sermos colaborativas, mas também gostamos que nos ouçam, que sigam nossas sugestões e não nos tratem como seres inferiores. É claro que não estou dizendo que devemos impor que nos ouçam ou fazer as coisas de má vontade quando não nos pedem da maneira que gostaríamos; apenas estou mencionando como a nossa relação seria melhor caso homens e mulheres se dispusessem a entender suas diferenças e parassem de brigar por causa delas.

Cerca de dez anos atrás, eu estava trabalhando em uma matéria que destacava a participação da mulher no exército israelense e fiquei surpresa com os postos que elas ocupam. O serviço militar em Israel é o único no mundo em que as mulheres também se alistam, não somente os homens. Apenas as mães, as grávidas e as religiosas tradicionais são dispensadas. A obrigatoriedade foi instituída desde a criação do Estado, em 1948, quando David Ben-Gurion, um dos fundadores de Israel afirmou: "O Exército é o símbolo supremo do dever e, enquanto as mulheres não forem iguais aos homens em realizar este serviço não terão obtido a verdadeira igualdade. Se as filhas de Israel estiverem ausentes do Exército, o caráter da comunidade judaica será distorcido".

Mais de 30% do contingente é composto por mulheres, e elas chegam a ser maioria em algumas unidades de extrema importância como a de "Apoio e Observação", onde operam remotamente sistemas eletrônicos ultramodernos de vigilância. Mas elas não se limitam apenas às salas de controle, pois muitas servem em campo, lado a lado com os homens, como nas unidades Caracal (primeiro batalhão misto criado no ano 2000) e Bardelás (criada em 2015). Em meados de 1990, uma jovem chamada Alice Miller exigiu o direito de entrar para a Força Aérea de Israel. Ela mesma não chegou a pilotar nenhum avião, mas conseguiu abrir portas para centenas de mulheres depois dela, e hoje não é mais tabu ter uma presença feminina na cabine de um caça. Os avanços continuam e, em julho de 2017, a tenente-coronel Retig Reut Weiss foi nomeada a primeira mulher a comandar uma unidade de *drones* (aeronaves não tripuladas) do Corpo de Artilharia israelense.

Cá no Brasil, dia desses, li no Facebook o relato de uma amiga contando que foi ofendida por um homem que entrou com o carro na praia e quase atropelou o filho dela que brincava na areia (onde supostamente não deveria circular nenhum tipo de veículo motorizado).

"Homem quando grita é porque está nervoso; mulher quando grita – mesmo que estejam a ponto de atropelar seu filho – é louca, histérica, desequilibrada!", desabafou em seu perfil. Sim, é verdade, quando falamos um pouco mais alto – ou gritamos mesmo –, ainda que tenhamos razão ou por puro susto, somos consideradas malucas. Isso quando não aparece alguém para perguntar se não existe nenhum homem para "dar um jeito" na doida de pedra. "Está faltando homem na sua vida, querida? É por isso que você está descontrolada assim?" Quem nunca ouviu uma frase desse tipo? Como você pode ver, não é a Bíblia que tem de ser "modernizada", mas a cabeça das pessoas. Aliás, é na Bíblia que fui buscar exemplos e vou destacar aqui o caso das cinco filhas desse homem da tribo de Manassés chamado Zelofeade.

Quando Moisés libertou o povo das garras do faraó, a família de Zelofeade foi uma das que seguiram para o deserto, rumo à Terra Prometida. Ele teve cinco filhas e nenhum filho, e os nomes delas eram Macla, Noa, Hogla, Milca e Tirza. Todas elas faziam parte da nova geração e, portanto, teriam direito a entrar na nova terra. Porém, durante o percurso no deserto, Zelofeade faleceu, e suas filhas, além de órfãs, ficaram sem direito à herança, pois a lei da divisão de terras contemplava como herdeiros apenas os filhos homens. Nesse caso, elas teriam de viver de favor pelo resto da vida, dependendo de alguém que as sustentasse. Embora essa fosse a lei vigente, elas chegaram à conclusão de que não era justo que fossem condenadas a viver daquela forma só porque seu pai não havia gerado um filho. Elas sabiam que eram tão merecedoras de uma herança quanto os homens e resolveram requerer seus direitos, mesmo em meio a uma sociedade que não lhes reservava quase nenhum espaço, a não ser cuidarem de suas tendas e serem mães (preferencialmente de meninos).

Elas não se reuniram com outras mulheres para incitá-las, não organizaram nenhum motim, não choraram pelas injustiças da vida, não maldisseram o fato de terem nascido mulheres nem se voltaram contra o legislador da época, àquela altura, o próprio Moisés, o grande e respeitadíssimo libertador. Mas usaram a maior arma que todos os seres humanos, homens e mulheres, possuem: o raciocínio.

Se aquilo não era justo, alguém teria de chegar à mesma conclusão que elas e, para que isso acontecesse de fato e uma decisão favorável fosse tomada, era preciso levar a demanda a quem pudesse resolver, no caso, Moisés, o sacerdote Eleazar e os líderes da comunidade. Elas foram até a tenda da revelação, onde eram levados os assuntos para serem julgados, e expuseram a situação diante de todos. Contaram que seu pai era justo em seguir as leis e não havia se reunido aos conspiradores que tentaram fazer o povo desviar-se de Deus. A única questão é que ele havia morrido no deserto sem ter tido nenhum filho homem, mas seria isso um problema? Exposto o caso, elas **disseram exatamente** o que queriam: "Dai-nos uma propriedade entre os irmãos de nosso pai".

Como legislador e tendo recebido as leis do próprio Deus, Moisés poderia muito bem tê-las despedido logo ali, dizendo que aquilo não fazia sentido. Mas ele mesmo considerou que o fato de serem mulheres não deveria ser motivo de não terem o mesmo direito dos homens. Sendo assim, ele foi consultar a Deus para saber qual veredito deveria ser dado à petição daquelas mulheres. Eis aqui a resposta:

> *Então o Senhor disse a Moisés: O que as filhas de Zelofeade dizem está certo. Tu lhes darás uma propriedade como herança entre os irmãos do pai delas e farás com que recebam a herança do pai* (Nm 27.6-7).

Mas aí você pode se perguntar: "Se a lei não era justa, por que Deus não determinou logo de uma vez que homens e mulheres deveriam ter direitos iguais? Ele não poderia ter feito isso?" Sim, claro que poderia. Porém, o tempo de Deus não é igual ao nosso, ou seja, ele não está limitado a passado, presente e futuro como nós. Deus não está sujeito ao tempo, mas, sim, o tempo está sujeito a ele; com isso, não lhe está encoberto o que vai acontecer futuramente, seja amanhã, daqui a 30 segundos ou daqui a alguns séculos. Deus sabia que as mulheres sempre seriam inferiorizadas ao longo da história e deixou-nos um exemplo do que fazer sempre e quando esse tipo de coisa acontecer conosco.

Deus não é machista, afinal de contas foi ele quem criou a mulher, e sua Palavra não a trata como um ser inferior, mas a sociedade em que vivemos é que tem inferiorizado a mulher. E não me refiro apenas a esta época nem somente ao nosso país, mas à história do mundo como um todo. Uma pessoa me questionou certo dia por que a Bíblia valorizava os bebês meninos e não dava o mesmo valor às meninas, acrescentando: "Essa resposta vai ser difícil você dar, hein!" Na verdade, foi uma das mais fáceis, porque a Bíblia apenas relata o que os homens instituíram. Da parte de Deus, desde a criação, o registro é o seguinte:

> *E Deus criou o homem à sua imagem; à imagem de Deus o criou; homem e mulher os criou. Então Deus* **lhes** *abençoou e* **lhes** *disse: Frutificai e multiplicai-vos; enchei a terra e sujeitai-a; dominai sobre os peixes do mar, e sobre as aves do céu e sobre todos os animais que rastejam sobre a terra* (Gn 1.27-28).

Deus falou com os dois, ao mesmo tempo, dando poder a ambos igualmente para dominar. Você não vai achar, em nenhum momento, que Deus deu mais poder ao homem do que à mulher, pois isso foi inventado pelo homem. E você também não vai ler Deus se referindo a meninos com mais prazer do que a meninas, pois ele não ordenou que a mulher tivesse mais filhos do que filhas em nenhum momento. Deus é equilíbrio.

A Bíblia relata três tipos de palavra: a de Deus, a do homem e a do diabo; portanto, esteja atenta a quem está falando o quê. O fato de o homem inferiorizar a mulher, infelizmente, atravessou fronteiras geográficas e temporais; por isso, até hoje temos de conviver com esse tipo de coisa.

Uma mulher bonita que chega à presidência de uma empresa terá de conviver com piadinhas sobre como chegou lá (e nenhuma delas fará trocadilhos sobre sua inteligência ou competência, obviamente). As mães continuarão tendo de responder em uma entrevista de emprego se faltarão ao trabalho quando o filho ficar doente, coisa sobre a qual nenhum pai jamais será questionado. Sempre que uma mulher estiver calada, triste ou de mau humor, pelo motivo que seja, receberá o "diagnóstico" de que está com TPM, além do que suas dores de estômago serão vistas, invariavelmente, como sinais de gravidez. Toda mulher solteira, se não sorrir 24 horas por dia, será tida como mal-amada, mas sempre que sorrir um pouco além (ou se arrumar um pouco mais) ouvirá que está tentando "arrumar marido" (na melhor das hipóteses, porque há comentários piores, do tipo "Vai caçar homem" ou "Quer pegar algum trouxa"). O homem divorciado é um incompreendido, enquanto a mulher divorciada é uma megera. O homem que lava louça é um santo, enquanto a mulher que deixa um copo na pia é uma relaxada. O homem que fez uma manobra absurda no trânsito estava distraído, enquanto a mulher que faz tal coisa é mandada pilotar um fogão imediatamente.

Certa vez, em uma gravação na qual havia homens e mulheres, uma delas pediu para esperar um "segundinho" para ajeitar o cabelo, quando, para a surpresa de todos, alguém deu um grito e disse: - Não falei para gravar separado? Mulher só pensa em cabelo e maquiagem. "Vambora", gente!

Mas ai da mulher que se atrever a aparecer no vídeo com um fio de cabelo fora do lugar... ela será massacrada, não há dúvida! O mais triste nisso tudo é que quem mais vai massacrar a "descabelada" serão as próprias mulheres...

O mundo não é tão moderno quanto pensamos, pois os conceitos ainda são iguais aos de milênios atrás. Até mesmo no pioneiríssimo exército de Israel, as mulheres têm de enfrentar oposição de quem acha que elas não deveriam trabalhar com os homens porque os "distraem, atrapalham por serem atraentes e colocam em risco a segurança do Estado".

O problema não está na Bíblia, amiga, mas na cabeça de quem não a lê ou a interpreta conforme seus próprios interesses.

Por isso, saiba que você sempre terá de conviver com esse tipo de comportamento por parte da sociedade como um todo, de homens e mulheres, de conhecidos e estranhos. Isso não deve ser motivo de chateação e tristeza, mas, sim, de manter-se alheia a esses conceitos ultrapassados e requerer seus direitos sempre que necessário, assim como fizeram as cinco filhas de Zelofeade: falando com quem resolve e colocando a justiça nas mãos de Deus, pois ele, acima de qualquer pessoa, conhece o nosso valor. Macla, Noa, Hogla, Milca e Tirza não apenas foram atendidas em sua petição, como a lei foi alterada por Deus daquele dia em diante, através desta ordem:

E dirás aos israelitas: Se morrer um homem, e não tiver filho, dareis sua herança à sua filha (Gn 27.8).

10

NEEMIAS: CORAGEM, DISPOSIÇÃO E LIDERANÇA

Tanto os que reconstruíram o muro quanto os carregadores que transportavam as cargas faziam o seu trabalho com uma das mãos e com a outra seguravam a sua arma.
Neemias 4.17

AINDA QUE NEEMIAS NÃO SEJA uma das personagens mais conhecidas da Bíblia, ele foi um empreendedor exemplar e um realizador de grandes feitos em sua época. Acredita-se que ele tenha nascido em cativeiro, depois da queda de Jerusalém, quando o rei da Babilônia, Nabucodonosor, ordenou a destruição do Templo e levou os judeus como escravos para suas terras, aproximadamente no ano 587 a.C.

A antiga Jerusalém, que existe até hoje, foi projetada com muralhas bem altas e diversos portões que a mantinham em segurança, mas, diante da investida dos babilônicos, os muros foram derrubados, e os portões, queimados. A cidade ficou totalmente desprotegida e permaneceu assim por um longo período. Por volta de 538 a.C., a Pérsia conquistou a Babilônia e, sob o decreto do rei Ciro, os judeus foram autorizados a regressar a Jerusalém para reconstruí-la, bem como o Templo de Deus. Porém, o rei que sucedeu Ciro, Artaxerxes I, suspendeu as obras, que só foram retomadas no reinado seguinte, quando Dario, o terceiro rei da Pérsia, subiu ao poder. O quarto rei a assumir o trono, Artaxerxes II, não só permitiu que as obras continuassem, como também foi um grande apoiador da reconstrução do Templo. Nessa época, um escriba e exímio conhecedor da Lei de Moisés, chamado Esdras, decidiu regressar a Jerusalém para instruir seu povo, que havia vivido por muitas décadas afastado das leis de Deus. O rei permitiu que ele partisse e ainda lhe deu dinheiro tanto para a construção do Templo como para a compra de animais para os sacrifícios. Com isso, Esdras partiu da Pérsia rumo a Jerusalém, com a tarefa de reconstruir o Templo e educar o povo dentro da lei mosaica.

Neemias manteve-se na Pérsia, pois era copeiro de Artaxerxes II, um cargo de extrema confiança e até mesmo de alto risco, pois cabia a ele duas funções: provar o vinho (para garantir que não estivesse envenenado) e servi-lo pessoalmente, entregando a taça diretamente nas mãos do rei. Poucas pessoas eram autorizadas a se aproximarem do rei, muito menos a entregarem algo diretamente a ele; portanto, já podemos calcular a importância da posição de Neemias no palácio real. Treze anos depois de Esdras ter deixado a Pérsia, um irmão de Neemias, Hanani, que estava vivendo em Jerusalém, foi visitá-lo com uma comitiva e lhe contou a situação do povo e da cidade.

> *Os que sobreviveram ao cativeiro estão passando grande aflição e vergonha lá na província. Os muros de Jerusalém foram derrubados, e as portas da cidade, queimadas* (Ne 1.3).

Diante disso, Neemias ficou muito abalado e andava triste, como nunca havia estado antes. Embora vivesse no palácio, desfrutando de todo conforto e de um cargo importante ao lado do rei, as aflições de seu povo o tocaram profundamente e despertaram o desejo de fazer algo para mudar aquela situação. Esta é a primeira grande lição que podemos aprender com Neemias: não sermos conformadas nem indiferentes aos problemas.

Às vezes, os funcionários estão cientes da crise pela qual a empresa está passando, mas, enquanto o salário está caindo na conta, não estão nem um pouco preocupados com o resto. Qualquer coisa, é só buscar outra colocação, e caso encerrado. É claro que, se a situação foi causada por má administração ou negligência dos proprietários, não há muito o que fazer, mas ficarmos alheias às coisas que acontecem à nossa volta só porque elas não nos atingem diretamente é um erro. O mesmo acontece com que tem seu próprio negócio e, muitas vezes, vê seus concorrentes afundando. Alguns acham que o melhor é que afundem mesmo, que fechem as portas, assim sobram mais clientes, mas isso é um erro. Você sabia que muitas empresas bem-sucedidas, embora concorrentes entre si, fazem parte de associações e grupos que protegem seus interesses mútuos? Temos de saber que empreender no Brasil já é tarefa difícil o bastante, pois, além de não termos leis que nos apoiem, estamos sujeitas a uma carga tributária absurda, que nos impede de realizar várias coisas, inclusive crescer. Se formos nos colocar como "inimigos", querendo mais que os outros se deem mal, aí é que não vamos chegar a lugar algum. O problema que existe no seu ramo de atividade também é seu. Quando a empresa vai mal, você também deve se colocar como parte da solução, e não agravar ainda mais o problema. Temos de ser mais conscientes sobre quanto precisamos nos apoiar, aprender a viver em sociedade e não ser individualistas, pois, para nos derrubar, já há muita gente.

Esdras estava desempenhando seu papel em Jerusalém, ensinando as leis de Deus e reconstruindo o Templo, porém ele não podia dar conta de tudo, e os muros da cidade com seus portões permaneciam destruídos. Neemias percebeu que sua proximidade com o rei poderia, de alguma maneira, ajudar a mudar aquela triste realidade, e esta é a segunda grande lição: criar um plano de ação extremamente ousado que poderia colocar toda sua carreira a perder. Ele pediria uma longa licença ao rei para que ele mesmo fosse a Jerusalém reconstruir os muros e recolocar seus portões. Neemias sabia que mandar outra pessoa em seu lugar não surtiria o mesmo efeito, pois ele era uma pessoa influente e, por sua posição e educação, teria mais apoio dos reinos por onde teria de passar e também comprar materiais para a obra.

Na primeira oportunidade, logo que o rei lhe perguntou por que estava triste, mesmo com medo da reação, Neemias contou sobre a realidade de seu povo e pediu licença para ausentar-se do palácio e de suas funções até que os muros da cidade estivessem restaurados. O rei concordou, mas Neemias foi além: pediu que ele escrevesse cartas aos governadores vizinhos para que o deixassem passar por seus territórios e outra carta para que conseguisse toda a madeira necessária para a obra. Ousado, não? E é assim que as pessoas que desejam ser bem-sucedidas devem agir, com ousadia. Quem gosta de segurança raramente assume os riscos que o sucesso impõe. É o tipo de pessoa que prefere um "salário garantido", ainda que seja insuficiente, do que pedir um aumento e correr o risco de ser demitida. Ou aquela que jamais vai se aventurar em um negócio próprio, no qual a única garantia é ter muito trabalho, muitas responsabilidades e, claro, altos impostos. Todas as vezes que queremos crescer em nossa carreira, vamos nos deparar com um abismo que separa onde estamos de aonde queremos chegar. Não há como passar aos pouquinhos, devagarinho, dando um passinho de cada vez; é hora de pular! Você pode errar? Pode. Mas também pode acertar, e é nisso que deve estar focada. Imagine se os pensamentos de Neemias fossem cheios de "e se", como abaixo:

"E se o rei se aborrecer?"

"E se ele achar que sou um mal-agradecido por tudo o que me fez?"

"E se ele disser que já deixou Esdras partir, já deu dinheiro e já ajudou até demais?"

"E se ele ficar tão furioso a ponto de atacar e retomar Jerusalém?"

É o tal negócio: nós já temos o não, então não precisamos ficar dando mais força ainda a ele. Muitas vezes temos de focar apenas no sim e manter aquela ideia fixa até alcançarmos o que queremos. Mas isso, claro, é para as fortes!

O rei concordou em fazer tudo o que Neemias pediu, mesmo sabendo que se tratava de uma licença de alguns anos, no caso, doze. Neemias seguiu viagem e, assim que chegou a Jerusalém, tomou a seguinte decisão: ir sozinho, à noite, verificar a situação dos muros da cidade. Ele não consultou os judeus, os sacerdotes, os nobres, os oficiais nem pessoa alguma que participaria da construção. Era hora de planejar, era a "hora do silêncio", como vimos na história de Davi. Outra grande lição para quem quer alcançar o sucesso: planeje primeiro, fale depois.

Neemias poderia, como se diz, "chegar chegando", fazer uma ronda com pompa e circunstância diante dos oficiais e nobres em torno da cidade, para que todo o povo o visse e soubesse de quem se tratava, dando uma de "salvador da pátria". Mas ele não havia ido lá para isso; seu foco estava 100% no resultado, o que ele sabia estar bem longe de ser conquistado. Muitas pessoas não têm o posicionamento de reconhecer a hora certa para cada coisa. Começam a trabalhar ontem e amanhã já querem colher os louros, ou abrem um negócio hoje e semana que vem estão divulgando aos quatro ventos que estão arrasando. Há um momento certo de comemorar as vitórias, e esse momento é **depois** que elas são **conquistadas** e **estabelecidas**.

Após verificar pessoalmente a condição dos muros e dos portões da cidade, aí sim, Neemias reuniu todas as pessoas envolvidas e nos deixou mais uma grande lição.

> *Eu lhes disse então: Vede a triste situação em que estamos, como Jerusalém está devastada, e as suas portas destruídas pelo fogo. Vinde! Vamos reconstruir os muros de Jerusalém, para que não passemos mais vergonha. Contei-lhes, então, como a mão de Deus havia sido bondosa comigo, e lhes relatei também as palavras do rei. Eles disseram: Levantemo-nos e construamos os muros. E eles fortaleceram as mãos para essa boa obra* (Ne 2.17-18).

É dessa forma que um líder age: expõe o problema, mas motiva as pessoas a se engajarem na solução. Uma boa liderança não é aquela que procura culpados, que fica remoendo os problemas e cobrando soluções, mas, sim, aquela que encara os problemas de frente, sem maquiagem, e que desperta nas pessoas o desejo de fazer a diferença. Veja que o trabalho era complexo e exigia uma série de etapas, às quais Neemias obedeceu e realizou uma a uma. Ele precisava dispor de tempo para acompanhar os trabalhos, de materiais para poder subir os muros e refazer as portas e de pessoas para executar a obra em si. Cada etapa vencida o remetia a uma nova e mais complicada fase, assim como o é na vida de quem deseja ter sucesso. Hoje você ultrapassa uma barreira, amanhã terá de vencer outro obstáculo e, em algum momento, precisará saltar sobre o precipício. Os desafios vão crescendo, e você vai se tornando cada vez mais capaz de vencê-los. E um dos maiores desafios, como comentamos anteriormente, é vencer os críticos de plantão. Aquelas pessoas que não fazem, não querem fazer e têm raiva de quem faz! E, claro, Neemias teve de enfrentar vários desses. Os primeiros opositores que se levantaram – e que continuaram se opondo durante toda a obra – foram Sambalate, Tobias e Gésem, que disseram: "Que é isso que estais fazendo? Quereis rebelar-vos contra o rei?" (Ne 2.19).

Como se eles estivessem muito preocupados com o rei... Eu sei, você já viu esse filme! Eu também já vi muito mais vezes do que imaginei e sei que ainda vou assistir a outras tantas. Sempre que damos um passo rumo ao sucesso, automaticamente obstáculos aparecem à nossa frente. Mas é preciso nos posicionarmos e não deixarmos que eles nos amedrontem, assim como Neemias fez, dando uma patada, quer dizer, uma resposta, aos seus opositores:

NEEMIAS: CORAGEM, DISPOSIÇÃO E LIDERANÇA

> *O Deus do céu é que fará com que sejamos bem-sucedidos; e nós, seus servos, nos levantaremos e construiremos. Mas vós não tendes parte, nem direito, nem memorial em Jerusalém* (Ne 2.20).

Em outras palavras: nós vamos cumprir nossa missão e vocês não têm nada a ver com isso! Às vezes, é preciso deixar claro o nosso posicionamento, de maneira que os opositores saibam que não vamos desistir. Isso aconteceu várias vezes comigo quando eu estava no processo de sair das dívidas, como conto em detalhes no livro *Bolsa blindada*. Eu ia aos bancos negociar os pagamentos e, assim que os gerentes consultavam o saldo vergonhoso das minhas contas, eles me tratavam de qualquer jeito e mal ouviam as propostas que eu queria oferecer. Uns riam, outros ficavam jogando na minha cara que eu tinha feito uma tremenda besteira colocando todas as minhas economias em um negócio e que agora tinha de enfrentar as consequências e "trabalhar o resto da vida" para pagar o banco. Até que uma hora me deu um estalo e eu disse a um deles:

– Você não tem absolutamente nada a ver com as minhas escolhas. Você está aqui para me atender e resolver um problema que não é só meu, mas também do banco. Eu estou querendo pagar uma dívida com a empresa que paga o seu salário, e você não está fazendo o seu trabalho de negociar e receber. Será que tem alguém acima de você interessado em me atender, ou você vai se dispor a fazer o seu trabalho?

É claro que tive de aguentar as piadinhas mais batidas do mundo – e que ainda há quem ache graça – do tipo "Ui, ela é nervosinha", "Nossa, é pequena, mas é brava" e, claro, que eu "devia estar com TPM e que precisava de um namorado para me acalmar"; afinal de contas, o problema não era ele estar me atendendo mal, mas, sim, eu ser "nervosa"... Na nossa trajetória, precisamos levar em conta aquele ditado que diz: "Não basta vencer um leão por dia, é preciso também desviar das antas". E anta é o que não falta hoje em dia. Temos de conviver com elas, mas jamais podemos permitir que elas nos atrasem ou nos tirem do sério.

Neemias já teve, logo de cara, uma pequena demonstração de que seus opositores estavam dispostos a tumultuar, mas ele foi em frente e nos deu outra lição: exercer a liderança na prática, distribuindo funções e delegando tarefas organizadamente. Ele recrutou todo tipo de pessoas – nobres e comuns – e com diversas habilidades: ourives, perfumistas, levitas. Também engajou os dois governadores de Jerusalém, Refaías, que ficou responsável pela construção de um trecho, e Salum, que assumiu outro trecho com ajuda de suas filhas (as mulheres estão sempre aceitando desafios e colocando a mão na massa!). Alguns dos nobres se recusaram a participar da construção, pois não aceitaram se sujeitar aos supervisores, mas Neemias não abriu exceção, preferindo dispensar os nobres para manter a autoridade dos encarregados. E é isso que sempre passo para os empreendedores nos meus cursos e palestras: você trabalha para o seu cliente, mas não pode abrir exceções que coloquem o seu negócio em risco só para atender a alguns caprichos. O dito "É melhor perder do que achar" também se encaixa a alguns tipos de clientes. Para aqueles que vêm querendo mudar o seu produto, estendendo muito os seus horários de atendimento, pedindo coisas além do combinado e sendo invasivos demais, é hora de irem cantar em outra freguesia... Você deve estabelecer regras sabendo que terá de ser flexível, mas nunca a ponto de desestruturar o seu negócio. Para tudo nessa vida há limites, e você deve saber quais são os seus e quais são os dos seus superiores ou clientes.

Mas se havia uma coisa que não tinha limites era a disposição de Sambalate, Tobias e os outros opositores em atrapalhar a reconstrução dos muros da cidade. Eles não conseguiram colocar os oficiais, sacerdotes e nobres de Jerusalém contra Neemias; porém, vendo que os muros realmente estavam sendo reerguidos, eles se enfureceram e começaram a incitar os povos vizinhos contra os judeus, dizendo que eles tinham a intenção de fortalecer a cidade para atacar seus territórios. Os inimigos foram crescendo e se organizando contra Neemias, mas ele se mostrou um grande estrategista, pois distribuiu o povo entre os lugares onde os muros ainda tinham brechas (e por onde os inimigos poderiam entrar) e colocou nas mãos deles espadas, lanças e arcos. Agora já não era só uma questão de trabalhar na construção dos muros, mas, sim, de lutar para mantê-los de pé. E é isso que nós devemos sempre ter em mente: não basta fazer o nosso trabalho; é preciso lutar para fazê-lo crescer, para conquistar mais e mais e, além disso, não deixar que outros venham e destruam a nossa carreira ou o nosso negócio. É uma guerra atrás da outra, e essa é uma das grandes razões pelas quais poucas pessoas vencem. Elas até se dispõem a lutar, mas conforme as lutas vão aumentando e os "inimigos" vão se fortalecendo, elas desistem. Se fosse fácil ser bem-sucedido, não viveríamos em uma "sociedade pirâmide", na qual muitas pessoas que vivem na base para sustentar os poucos que estão no topo. Diante daquela nova investida, Neemias dividiu seus trabalhadores:

> *Desde aquele dia, metade dos meus homens trabalhava na obra e metade empunhava as lanças, os escudos, os arcos e as couraças. E os oficiais prestavam apoio a todo o povo de Judá* (4.16).

Agora eles não eram apenas construtores, mas, sim, soldados. A boa profissional é aquela que se desdobra, que é multitarefas e que está, o tempo todo, desenvolvendo novas habilidades para desempenhar todos os papéis que se mostrarem necessários ao longo do caminho.

Em meio a essa construção cheia de obstáculos, outra questão se levantou no meio do povo, pois os pobres começaram a se queixar dos ricos. Naquela época, os nobres e oficiais literalmente compraram os judeus que haviam sido levados como escravos, para que retornassem a Jerusalém como homens livres, e os sustentaram com trigo e emprestando algum dinheiro. Os judeus libertados trabalhavam para pagar sua dívida; porém, por causa da imposição de juros por parte dos ricos, eles não estavam conseguindo pagar. Ao contrário, suas dívidas cresciam a ponto de alguns terem tido suas filhas levadas como escravas para saldar parte dos pagamentos. Quando Neemias soube dessa prática, censurou o comportamento dos nobres e os fez abrir mão dos juros, além de devolverem o que lhes havia tomado. Não era justo libertar as pessoas para, em seguida, torná-las escravas novamente, não é verdade? Mas não é isso que vemos acontecer hoje em dia, o tempo todo? Pessoas que vivem escravizadas pelas dívidas, pagando juros abusivos, tendo seus bens tomados de dentro de suas casas e trabalhando por um salário que mal dá para viver. É o que chamo de "escravização do ter". As pessoas acham que, para serem felizes ou para "parecerem" pessoas de sucesso, devem **ter** tudo o que a mídia e a publicidade ditam. Com isso, alugam ou compram casas que não podem sustentar, carros que não podem pagar, roupas que não poderiam usar (e que lotam seus guarda-roupas a ponto de nem saberem mais o que têm), matriculam seus filhos em colégios caros apenas para acumular mensalidades não pagas e vivem às voltas com o fantasma de que alguém descubra a verdadeira condição financeira em que vivem. Toda a cadeia de credores que se alimenta dessa bola de neve de juros sobre juros está muito bem, obrigada, mas todo o resto está apenas vivendo de ilusão. Se nossos governantes fossem justos a ponto de reequilibrarem essa balança, nossa economia não estaria como está. Aliás, essa é outra lição entre as muitas que Neemias nos deixou: não colocar nossos próprios interesses acima de tudo.

A essa altura, Neemias havia sido nomeado governador de Judá; porém, em virtude da situação em que o povo vivia, ele se absteve de suas regalias como político e ainda sustentou diariamente 150 pessoas que comiam em sua mesa:

> *Todos os dias um boi e seis das melhores ovelhas e aves eram preparados à minha custa, e de dez em dez dias, eu recebia uma provisão especial de toda qualidade de vinho. Mas, nem por isso exigi a comida separada para o governador, pois as exigências que pesavam sobre o povo eram demasiadas* (5.18).

Eu não leio pensamentos, ainda mais à distância, mas posso afirmar sem medo de errar que você pensou (ou falou): "Ah, se nossos políticos fossem assim!" Pois é, não podemos mudar as coisas que não estão ao nosso alcance (se bem que podemos melhorar como eleitoras!), mas devemos olhar para os nossos próprios atos e tentar ser mais justas com as pessoas que convivem e trabalham conosco. E esta é uma das razões pelas quais você precisa fazer seu negócio ser lucrativo: ter condições de remunerar bem seus colaboradores. Se a sua empresa vive no vermelho para pagar os funcionários, algo está mal, e você está sendo injusta consigo mesma (até o momento que desanimar de vez e jogar tudo para o alto). E, se você vive no bem-bom enquanto os outros se esfolam para sustentar seus deleites, algo também está ruim.

A boa empreendedora deve poder manter o padrão de vida que escolheu para si, contudo jamais em detrimento de outros. Não são poucos os empreendedores que conheço que andam de carrão importado e frequentam os melhores restaurantes todos os dias, enquanto a folha de pagamento de seus funcionários está atrasada. Devemos ter bom senso, equilíbrio e senso de justiça.

Para terminar, segue a lista das dez lições dadas por Neemias, mas aconselho que você leia o livro com atenção e sem pressa, pois certamente encontrará muitas mais:

1. Não ser conformada com os problemas
2. Assumir riscos
3. Aproveitar as oportunidades

4. Planejar antes, divulgar depois
5. Expor os problemas, motivar as soluções
6. Vencer os obstáculos, sejam coisas ou pessoas
7. Exercer liderança na prática
8. Redobrar as forças para vencer desafios maiores
9. Ser justa com seus colaboradores
10. Não colocar seus próprios interesses acima de tudo

A MULHER DE PROVÉRBIOS 31

*Mulher virtuosa, quem a achará? Ela vale muito mais
do que joias preciosas.*
Provérbios 31.10

A mulher descrita no capítulo 31 do livro de Provérbios não existiu. Isso mesmo, ela não foi uma personagem bíblica que viveu em determinada época da história e cuja conduta nos serve de exemplo. O conjunto de qualidades da chamada "mulher virtuosa", registrado dos versículos 10 a 31, refere-se, na verdade, a um apanhado de atributos que a mãe do rei Lemuel aconselha que ele busque em uma mulher. Não há registros na Bíblia que esclareçam quem foi esse rei, mas, para alguns estudiosos, Lemuel seria um segundo nome do rei Salomão e, portanto, os conselhos teriam sido dados por Bate-Seba. Para outros, Lemuel foi o rei de uma terra próxima e que, por ter sido amigo de Salomão, lhe teria enviado os conselhos de sua mãe, que acabaram sendo incorporados ao final do livro de Provérbios.

A esta altura do livro, você já percebeu que gosto muito de estudar, buscar informações, pesquisar etc. Porém, para mim, quem foi Lemuel ou quem teria sido sua mãe não faz a menor diferença, assim como não faz diferença o fato de não se tratar de determinada mulher de quem sabemos o nome, onde viveu e em que época. Isso porque o que tenho considerado com respeito à descrição da mulher virtuosa é que ela reúne diversas características que, em algum momento da vida, a maioria de nós, mulheres, já almejou ter. Portanto, antes de falarmos mais sobre ela, gostaria de propor a você um exercício. Você topa? Então, marque com um X quais atributos a seguir você já desejou ter em algum momento da sua vida pessoal ou profissional:

( ) Ser uma pessoa de confiança
( ) Ser inteligente
( ) Ter valores, firmeza de caráter
( ) Ter diversas habilidades, desenvolver vários talentos
( ) Ser diligente, bem-disposta, proativa
( ) Ser visionária
( ) Ser disciplinada
( ) Ser boa em negociar
( ) Ser cuidadosa, atenciosa, agradável
( ) Ser prevenida
( ) Ser generosa
( ) Ter determinação, não desistir de seus projetos e de suas ideias

Não sei você, mas eu assinalei todos! Essas características fazem parte da descrição da mulher virtuosa, ou seja, no fundo, todas nós queremos ser assim. Você não quer ser uma mulher em quem não se pode confiar, mau caráter, preguiçosa, bagunçada etc. Você quer o melhor para si, ainda que vários desses itens não sejam naturais para você e, portanto, difíceis de serem colocados em prática. Ou seja, nessa lista não há nada que qualquer pessoa possa considerar dispensável na vida de quem deseja ser bem-sucedida, não é verdade?

E o fato de essa mulher não ter existido me ensinou uma grande lição em relação a um dos maiores defeitos que nós temos: comparar-nos com outras mulheres! Veja: ao mesmo tempo que essa mulher não existiu, qualquer uma de nós é capaz de desenvolver essas características e ser bem-sucedida. Creio que por isso mesmo ela não foi identificada! Não devemos nos comparar com ninguém, pois está na nossa natureza sermos diferentes. Deus criou cada uma de nós com características diferentes, mesmo nos casos dos gêmeos idênticos. Portanto, podemos concluir que não é da vontade dele que sejamos todas iguais, nem que desejemos ser iguais a alguém. Você já reparou que, hoje em dia, parece que as mulheres saem de alguns salões de beleza como quem sai da linha de produção de uma fábrica? Pintam o cabelo seguindo uma das quatro ou cinco cores da estação, adotam o mesmo corte, se submetem aos mesmos tratamentos, lixam as unhas segundo o formato da moda e passam o esmalte do momento, pigmentam as sobrancelhas dentro de um mesmo padrão (seja lá qual for o tipo de rosto, combine ou não), alongam e curvam os cílios (mesmo que não precisem) e se maquiam conforme o que "está se usando". Certo dia, pedi para uma amiga localizar uma conhecida antes de uma palestra e indiquei mais ou menos onde ela iria sentar. Como do seu raio de visão só dava para vê-las de costas, ela voltou e disse: - Não tenho ideia de onde ela está, porque, de costas, as meninas são todas iguais!

E realmente eram...

Por que fazemos isso? Por que queremos ter o cabelo da fulana, o nariz da sicrana e os quadris da beltrana? Só porque não podemos nascer de novo e, assim, conseguir achar problemas para nos atormentar a vida inteira? Ou porque queremos estrelar o filme Frankenstein versão feminina? Você quer mesmo ser uma mulher composta por partes diferentes de outras pessoas? Não, você não quer isso. Você simplesmente repete um comportamento aprendido desde criança, quando alguém lhe disse que devia ser obediente como a fulana, educada como a sicrana e estudiosa como a beltrana. As pessoas fazem isso o tempo todo achando que as comparações são positivas, mas não são. Elas servem apenas para ditar padrões e impor limites. Ninguém deveria ser estimulada a ser estudiosa como a beltrana, pois além de não existir um único padrão do que é ser estudiosa, isso já impõe um limite de que o máximo é o que aquela pessoa atingiu. E a pergunta é: preciso mesmo ser como ela? Não posso almejar algo além? Por isso, perca o costume de se comparar, ainda mais se as pessoas em quem você tem se espelhado estão na TV, no cinema ou nas capas das revistas. Não é possível que você ainda acredite que elas são como aparentam ser... Você sabe muito bem que as imagens recebem filtros e altos tratamentos que fazem virtualmente qualquer pessoa parecer perfeita. Se não é certo nos compararmos com pessoas reais, muito menos com o que nem sequer existe! Se você precisa de mais argumentos para deixar de se comparar, pause a leitura por alguns instantes e acesse pelo celular fazendo a leitura do QR Code ao lado.

Assistiu? Ficou boquiaberta? Então, agora podemos ir em frente e saber mais sobre essa mulher que todas nós queremos ser!

Assim como a maioria das mulheres, a mulher virtuosa é casada, é mãe e precisa trabalhar fora, além de dar conta de todas as tarefas de casa. Quem não se identifica com essa dupla ou tripla jornada? E assim começa a descrição de suas características:

> *O marido confia nela totalmente, e nunca lhe faltará coisa alguma. Ela lhe faz bem todos os dias de sua vida, e não mal* (31.11-12).

Entendo que a mulher virtuosa é uma ótima gestora financeira, pois não há como falar em confiança sem falar em dinheiro. Quer uma prova? A primeira coisa que um casal faz quando começa a se desentender a ponto de considerar o divórcio é começar a esconder dinheiro um do outro. Essa não é a minha opinião, mas um fato atestado por diversas pesquisas. O contrário também é válido, ou seja, duas pessoas só demonstram que realmente confiam uma na outra quando juntam os orçamentos, ou, como costumo dizer, quando casam as contas.

Olhando por outro ponto de vista, também é fato que, se a mulher é do tipo descontrolada e torra o salário de ambos, o marido não irá confiar nela. Talvez você fique surpresa com o número de mensagens que chegam a mim de mulheres que "camuflam" seus gastos para que os maridos não saibam. Os casos vão desde o simples esconder de sacolas no porta-malas do carro ou no fundo do guarda-roupas, até as que contraíram dívidas enormes, a ponto de estar prestes a perder os bens da família. Também já atendi casos de mulheres que descobriram dívidas dos maridos e ficaram com o relacionamento abalado, mesmo quando a dívida não era de um valor expressivo. Em todos esses casos, o dinheiro deixa de ser o maior problema, dando lugar à preocupação em relação à confiança. As grandes perguntas são: "Como vou recuperar a confiança do meu marido?" e "Como poderei confiar nele de novo?" Fora isso, você sabe que somos muito criativas e podemos começar a inventar mais problemas ainda, do tipo: "Se ele foi capaz de me esconder isso, talvez tenha uma amante... quem sabe tenha outra família e... até um filho? Não só um, mas vários!" É ou não é? Esses maridos e essas esposas fizeram mal um para o outro, ainda que a intenção não tenha sido essa.

Dinheiro tem tudo a ver com confiança e, se você não sabe lidar com o seu, sempre vai acabar passando uma imagem de pessoa irresponsável, descontrolada e em quem não se pode confiar muito. Para complementar essa interpretação, veja o que o provérbio diz: "Nunca lhe faltará coisa alguma", ou seja, ela administra bem os recursos (sejam poucos ou muitos) e não permite que haja falta de nada.

É óbvio que passamos por momentos de aperto na vida e nem sempre poderemos dizer que não nos falta nada. Pode haver um período (curto, médio e, em alguns casos, até longo) de diminuição de renda, de perda de emprego, de maiores gastos devido a uma doença, à quebra de um veículo, a um reparo na casa etc. Mas o que não deve acontecer é que o aperto seja constante, ou seja, aquela casa em que nunca há dinheiro, que se gasta sem pensar, em que se deixa de colocar comida na mesa, mas os armários estão entulhados de coisas que nem são usadas. Lembro-me de ter apresentado uma pauta na TV sobre "como fazer boas escolhas" e mostrei um exemplo do que não fazer, baseada em uma foto que vi no Facebook. A imagem publicada na rede social mostrava uma bebê de colo em um bercinho bem simples, mas com uma boneca caríssima ao lado (quase maior que a criança) e, ao fundo, as paredes do quartinho todas mofadas. Na postagem, os pais se diziam realizados por poderem dar um "presente caro" para a filha. Claro que não mostramos a foto original no ar, mas usamos como exemplo a imagem de uma parede parecida enquanto eu descrevi a cena, tal como fiz aqui para você entender. Para preparar a pauta, pesquisei o preço da boneca e o valor que seria gasto para refazer as paredes do quarto e impermeabilizá-las para o problema não voltar. Conclusão: a boneca custava mais caro que o conserto! Porém, provavelmente aquela família não tinha nem sequer cogitado arrumar o quarto por achar que fosse caro. São escolhas como essas que mostram que o problema não é a falta de dinheiro, mas a falta de discernimento de como usar o dinheiro.

Para minha surpresa, quando deixei o estúdio e dei uma olhada nas mensagens do Instagram, uma delas dizia: "Pauta chata! Para que se meter na vida dos outros assim? Deixa a criança ser feliz!" Bem, se para uma bebê de colo ser feliz é preciso uma boneca caríssima, mesmo dormindo em um quarto daquele, respirando mofo por horas e horas, desculpe, eu não sabia! Vai ver que é porque eu não sou mãe...

No entanto, mesmo não sendo mãe do rei Lemuel (e nem de ninguém!), meu conselho para você é: seja mais responsável com seu dinheiro, e você será vista pela sua família como uma pessoa mais confiável.

> *Busca lã e linho; de boa vontade, trabalha com as mãos. É como os navios mercantes, que de longe trazem alimento* (31.13-14).

Com este trecho muitas de nós podemos nos identificar, pois não basta buscar "lã e linho"; temos também de trabalhar neles com as próprias mãos e, de preferência, com boa vontade! Para nós, as tarefas quase sempre são múltiplas, desde os cuidados pessoais até as mais complexas atividades. O homem levanta, toma um banho de 2 minutos, faz a barba em 4, se troca em 3 e está pronto em menos de 10, mas nós não... Nós levamos 2 minutos apenas para acertar a temperatura do chuveiro! Lavamos o cabelo com xampu, passamos um creminho, deixamos agir enquanto nos ensaboamos e depois enxaguamos bem. Em seguida, é hora do hidratante corporal e de ir para a frente do guarda-roupa escolher o que vestir, o que calçar, que bolsa usar etc. Depois partimos para a operação cabelo e maquiagem e, para finalizar, os acessórios para fechar o *look*. E, claro, para todo esse ritual matinal "básico", meia hora é pouco! Obviamente, isso varia de mulher para mulher, mas você sabe que temos todo um processo meticuloso para fazer algumas coisas que os homens jamais entenderão.

E é essa meticulosidade que vemos nessa passagem. A tarefa de buscar a lã e o linho (para as roupas da família e os acessórios da casa) e de trabalhá-los com as próprias mãos demonstra que sermos detalhistas não é um ponto negativo. Nós somos assim, nós pensamos assim. Pergunte a um homem como foi o dia dele, e a resposta virá em uma frase curta (ou até mesmo resumida a uma palavra: "bom", "tranquilo", "normal"). Mas, se perguntarem a nós, é claro que vamos contar exatamente como foi! Somos criticadas por sermos detalhistas e, embora isso possa ser irritante em alguns casos, é muito importante em outros.

Vemos aqui como essa mulher é cuidadosa com suas coisas, pois ela vai buscar a lã e o linho pessoalmente e, se preciso for, traz de longe o que há de melhor para si e para sua casa. Não interprete "melhor" como mais caro, mas como melhor mesmo, mais adequado. Por exemplo: minha irmã morou vários anos em Buenos Aires e, na época, sua condição financeira era bem mediana. No inverno, morando em um apartamento minúsculo onde não havia espaço para estender as roupas, a saída era ter uma máquina de lavar e uma secadora. Até porque, depois de lavar roupas de inverno no tanque e esperar uma eternidade para secar, quando finalmente elas secavam, já estavam com um cheiro horrível e ninguém queria usar. Mas, além de as máquinas não caberem no apartamento, não cabiam no orçamento! Para resolver, minha irmã economizava tudo o que podia para pagar a lavanderia e, ainda por cima, andava quadras e mais quadras carregando uma tremenda trouxa de roupa, para usar um serviço mais barato no bairro vizinho. Às vezes, ela deixava de fazer outras coisas só para lavar algumas peças a mais; porém, aquilo era o adequado para a família toda. Não era um serviço caro, embora para ela fosse um pouco sacrificante, mas era o melhor. E a mulher virtuosa sabe que, ainda que isso lhe custe certos sacrifícios, sempre vale a pena oferecer o melhor.

Levanta-se de madrugada e alimenta sua família; distribui tarefas às suas servas (31.15).

Quem de nós não precisa fazer o dia render? E qual de nós não tem mais tarefas do que é capaz de realizar? Pois é, falta de tempo e excesso de tarefas parecem ser problemas muito atuais, mas não são! A solução para esses males que nos afligem está nessa frase: levantar mais cedo e delegar algumas tarefas.

Levantar cedo não significa exatamente que você tenha de pular da cama às 5 horas da manhã, pois com o advento da luz elétrica, não estamos mais presas aos horários em que há luz natural, como no passado. Até que eu entendesse isso, sofri muito por acordar tarde em algumas fases da vida... Houve épocas em que eu trabalhava até 2 ou 3 da manhã e, portanto, ia dormir lá pelas 4 ou 5. Ao acordar no dia seguinte, às vezes depois do meio-dia, eu me sentia péssima, a pior das criaturas, uma tremenda preguiçosa! Ficava me lamentando até às 2 da tarde, quando já estava de novo na empresa. Apesar de ter jornadas de doze ou treze horas de trabalho, eu me sentia muito mal, ainda mais quando as pessoas perguntavam a que horas eu acordava...

Quando estou em processo de preparação de um livro, nos últimos quinze ou vinte dias passo por uma "metamorfose horária", pois é meio impossível para mim escrever durante o dia, com telefone tocando, e-mails para responder, reuniões etc. Começo a escrever à noite, quando o mundo inteiro está tranquilo a ponto de esquecer que eu existo! Nisso, já cheguei a ficar no computador até às 6 da manhã, mas, quando um cliente ligava às 11 e eu "ainda" estava dormindo, eu me sentia péssima novamente. Até que entendi que aquele era meu ritmo e que descansar faz parte da vida. Normalmente sou mais produtiva à noite, então aceitei que não sou uma *morning person* (pessoa da manhã) e adapto meus horários aos períodos em que vou render mais e aproveitar melhor o tempo. Por isso, o meu levantar de madrugada é respeitar o tempo e usá-lo da melhor maneira possível. Se eu preciso dormir oito horas, não vou dormir dez, nem seis, e vou usar muito bem o meu dia, comece ele às 6h da manhã ou ao meio-dia.

Aqui em casa, meu marido é quem cozinha na maior parte das vezes (muito melhor do que eu, diga-se de passagem), mas sou a responsável por manter a despensa completa e organizada e pela limpeza geral. Ele cozinha e eu lavo, limpo, guardo tudo e já anoto na lista de compras o que precisa ser reposto. Fiz questão de deixar esse exemplo para que você perceba que não há uma regra, ou seja, não é só a mulher que deve cozinhar, lavar, passar etc. Pode ser que seja o homem; isso depende da dinâmica da sua família (mas devo dizer que, em matéria de limpar, lavar, passar e organizar, eu me saio muito melhor!). O conceito aqui é atender a família, cuidar para que não falte o alimento ou que as coisas fiquem por fazer.

Outro dia deixei acabar o pão e não tinha como sair para comprar. Percebi que meu marido ficou chateado, então eu quis consertar a falha: preparei uma receita super-rápida de pão de liquidificador e coloquei no forno. Em meia hora, a casa estava tomada por aquele cheirinho irresistível de pão fresco! Não somos perfeitas, mas, quando queremos, sabemos dar o nosso jeitinho, não é verdade? Como eu atendo aos pedidos dele (ou faço suas vontades sem que ele precise pedir), ele acaba fazendo as minhas também.

E, quanto àquilo que você não está conseguindo fazer, delegue. Você não precisa ter "servas" a quem delegar as tarefas, mas tente se organizar de alguma forma, talvez pedindo ajuda para a sua família. Muitas mulheres me escrevem dizendo que não podem contar com os filhos, muito menos com o marido, para manterem a casa em ordem, mas às vezes elas nem sequer pediram essa ajuda. Você se lembra que os homens não são detalhistas como nós? Provavelmente seu marido não vai nem perceber que chega e joga o sapato no meio da sala, pois ele está focado em descansar, e isso já ocupa todo o raciocínio dele! Cabe a você "treiná-lo" e dizer o que ele pode fazer para ajudá-la. Meu marido perdia as chaves praticamente todos os dias, e vê-lo perdendo a hora procurando e bufando pela casa toda me causava uma irritação profunda. Eu já havia falado mil vezes que não tinha cabimento ele fazer aquilo cinco ou seis vezes por semana e que não era possível ele não ter se tocado de que devia escolher um único lugar para guardá-las. Não adiantou nada. Ele continuou perdendo as chaves e eu continuei criticando, até que ele perdeu a paciência e falou alguma coisa do tipo: - As chaves são minhas, sou eu que procuro, então me deixe perder!

Fato! Mas, mesmo assim, eu continuava me irritando quando percebia que ele tinha perdido as chaves novamente. Até que entendi que não adiantava dizer para "achar um lugar para guardar"; eu precisava definir o lugar e "treiná-lo" a guardar as chaves ali. Comprei uma lata bem bonitinha, toda estampada com chaves, coloquei perto da porta e disse: - Pronto, agora nunca mais você vai perder as chaves!

Depois disso, cada vez que ele chegava e jogava as chaves em qualquer lugar, eu as guardava na lata. No dia seguinte, quando ele estava procurando as chaves, eu dizia – Procura na lata -, e lá estavam elas! Fiz isso durante um tempo até que ele mesmo começou a guardar as chaves na lata. Treinamento, amiga, treinamento!

Se você não está dando conta de manter sua casa limpa e arrumada e não pode contar com a ajuda da família, procure adaptar seu orçamento para contratar uma profissional, nem que seja uma vez ao mês ou a cada quinze dias. Se você não tem tempo de ir às compras, por exemplo, busque um serviço de entrega na sua região, ou veja se alguém pode fazer isso por você. Nós temos e sempre teremos uma limitação de tempo, pois um dia nunca terá mais de 24 horas e, também, podemos ter limitações financeiras que nos impeçam de pagar por alguma ajuda; por isso, pense em outras formas de usar melhor seu tempo, de delegar tudo o que for possível e, claro, de investir no "treinamento" das pessoas na sua casa para que elas se tornem mais conscientes de que você é uma só. Mas você só será bem-sucedida se fizer isso com jeito, porque no grito, na imposição ou fazendo comparações e críticas não costuma funcionar.

> *Avalia um campo e compra-o; planta uma vinha com a renda de seu trabalho. Dedica-se com determinação e se esforça. Percebe que seu ganho é bom, e de noite sua lâmpada não se apaga* (31.16-18).

A mulher virtuosa também é empreendedora, pois sabe negociar o que compra e transforma parte de seu dinheiro em algo que lhe renderá mais dinheiro. Trata-se da tão falada renda extra. Veja que, quando se compra um campo, é muito provável que, por si só, ele já valorize com o tempo, mas, para ganhar mais, ela plantou uma vinha que, futuramente, lhe traria lucros extras. Ela se esforçava nesse trabalho, e os seus ganhos eram bons. Lembra-se de que falamos de pessoas que se matam de trabalhar e não veem a cor do dinheiro? Isso não acontece com quem sabe negociar e com quem não vê o lucro como algo negativo, pois se esforça, dá o seu melhor e sabe que é daí que vem o seu ganho. Nada mais justo, não é mesmo? Quanto à frase "de noite sua lâmpada não se apaga", podemos interpretá-la de duas formas: se fosse preciso trabalhar à noite, a mulher virtuosa estava disposta a fazê-lo e, além disso, o texto reafirma que ela era próspera, pois naquela época os candeeiros eram iluminados com azeite, um artigo bem caro. Por isso, repito mais uma vez: se o seu trabalho não está sendo suficiente para trazer prosperidade, é preciso tomar alguma providência. O que você pode fazer como renda extra? Que atividade pode desenvolver para não depender apenas de um emprego ou de um salário? Use seus talentos e se empenhe com disposição, pois a recompensa vai chegar.

Com as mãos segura o fuso e com dedos pega a roca. É generosa com o pobre; sim, ajuda o necessitado (31.19-20).

O fuso e a roca são instrumentos de fiação muito antigos, mas ainda em uso em alguns lugares do Oriente. Na maioria das casas, esse trabalho era feito para confeccionar os tecidos para as roupas da própria família, e não necessariamente como fonte de renda. Ou seja, além de todo seu trabalho, a mulher virtuosa se ocupava pessoalmente das roupas dos familiares. Não é o nosso caso hoje em dia, pois não costuramos em casa, mas isso demonstra que há trabalhos em que seremos remuneradas e outros não, mas ambos devem ser feitos com diligência. Prova disso é que ela era generosa e ajudava os necessitados, uma ação totalmente livre de ganhos. Vemos que a vida que devemos buscar é aquela em que há equilíbrio: há o momento de trabalhar, lucrar, virar noites se preciso for, porém é necessário saber que a vida não é só trabalho e dinheiro. A vida também é composta por ações nas quais não ganharemos nada materialmente falando, mas que são tão necessárias quanto.

Quando vem a neve, não se preocupa com sua família, pois todos estão bem agasalhados. Faz cobertas para si mesma; seu vestido é de linho fino e de púrpura. Seu marido é respeitado no lugar de julgamento, quando se assenta entre os anciãos do povo. Faz vestidos de linho e os vende, fornece cintas aos comerciantes. Força e dignidade são seus vestidos; não se preocupa com o futuro (31.21-25).

Uma mulher precavida dificilmente é pega de surpresa. Quando nos adiantamos às situações e agimos preventivamente, sempre temos a ganhar. Quando primeiro recebemos para depois gastar, somos mais bem-sucedidas do que quando gastamos primeiro e corremos atrás depois. Eu vejo essa frase de uma forma muito atual: "Quando vem o IPVA, o IPTU e a lista de material escolar, ela não se preocupa, pois já economizou para esse período". Diga-me se não é a mesma coisa? Mas quantas pessoas se preparam para as épocas de maiores gastos? Bem poucas! Todo começo de ano é a mesma coisa, mas, ainda assim, muita gente é pega desprevenida ano após ano. Quando somos prevenidas, não pagamos juros para ninguém e podemos nos vestir de "linho fino" em vez de dar parte do nosso ganho para os bancos (para que eles se vistam da "púrpura" que deveria estar no seu guarda-roupa!).

Novamente, vemos o desenvolvimento de outros talentos para obter renda: a mulher virtuosa "faz vestidos, fornece cintas" e, com isso, quando olha para o futuro não sente medo nem se preocupa; ela se antecipa, por isso está preparada. Essa não é, de forma alguma, uma tarefa fácil, ainda mais nos dias atuais, em que somos bombardeadas para comprar tudo o que aparece pela frente. Porém, mais uma vez, não é impossível, você concorda?

> *Abre sua boca com sabedoria, e o ensino da benevolência está na sua língua. Administra os bens de sua casa e não se entrega à preguiça* (31.26-27).

Esse trecho dá até medo de comentar, mas vamos lá! Quantas são as mulheres que só abrem a boca para falar abobrinha? Há homens também, não tenha dúvida, mas lembre-se: aqui é território feminino, então vamos olhar para o nosso umbigo! E, quanto a ensinar com benevolência, então? Raríssimo... Sobra crítica, falta paciência. Mas saber ensinar é uma virtude, e todas nós podemos desenvolver nosso próprio sistema. O engraçado é que eu não sou a pessoa mais paciente do mundo, muito pelo contrário; mas, quando o assunto é ensinar, a paciência surge não sei de onde. E não costumo dar respostas para o que me perguntam (o que irrita muita gente), mas encho a pessoa de perguntas para que ela mesma chegue à resposta certa. Isso pode demorar um tempo, mas funciona e geralmente a pessoa não esquece mais. Então, haja paciência! Esse é um exemplo de coisas que nós não temos (como eu com a paciência), mas que podemos desenvolver, desde que não tenhamos preguiça, assim como a mulher virtuosa.

> *Seus filhos se levantam e a chamam bem-aventurada, o marido também a elogia, dizendo: 'Muitas mulheres agem de maneira virtuosa, mas tu superas a todas'* (31.28-29).

Quantos filhos e maridos morrem de vergonha da conduta de suas mães e esposas? Quantos não querem nem mesmo apresentá-las aos amigos? Veja que a passagem se refere à conduta e não à beleza, que aliás, aparece no trecho seguinte:

> *A beleza é enganosa, e a formosura é vaidade; mas a mulher que teme o Senhor, essa será elogiada. Que ela seja recompensada por seu esforço, e seu trabalho, elogiado em público* (31.30-31).

Muitas mulheres colocam toda sua força em melhorar o exterior. Gastam o que não podem para esticar aqui, diminuir ali ou tentar coisas impossíveis como a moda está ditando no momento: barriga negativa e bumbum na nuca! Oi? A gente precisa "não ter" barriga? E bumbum na nuca é alguma cirurgia que o remove de seu local natural e o reimplanta atrás do pescoço? Você tem certeza de que isso vai ficar bom?

A questão é que sempre haverá uma mulher mais bonita do que você, mais alta, mais jovem, mais magra. Por isso, o que deve ser elogiado em você é a sua conduta, porque isso é o que permanece.

Eu não sou nenhuma beldade, ao contrário das modelos e celebridades que meu marido fotografa, mas nenhuma delas é o que eu sou para ele. Nenhuma delas pode fazer o que eu faço, e nenhuma beleza substitui o meu papel. Por isso, as demais mulheres não são um problema para mim.

Não baseie a sua vida em coisas que não são tão importantes, mas, sim, naquilo que realmente permanece. É claro que devemos nos cuidar da melhor maneira possível, tanto com respeito à saúde quanto à aparência, mas buscar coisas inalcançáveis e colocar as expectativas no que nem sequer faz sentido não ajudará em nada. Procure ser sempre uma melhor versão de si mesma e, certamente, os elogios virão.

JOSÉ DO EGITO: DE ESCRAVO A GOVERNADOR

*Depois faraó disse a José: Visto que Deus te revelou tudo isso,
ninguém há que tenha discernimento e sabedoria como tu.
Comandarás a minha casa, e todo o meu povo se governará por tua
ordem; somente no trono serei maior que tu.*

Gênesis 41.39-40

José foi o décimo primeiro filho de Jacó, mas o primeiro gerado por Raquel, a esposa mais amada, cujo dote foram 14 anos de trabalho. Jacó amava a José mais do que a todos os outros filhos e, por meio dos registros bíblicos, podemos concluir que ele não fez o menor esforço em esconder seus sentimentos. A preferência por José provocava inveja em seus irmãos, mas, até que ele completasse 17 anos, a convivência entre eles havia sido tolerável. Vale lembrar que Jacó teve duas mulheres, as irmãs Lia e Raquel, e duas concubinas, Zilpa e Bila, que lhe deram filhos e uma única filha, Diná. Só o fato de ter quatro esposas era suficiente para que houvesse certa competição entre elas e seus filhos; por isso, constatar a inveja entre eles não era nenhuma novidade. Porém, a gota d'água foi o dia em que Jacó deu a José uma túnica longa, de mangas compridas. Aquela peça de roupa não foi um simples presente, mas, sim, a confirmação de que Jacó reconhecia e nomeava José como seu primogênito e, portanto, seu herdeiro e futuro líder de toda a família.

As roupas comuns da época eram túnicas curtas, na altura dos joelhos, e com mangas curtas, ou mesmo sem mangas. Ao vestir aquela túnica longa, uma espécie de traje real, José se destacava nitidamente de seus irmãos, e esse foi o gatilho para que os outros dez tramassem contra ele, pensando, inclusive, em matá-lo.

Podemos dizer que a vida de José foi dividida em antes e depois da túnica, pois, apesar de ter despertado o ódio de seus irmãos, foi a partir do recebimento da autoridade de líder que ele passou a ter sonhos. É importante dizer que, naquela época, Deus falava com seus escolhidos por meio de sonhos, pois a Bíblia não havia sido escrita, nem existiam profetas para instruir as pessoas.

Certa vez dei uma palestra em uma igreja e, ao final, uma moça chegou até a mim e disse: -O Senhor me mandou te dizer que tu serás próspera, amada. Creia no que eu te digo!

Eu respondi que já sabia disso. Meio surpresa, ela perguntou quem havia me dito e eu respondi: - Deus, no Salmo 128.2: "Pois comerás do trabalho das tuas mãos; serás feliz, e tudo te irá bem".

É necessário que mais alguém me diga isso, uma vez que já está escrito e é promessa? Só se eu não cresse em Deus... Temos de entender que a Bíblia é um testamento, cuja definição é um documento que comprova quem tem direito aos bens deixados por alguém. O que está escrito lá é a vontade soberana do doador e, portanto, é exatamente o que vai acontecer, quer as pessoas gostem ou não. É lei e vai se cumprir. Então, se eu realmente creio nas promessas de Deus, por que eu precisaria que alguém viesse me "revelar" direitos, bênçãos ou seja lá o que for, que já estão revelados? Não há mais o que acrescentar, pois toda a revelação já foi dada; o resto é invenção e tentativa de exercer controle e impor obediência. Nós devemos obediência a Deus e a ele entregamos o controle da nossa vida. À igreja, seus líderes e membros, devemos respeito e reverência, mas não obediência cega a ponto de perdermos o controle sobre nossa vida e sobre nossas escolhas. É importante que você tenha isso muito bem claro para não ser enganada nem viver iludida. Se você é filha, você tem direito e não precisa ser guiada por ninguém. Seja dona das suas decisões.

Na época de José, Deus precisava fazê-lo saber de seus planos e de como o usaria para salvar toda a humanidade da grande fome que estava por vir.

José teria de passar por um extenso processo de preparação até estar pronto para cumprir com a missão que lhe havia sido reservada.

Contando seu primeiro sonho aos irmãos – onde viu os feixes de trigo deles se curvando ao seu feixe (Gn 37.5-8) –, José os provocou à ira ainda mais, pois eles compreenderam de que se tratava da submissão de todos à autoridade do irmão. Mais adiante, José teve outro sonho – no qual viu o sol, a lua e onze estrelas se inclinarem diante dele (Gn 37.9) e, novamente, contou a todos, mas agora seu pai também estava presente e logo o repreendeu:

> *Será que eu, tua mãe e teus irmãos viremos a nos inclinar com o rosto em terra diante de ti?* (Gn 37.10).

Porém, mesmo tendo chamado a atenção de José, seu pai guardou aquelas palavras e não as desconsiderou.

Depois disso, José foi enviado por Jacó a outra cidade para verificar como estavam seus irmãos, enquanto cuidavam do rebanho. Ao avistarem o irmão mais novo chegando – e não suportando mais a convivência com ele –, decidiram que o castigariam, aproveitando que estava sozinho e longe do pai. A ideia inicial era matá-lo, mas Rubem, o irmão mais velho, não permitiu e sugeriu que ele fosse lançado em um poço, pensando em tirá-lo de lá mais tarde. Despiram José da túnica que Jacó havia lhe dado e o atiraram no poço. Passando uma caravana de comerciantes, os irmãos tiveram a ideia de vendê-lo como escravo e simular sua morte, levando ao pai a túnica de José embebida no sangue de um animal. E foi assim que José chegou ao Egito: despido de sua autoridade, traído pelos próprios irmãos e recomeçando a vida como escravo em uma terra totalmente estranha, em que se falava um idioma que ele não conhecia.

E não é assim que nos sentimos quando, por exemplo, perdemos nosso emprego? Somos destituídas da autoridade que tínhamos naquela empresa, sentindo-nos traídas e perdidas, sem saber o que vai acontecer, onde vamos continuar nossa carreira, como vamos pagar as nossas contas. É como se tivéssemos de começar tudo do zero (e muitas vezes temos mesmo). Mas a boa notícia é que, segundo estimativas, quase 70% dos bilionários do mundo começaram suas fortunas do zero. Então, se você está a zero, ótimo; é daí que alguns bilionários partiram!

Desse ponto, a saga de José no Egito começou: ele foi revendido; trabalhou como escravo para Potifar, comandante da guarda do faraó; destacou-se por sua lealdade e eficiência e chegou ao posto mais alto na casa de seu amo; foi acusado injustamente pela mulher de Potifar, recebeu a condenação e foi preso; na cadeia, novamente se destacou por sua atuação e foi colocado como administrador da prisão; interpretou os sonhos de dois ex-oficiais do faraó – o copeiro-chefe e o padeiro-chefe (Gn 40). – e ganhou o respeito de todos, pois o que ele disse veio a acontecer. Tudo isso em cerca de treze anos, dos 17 ou 18, quando ele foi jogado no poço, aos 30 anos de idade, quando foi levado à presença do próprio faraó, depois que este teve um sonho que ninguém podia interpretar. Ao relatar a interpretação que Deus lhe havia dado e ao aconselhar o faraó sobre a melhor atitude a ser tomada, José foi elevado ao cargo mais alto de todo o Egito, estando abaixo apenas do faraó. Mas o que essa história toda tem a ver com o nosso sucesso? Tudo! As lições empreendedoras de José são tantas e tão ricas que seriam necessários vários volumes para detalhar todas elas. Então, para entendermos um pouquinho mais de que maneira podemos ser bem-sucedidas como José, separei cinco pontos importantes com os quais podemos aprender várias lições e aplicá--las à nossa carreira. Vamos lá?

1. TER CONSCIÊNCIA DE SEUS TALENTOS

Como mencionamos no início deste livro, não devemos desperdiçar nossas habilidades deixando que o medo vença e nos faça enterrá-las. Mas, para isso, é preciso saber em que pé estamos em relação aos talentos que temos. No geral, em se tratando de habilidades, há quatro grupos de pessoas:

a) As que acham que não têm talento;
b) As que ainda não descobriram seus talentos;
c) As que têm muitos talentos, mas não saem do lugar;
d) As que têm consciência de seus talentos e desejam desenvolvê-los sempre.

A primeira pergunta é: em qual dos grupos você se encontra no momento? Se você está aplicando o que tem aprendido aqui, já não está mais nos grupos "a" nem "b", certo? Mas talvez esteja no "c", que pode ser "c" de cemitério, pois é aí que vários talentos ficam enterrados! Trata-se daquela pessoa que sabe fazer muitas coisas – e todas bem-feitas –, mas que acaba se perdendo em meio às opções e não sai do lugar. Geralmente é aquela pessoa que começa muitas coisas, mas não consegue terminar quase nada (lembre-se de que precisamos ter iniciativa, mas também "acabativa"?), que vive ansiosa por novidades, pulando de projeto em projeto, vendo o tempo passar, mas as coisas não se desenvolvem. Se esse é o seu caso, o que está faltando é foco.

A Bíblia não fala sobre os sentimentos de José nem detalha como ele enfrentou os desafios do dia a dia, mas há várias coisas que podemos supor. E lembre-se: suposição não é invenção, mas, sim, uma forma de entender fatos que não testemunhamos, mas sobre os quais temos algumas informações que nos deixam pistas e indícios. É como um quebra-cabeça quase completo, no qual você visualiza as partes existentes e isso já a faz compreender o todo. Certa vez ouvi um cientista explicar como surgem as teorias e achei muito interessante. Ele dizia que é como se você visse um rato entrar em um cano que está com o outro lado obstruído. Você sabe que ele não tem por onde sair, a não ser pelo mesmo lado por onde entrou, coisa que não aconteceu. Então, embora você não esteja vendo o rato, supõe que ele continua lá dentro. Em seguida, um gato também entra. Depois de alguns minutos, o gato sai manchado de sangue, lambendo os bigodes, todo satisfeito. Quanto ao rato, nunca mais foi visto.

Você não testemunhou o que aconteceu lá dentro, mas baseada nas informações que tem e no conhecimento geral do comportamento entre gatos e ratos, acaba criando a teoria de que o gato matou e devorou o rato. Essa teoria pode estar errada? Pode. Quem sabe o rato morreu de susto e o gato nem teve o trabalho de matá-lo? Então ele não matou, só devorou. Ou, quem sabe, se o sangue visto no gato era dele mesmo, depois de ter sito atacado pelo rato? E, quanto ao fato de o rato não ter sido nunca mais visto, talvez seja porque ele acabou morrendo de fome. Enfim, possibilidades não vão faltar, porém o mais factível é que ele tenha mesmo sido morto e devorado pelo gato.

E é isso o que fui fazendo à medida que meditava na vida de José e cheguei à conclusão de que ele era uma pessoa muito focada, até um pouco obsessiva. Por que ele contaria os sonhos para seus irmãos, mesmo sabendo que eles o odiariam ainda mais? Imagino que seja porque ele ficou tão empolgado com o que sonhou que não conseguia tirar aquilo da cabeça. Ele precisava externar o que havia visto, pois era algo grande, surpreendente, e que, de alguma forma, o tocou a fundo. Caso contrário, ele guardaria para si e evitaria problemas. Com isso, entendo que ele era essa pessoa vibrante, interessada, sanguínea, focada.

Pensando nos primeiros dias de José no Egito, imagino a angústia de não entender nada do que as pessoas diziam, de nunca ter ouvido aquele idioma estranho e sem conseguir se comunicar, a não ser por gestos. Como o crescimento dele foi rápido na casa de Potifar, concluímos que ele não demorou a aprender a nova língua, e isso só se faz com muito foco, pois não podemos esquecer que a cabeça dele poderia ficar dividida entre querer fugir e voltar para a sua terra, tentar entender o que lhe aconteceu, pensar em formas de explicar que aquilo tudo era um grande mal-entendido e que ele era praticamente um príncipe em sua terra natal. Mas não, ele olhou para frente, focou no que podia fazer e fez. Aprendeu a falar a língua egípcia, a ler, escrever, administrar a casa de seu amo e a fazer tudo da melhor maneira possível, uma vez que foi elevado à maior posição que um trabalhador doméstico poderia ter.

Por isso, se você começa várias coisas e não termina, procure focar em uma coisa de cada vez. Eu sei que você pode ter aquela sensação de que está atrasada e, portanto, uma coisa por vez levará uma eternidade, mas esse não é o melhor pensamento no momento. O que você deve considerar é que, à medida que pegar a prática em começar e terminar, vai adquirir mais agilidade, e as coisas começarão a fluir. E é aí que partimos para o item 2.

2. DESENVOLVER SUAS HABILIDADES

Aqui é para quem está no grupo "d" ou já se autopromoveu para lá (se você estava no grupo "c", faça o favor de pular já para o "d"!). É hora de desenvolver as habilidades que você tem para ganhar agilidade. Se você quer ser uma pessoa de sucesso, já sabe que jamais poderá deixar de aprender. Nunca saberemos tudo o que existe e, ainda que soubéssemos, coisas novas surgem todos os dias. Se pararmos de aprender, paramos de crescer, isso é fato. Mesmo para as pessoas que não gostam de estudar (embora eu tenha muita dificuldade de acreditar que exista gente que ache isso chato), tenho uma ótima notícia: quanto mais você faz uma coisa, mais natural aquilo se torna e menos tempo você emprega para realizá-la. Quem não tem o hábito de ler pode levar semanas e até meses para fazer a leitura de um livro médio de

200 páginas. Quando apresentei a palestra *Success, the only choice* [Sucesso, a única opção], em 2014, mostrei um *slide* sobre a média anual de livros lidos pelos brasileiros que, na época, era de 3,7 livros. Houve um alvoroço no auditório e um dos alunos disse: - Aqui nós temos que ler quatro livros por semana! Esse dado está certo?

Infelizmente estava... Mas a questão é que, hoje, você pode achar impossível alguém ler quatro livros em uma semana, mas, se você adquirir o hábito de ler, vai se dar conta, daqui a um tempo, de que um livro de 200 páginas pode ser lido em dois ou três dias. Sempre me chama a atenção quando alguém vem em casa, olha nossas estantes de livros e pergunta: - Vocês já leram tudo isso? Eu levaria a vinda inteira e não chegaria nem à metade!

Porém, o que as pessoas não percebem é que elas provavelmente já passaram muito mais tempo diante da TV do que nós levamos para ler os livros das estantes (e mais os que já demos e vendemos simplesmente porque não havia mais lugar para guardá-los). O tempo passa de qualquer jeito, mas, quando você o emprega para desenvolver uma habilidade, além de aprender alguma coisa, você ganhará agilidade. É como eu e meu marido na cozinha. Eu posso reproduzir a maioria dos pratos que ele faz, mas como ele tem mais prática, levo uma hora e meia para fazer o mesmo que ele leva 25 minutos. Se eu cozinhasse mais, obviamente esse prazo seria reduzido.

Além de ganhar agilidade e abreviar o tempo, você ganhará experiência e, com isso, irá se tornar cada vez mais capaz, podendo assumir tarefas mais elaboradas. Veja que José não tinha experiência nenhuma com o estilo de vida dos egípcios, pois ele era de uma família nômade, que vivia em tendas pelo deserto. Ele não sabia limpar uma casa com um tipo de piso diferente, não sabia como as coisas eram organizadas, não sabia cuidar de um jardim que, naquela época, era de extrema importância nas casas de classe alta, como a de Potifar. Tudo isso teve de ser aprendido, tarefa a tarefa, desafio a desafio. Quando ele já dominava a administração de uma casa daquele padrão, foi preso injustamente e destituído de seu cargo. Mesmo na prisão, José manteve o foco. Ele não desviou o pensamento para questionar os motivos de ser vítima de outra injustiça, não ficou lamentando por todo trabalho que havia realizado por mais de dez anos na casa de Potifar, nem perdeu sua fé. Em vez disso, agiu de forma a ganhar a confiança do carcereiro que entregou a ele o cuidado de todos os presos e o comando de tudo o que se fazia ali (Gn 39.22).

José empregou todas as habilidades que possuía e as ampliou para administrar um local maior e com menos recursos. Era a preparação para, futuramente, administrar algo maior ainda.

3. RECONHECER AS OPORTUNIDADES E USAR A FÉ

A grande questão sobre o conhecimento é que ele nunca perde o seu valor. Por isso, custo a acreditar que há pessoas que não gostem de aprender! Como alguém pode não querer algo tão valioso? Talvez você tenha feito um curso do qual se arrependeu de ter investido tempo e dinheiro, mas saiba que conhecimento nunca é perdido; ele sempre poderá ser reciclado e usado muitas e muitas vezes.

Certa vez dei uma palestra sobre empreendedorismo em um presídio. O convite surgiu pelo fato de que, quando os detentos percebem que não conseguirão emprego, eles perdem o interesse na vida e acabam se afundando mais no crime. Mas, se vislumbrarem uma luz no fim do túnel, como pode ser empreender por conta própria, eles ficam mais focados, mais esperançosos e, dessa forma, mais propensos à recuperação. A experiência foi interessantíssima, pois eles perceberam que tudo o que aprenderam no crime organizado poderia ser usado para alavancar um negócio honesto e bem-sucedido. Ou seja, mesmo o que se aprende no lado B da vida pode ser revertido para o lado A!

José tinha consciência dos talentos que havia recebido de Deus, de sua capacidade própria e de que, cedo ou tarde, teria oportunidades de colocar tudo isso em ação. A chave do sucesso de José é que ele não esperava as oportunidades, mas sabia reconhecê-las e não as deixava passar. Vejo pessoas que vivem reclamando por terem escolhido a "faculdade errada", perdendo tempo e energia com algo que não podem mais mudar e, enquanto isso, deixando passar as oportunidades de colocar em prática o que aprenderam. Uma colega jornalista se desiludiu com o rumo que o jornalismo tem tomado e mudou totalmente de ares. Foi trabalhar com artesanato e, depois, fez faculdade de nutrição. Apesar de parecerem coisas desconexas, tudo está conectado quando sabemos reconhecer as oportunidades. Ela sempre fez textos interessantes sobre os produtos artesanais que vendia, por sua facilidade com a comunicação adquirida no jornalismo. Hoje, como nutricionista, além de conhecer as propriedades dos alimentos para montar uma preparação saudável, ela tem habilidade para criar pratos lindos, pois desenvolveu talentos manuais e criatividade no artesanato. Você ainda acha que essas três coisas são desconexas? Por isso, não menospreze nenhum tipo de conhecimento e desenvolva um "olho clínico" para reconhecer como, onde e quando empregar cada um deles.

José tinha esse olho e, apesar de estar preso, com pouquíssimas possibilidades de sair dali devido à gravidade da acusação, mantinha seu "radar" sempre ligado. Até que, certa manhã, percebendo que o copeiro-chefe e o padeiro-chefe estavam tristes, perguntou-lhes o motivo e seguiu-se o seguinte diálogo:

Tivemos um sonho e não há ninguém que o interprete. Mas José lhes disse: as interpretações não pertencem a Deus? Peço-vos que o conteis a mim (Gn 40.8).

O copeiro-chefe contou seu sonho e, segundo a revelação de Deus, José afirmou que, em três dias, ele teria seu cargo restabelecido e voltaria a servir o cálice na mão do faraó. Mas aí vem um detalhe e, se lermos rápido, vamos deixar passar uma lição mais do que preciosa. Então, vamos dar tempo ao tempo para meditar no que José disse logo depois de ter interpretado o primeiro sonho:

Mas lembra-te de mim quando estiveres bem; peço-te que tenhas compaixão de mim, falando de mim ao faraó, e tira-me deste cárcere; porque, na verdade, fui roubado da terra dos hebreus; e aqui, também nada fiz para que me pusessem nesta prisão (Gn 40.14-15).

Ora, até aquele momento, José havia tido dois sonhos: o dos onzes feixes que se inclinavam para o seu feixe, e aquele em que o sol, a lua e onze estrelas se inclinavam diante dele. Quando ele contou o primeiro sonho a seus irmãos, quem interpretou o significado não foi José, mas, sim, seus irmãos. Mais tarde, quando contou o segundo sonho, também não foi ele quem interpretou, mas, sim Jacó, seu pai, chegando até a repreendê-lo. José nunca havia interpretado um sonho, tanto é que, quando pediu que seus colegas de prisão lhe contassem, disse que as interpretações pertenciam a Deus, e não a ele.

Veja que ele teve fé suficiente para que crer que Deus lhe daria a interpretação mesmo jamais tendo feito isso antes. Isso nos mostra que a nossa capacidade conta, claro, mas muito acima dela está o que Deus pode fazer através de nós. E outro grande aprendizado que temos sobre a fé de José é que ele creu de tal forma na interpretação dada por Deus que, antecipadamente, pediu ao copeiro-chefe que o ajudasse quando estivesse com o faraó. E por que essa fé me chamou a atenção? Porque nenhum dos dois sonhos que ele teve havia se cumprido até então! Onde estavam seus irmãos para se curvarem diante dele como os feixes de trigo? E onde estava seu pai e sua mãe para se inclinarem como o sol e a lua diante dele? No fundo, José sabia que aquilo iria se cumprir, mesmo depois de ter passado por tudo o que passou, mesmo estando preso injustamente, mesmo não tendo a menor chance de escapar dali. Ele cria, e isso lhe bastava.

O sonho do padeiro-chefe, apesar de parecido, não teve o mesmo final feliz, mas José não o isentou da verdade e contou que, dentro de três dias, ele estaria morto. Ambos os sonhos se realizaram, mas o copeiro-chefe se esqueceu de José, que permaneceu preso por mais dois anos.

Até que chegou o grande momento em que o próprio faraó teve um sonho, mas nenhum de seus adivinhos e sábios puderam interpretar. Foi aí que o copeiro se lembrou de José, contou ao faraó a interpretação de seu sonho e este mandou chamá-lo. Era a tão sonhada oportunidade de estar diante daquele a quem chamavam de deus-rei, mas José sabia que só o verdadeiro Deus tinha poder para um feito tão incrível. O faraó contou a José que estava atribulado pelos sonhos, mas que ouvira falar que ele poderia interpretá-los. Mais uma vez José reconheceu que aquele dom vinha de Deus e declarou, diante do homem mais poderoso da terra, que quem daria a resposta seria o seu Deus, de quem o faraó jamais tinha ouvido falar e que não se tratava de nenhum de seus inúmeros deuses. Por muito menos, José poderia não só voltar à prisão, como também receber sentença de morte. Mas a sua fé era cercada de uma coragem que ninguém podia compreender.

José interpretou os sonhos do faraó como uma mensagem urgente de Deus, revelando a ele que haveria sete anos de abundância seguidos de sete anos de grande fome. A resposta agradou ao faraó, e o trabalho de José estava finalizado. Porém, seu "radar" para oportunidades estava muito bem calibrado e, sem que o faraó perguntasse, ele o aconselhou sobre o que deveria ser feito:

> *Portanto, que o faraó encontre agora um homem de discernimento e sabedoria; e o ponha sobre a terra do Egito. O faraó deve fazer assim: nomeie administradores sobre a terra, que tomem a quinta parte dos produtos da terra do Egito nos sete anos de fartura, ajuntem todo o mantimento destes bons anos que virão e estoquem o trigo sob a supervisão de faraó, para mantimento nas cidades, e o armazenem. Assim o mantimento servirá de provisão para a terra nos sete anos de fome que haverá na terra do Egito, para que a terra não pereça de fome* (Gn 41.33-36).

Será que você teria coragem de falar diante de alguém tão importante o que ele deveria fazer, sem que ao menos este lhe tivesse perguntado a respeito? A fé é assim: ousada, corajosa, arrojada. Diante da sabedoria de José, o faraó reconheceu que não havia em seu governo alguém tão capaz e disse: "Poderíamos achar um homem como esse em quem esteja o espírito de Deus?" (41.38). A situação que Deus criou foi tão perfeita que ninguém nem sequer perguntou por que ele estava na prisão ou como ele poderia ter o espírito de Deus sendo um escravo encarcerado. Ele era a resposta às necessidades do Egito, e isso foi suficiente. Mas o grande desafio da vida de José estava apenas começando.

4. CAPACITAR-SE PARA MAIORES DESAFIOS

A Bíblia diz que, depois disso, José foi grandemente homenageado diante de todo o povo, que deveria curvar-se em sua presença. José se casou e se estabeleceu como a maior autoridade do Egito, diferenciando-se do faraó apenas no trono. Sem sua autorização, ninguém podia decidir nada em toda a terra, e ele alcançou uma vida próspera e cheia de honra. Porém, mesmo diante de tudo isso, José deixou o luxo e o conforto do palácio e passou a percorrer toda a terra do Egito. Ele supervisionava pessoalmente os campos e os armazéns onde os mantimentos eram estocados, e nada escapava aos seus cuidados. Ele poderia muito bem mandar oficiais em seu lugar para que fizessem esse trabalho e lhe trouxessem relatórios periodicamente, mas ele estava acostumado ao trabalho e sabia que aquele era um desafio e tanto.

Mesmo em uma posição privilegiada, ele não deixou de capacitar-se para aquele desafio e não se isentou de enfrentá-lo. E esse tem sido o erro de muitas pessoas. Anos atrás, quando a onda de desemprego atingiu em cheio o nosso país, perdi as contas de quantas mensagens recebi de pessoas que contavam o mesmo problema: haviam trabalhado anos em um bom cargo, com um salário razoável, mas, por terem se acomodado, não fizeram nenhuma reciclagem ou capacitação, e agora estavam desempregadas e com um currículo desatualizado. Por isso, repito mais uma vez, nunca podemos parar de aprender, e isso não é ruim. Se hoje você está em uma boa posição, ótimo, mais um motivo para você se preparar para coisas ainda maiores. E, se você já foi pega desprevenida, continue fazendo o que começou ao abrir este livro: tenha o desejo de mudar a sua situação. Estude, leia, pergunte, observe, enfim, invista o seu tempo em ser melhor, fazer melhor, servir melhor, pois a recompensa virá e, como vimos, esse investimento só tende a se valorizar.

5. MANTER A HUMILDADE

Certamente você conhece pessoas cujo sucesso lhes subiu à cabeça. Isso pode acontecer com qualquer um, pois tem a ver com o tamanho do ego da pessoa, e não com o tamanho de seu sucesso. E isso inclui desde as celebridades da TV e do cinema, cuja fama se espalha mundo afora, até o seu colega de trabalho que ficou irreconhecível só porque recebeu uma promoção na empresa e foi trabalhar no andar de cima. O sucesso sobe à cabeça de quem não é humilde. E, cá entre nós, é uma atitude bem ridícula...

É certo que, quando você atinge certo nível de responsabilidade, tem de abandonar algumas coisas que antes podia fazer. Talvez você não tenha mais tempo para estar com os amigos, fazer aquele passeio para socializar ou simplesmente parar para jogar conversa fora. As pessoas podem achar que isso é arrogância, mas aí fica a critério delas. O que não podemos permitir é que os elogios, os tapinhas nas costas ou o *glamour* da posição que alcançamos mudem a nossa cabeça e nos façam pensar que somos seres superiores. O que você precisa lembrar sempre é que você é igual a todo mundo; a única diferença é que fez coisas que os outros não fizeram e, só por isso, conseguiu resultados que outros não conseguiram. Alguém que "se acha" já nem pode mais ser chamado de bem-sucedido, pois deixar esse tipo de pensamento tomar conta da mente levará qualquer um ao fracasso.

José foi um enorme exemplo disso, pois, quando chegou o momento de ver seus irmãos se curvarem diante de si, prestando-lhe reverência e totalmente vulneráveis perante o seu poder como governador, ele não lhes causou nenhum mal (Gn 42.6). Ainda que eles o tivessem odiado a ponto de vendê-lo como escravo, José não guardava rancor e não tinha a menor necessidade de se orgulhar diante deles. Deus já o havia exaltado de maneiras que nem ele, o sonhador, havia imaginado; então, por que se rebaixar a uma atitude hostil? Ao contrário, mais uma vez José reconheceu que tudo tinha sido determinado pelo próprio Deus e que ele era apenas um instrumento.

Ele recebeu seus irmãos e, mais tarde, teve a satisfação de rever seu pai já idoso e de sustentar toda a sua família no Egito. E não apenas isso: se não fossem os feitos de José, toda a terra teria perecido.

Assim também é com cada uma de nós: se permitirmos que Deus use nossos talentos, se buscarmos desenvolvê-los, capacitar-nos cada vez mais e manter a nossa fé e humildade, certamente ele nos colocará em lugares inimagináveis, pois na matemática de Deus sempre temos a ganhar, mesmo que pareça que estamos perdendo. Veja:

- José viveu dezessete anos na companhia de seu pai, em sua casa.
- Serviu cerca de dez anos como escravo na casa de Potifar.
- Esteve cerca de três anos preso injustamente.
- Somente aos 30 anos foi levado à presença do faraó.
- Viveu mais oitenta anos cercado de honras.

Os treze anos de sofrimento de José podem parecer muito, mas não são nada diante dos oitenta anos em que ele viveu em paz e prosperidade. Portanto, não pense que as dificuldades que você está passando agora serão para sempre. Isso passará, e o que está por vir fará você se esquecer dos dias maus.

Então morreu José, com cento e dez anos de idade; e, depois de o embalsamarem, colocaram-no num caixão no Egito (Gn 50.26).

ESTER: DE ÓRFÃ A RAINHA DA PÉRSIA

Vai e reúne todos os judeus que estão em Susã, e jejuai por mim. Não comais nem bebais por três dias, nem de noite nem de dia; e eu e as minhas criadas também jejuaremos como vós. Depois irei à presença do rei, ainda que isso seja contra a lei. Se for preciso morrer, morrerei.

Ester 4.16

ESTER, CUJO NOME DE NASCIMENTO era Hadassa, foi mais uma das muitas judias nascidas sob o domínio da Pérsia, depois da queda de Jerusalém. Naquele tempo, o império persa era o maior do mundo e Susã era a capital do reino, onde o rei Xerxes I, também conhecido como Assuero, mantinha sua base. De lá, ele comandava 127 províncias, desde a Índia até a Etiópia, mas sua maior obsessão era a conquista da Grécia, o que não aconteceu, conforme havia predito Daniel (sobre quem falaremos no capítulo seguinte).

Foi uma época em que, mais uma vez, os judeus eram considerados cidadãos de segunda classe, pois todos os direitos estavam reservados aos persas, que seguiam diversos deuses, segundo sua cultura. Este também foi um tempo de perseguição aos judeus, por manterem a própria cultura e servirem a um único Deus. O império era tão próspero que, no terceiro ano de seu reinado, Assuero abriu as portas do reino por seis meses para que todos pudessem ver suas riquezas. Ao final desse período, ofereceu um banquete durante sete dias no palácio real a toda a população, fossem ricos ou pobres. É difícil até imaginar a prosperidade e beleza do local quando lemos esta pequena descrição:

> As cortinas eram de pano banco, verde e azul celeste, atadas a argolas de prata e a colunas de mármore com cordões de linho fino e de púrpura. Havia assentos de ouro e de prata sobre um pavimento mosaico de pórfiro, de mármore, de madrepérola e de pedras preciosas (Et 1.6).

Mas a realidade dos judeus era bem diferente. Por ser órfã de pai e mãe, Hadassa foi criada por um primo solteiro chamado Mardoqueu, que a adotou como filha. Agora, vamos imaginar o cenário em que ela vivia para tentar responder a algumas questões:

- Sem a mãe ou outra mulher em casa, em qual referência feminina ela poderia se espelhar?
- Sua melhor chance de ter uma vida melhor seria um bom casamento, mas quem a prepararia para isso? Um homem solteiro?
- Com quem ela poderia dividir seus problemas de menina e adolescente?
- A quais certezas ela poderia se agarrar na esperança de ter um futuro melhor?
- Em uma época que a maternidade era o ponto alto na vida de uma mulher, como ela seria uma boa mãe se não havia tido uma?

Diante disso, podemos concluir que a vida de Hadassa estava totalmente comprometida, desde seu passado, assim como o seu presente e, sem grandes perspectivas para o futuro. Se já não era fácil para qualquer judeu viver em uma família estruturada, podemos imaginar que, para ela, seria ainda mais difícil. Mas quem crê na Bíblia renova suas forças em palavras como esta:

> *Pelo contrário, Deus escolheu as coisas absurdas do mundo para envergonhar os sábios; e escolheu as coisas fracas do mundo para envergonhar as que são fortes* (1Co 1.27).

Ainda bem, não é? Você já pensou se dependêssemos da nossa própria sabedoria, força, nobre nascimento ou coisas assim? Não sei você, mas eu estaria mais perdida que Hadassa na Pérsia! Como você já deve ter concluído, porém, o caminho para o sucesso é composto por uma série de coisas. Não se trata apenas de ter dinheiro ou fama, mas de ser uma pessoa que, de fato, alcance uma existência com sentido e que faça a diferença na vida dos demais, até mesmo na vida de quem não conhece nem chegará a conhecer. Para ilustrar, destaco uma frase de quem alcançou duas das coisas que mais as pessoas valorizam, mas viu que não eram tudo: "Desejo que todos possam ficar ricos e famosos para que percebam que esta não é a resposta" (Jim Carrey).

Ser bem-sucedida é ter uma vida com propósito, é descobrir o seu lugar e ter a certeza de que, mesmo a despeito do que a sociedade diga, você está fazendo a coisa certa. E é isso que vemos na história de Ester, pois ela tinha tudo para ser apenas "mais uma na fila do pão"; porém, por meio de sua fé, coragem e ousadia, salvou todo o seu povo e deu origem à festa mais alegre do calendário judaico, comemorada até os dias de hoje, o Purim.

Como vimos anteriormente, o tempo de Deus é diferente do nosso; portanto, ele já sabia que, na época do reinado de Assuero, um de seus mais altos oficiais iria propor o extermínio dos judeus, fato, aliás, que se repetiu diversas vezes ao longo da história, mas que jamais passou de tentativas.

Hamã era um homem de posição privilegiada no império, pois Assuero lhe havia dado um cargo acima de todos os príncipes e, por sua posição de honra, era decreto do rei que todos se inclinassem diante dele e o reverenciassem. Ele já não tinha nenhum apreço pelos judeus, mas sua raiva cresceu ainda mais ao ver que Mardoqueu não se inclinava diante dele, desrespeitando sua autoridade e desobedecendo a um decreto real. Como judeu, Mardoqueu só poderia se inclinar diante de Deus e de mais ninguém. Então, Hamã passou a arquitetar um plano não só para tirar a vida de seu desafeto, mas também para eliminar todos os judeus das províncias governadas pela Pérsia. Nada disso estava oculto aos olhos de Deus, que, por sua vez, criou uma situação para abrir caminho para a pessoa a quem havia designado a tarefa de salvar seu povo: Hadassa, a plebeia órfã que, por seus próprios méritos, jamais teria condições de nem mesmo entrar na presença do imperador. Mas as coisas de Deus são assim, e não há ninguém, por mais poderoso que seja, capaz de lhe fazer oposição. Por isso, por maior que seus problemas possam parecer, nenhum deles – nem todos eles juntos – poderá vencê-la se você estiver aliada a Deus. As palavras a seguir foram ditas por Deus a Josué, sucessor de Moisés, mas servem para você e para mim:

Ninguém poderá te resistir todos os dias da tua vida. Como estive com Moisés, assim estarei contigo; não te deixarei, nem te desampararei (Js 1.5).

A órfã Hadassa tinha essa fé e continuou mantendo-a mesmo depois de ter se tornado a rainha Ester, e foi isso que fez a diferença. Contudo, antes que Ester fosse coroada, a história conta que, após meio ano celebrando as riquezas de seu reino e mais uma semana de banquete público, o rei Assuero foi afrontado – diante dos maiores oficiais e príncipes do império – por sua esposa, a rainha Vasti. Entre os diversos decretos da época, dois deles se referiam à presença do rei: era proibido a qualquer pessoa se recusar a comparecer diante dele, assim como também era proibido, a quem quer que fosse, entrar na presença dele sem ser chamado.

Vasti desobedeceu ao chamado do rei, o que o desonrou na frente de todos os convidados e o deixou furioso. Consultando os príncipes e conhecedores da lei, o rei foi aconselhado a destituir a rainha e coroar outra em seu lugar; caso não fizesse isso, todas as mulheres do império poderiam se achar no direito de desrespeitar seus maridos, repetindo o comportamento de Vasti. E assim foi feito: o rei destituiu Vasti e decretou que ela jamais voltaria a vê-lo.

Passado algum tempo, os conselheiros do rei sugeriram que ele buscasse outra rainha entre todas as províncias do reino. O conselho agradou Assuero, que designou que as moças mais bonitas e virgens fossem levadas a Susã para passarem por um longo ritual de beleza no harém do palácio. Hadassa, por ser uma jovem muito bonita, também foi levada ao harém, mas recebeu uma instrução muito importante de seu primo: dizer que se chamava Ester, um nome persa, e jamais revelar ser judia. O cuidado de Mardoqueu tinha fundamento, visto que os judeus eram odiados por muita gente, dentro e fora do palácio.

Ao chegar ao harém, Hegai, o oficial responsável pelo cuidado das virgens, agradou-se de Ester e ofereceu a ela condições diferentes das demais: tratamentos de beleza e alimentos especiais, sete servas à sua disposição e o melhor lugar no harém. Todas as moças eram preparadas para o dia em que o rei iria chamá-las, almejando tornar-se a próxima rainha. Na ocasião, era oferecido a elas como um presente especial tudo o que quisessem levar do harém para o palácio: joias, vestidos, tecidos, perfumes etc. Depois de estarem com o rei desde a tarde até a manhã seguinte, eram transferidas

ESTER: DE ÓRFÃ A RAINHA DA PÉRSIA

para outra parte do harém, separadas das virgens, e só voltariam a ver o rei aquelas que lhe tivessem agradado e fossem chamadas novamente por ele.

Quando chegou a vez de Ester, ela não escolheu nada de presente e só levou consigo o que Hegai sugeriu, o que fez com que todas as pessoas a admirassem ainda mais. Qualquer moça, de todo o império, almejava poder estar com o rei e ter acesso aos seus presentes, mas isso não enchia os olhos de Ester. Já sua atitude totalmente desinteressada encheu os olhos de quem a observava. Segue a passagem que conta o resultado de seu encontro com o rei:

> *E o rei amou Ester mais do que todas as mulheres, e ela conquistou sua aprovação e seu favor mais do que todas as virgens. Por isso, ele lhe pôs a coroa real sobre a cabeça, e a fez rainha no lugar de Vasti* (Et 2.17).

Mas o fato de Ester ser coroada rainha era apenas o começo do cumprimento dos planos de Deus para o seu povo, o que nos mostra que ele sempre tem um projeto maior e que não devemos achar que as coisas acontecem por nossa causa ou simplesmente para nosso benefício. A visão e os planos de Deus estão sempre muito além de nós, portanto jamais devemos pensar que somos o centro das atenções, uma vez que esse lugar pertence a ele.

Se você almeja ser bem-sucedida única e exclusivamente para benefício próprio, não creio que vá alcançar o verdadeiro sucesso. É por isso que vemos tantos milionários mesquinhos, egocêntricos, pobres de espírito, que não possuem nada além de uma gorda conta bancária.

Ester sabia que não estava ali porque era a "última bolacha do pacote", mas apenas havia sido colocada no lugar onde deveria estar até o momento de fazer o que deveria ser feito. E não demorou para que a primeira tarefa de Ester surgisse. Certo dia, Mardoqueu estava à porta do palácio e ouviu dois oficiais conspirando para assassinar o rei Assuero. Ele contou o plano a Ester, que avisou o rei, em nome de seu primo. Depois de uma investigação, descobriram que Mardoqueu falava a verdade, e os oficiais foram enforcados. Dessa forma, não só o rei foi salvo, como Ester ganhou sua total confiança; mas isso não aconteceu para que ela tivesse mais privilégios no reino, e sim, para poder cumprir o seu principal dever como rainha, que logo chegaria ao seu conhecimento.

Hamã, inimigo dos judeus e que odiava Mardoqueu desde que este não se inclinou diante dele, criou um plano para exterminar todos os judeus, com o consentimento do rei, mas sem que ele soubesse exatamente o que seria feito. Por ser um homem de confiança, Assuero deu a Hamã o anel que usava para selar seus decretos. Usando a autoridade dada pelo rei, Hamã decretou a morte de todos os judeus das 127 províncias governadas pela Pérsia: homens, mulheres, crianças, idosos, todos seriam mortos em um único dia e teriam seus bens tomados por seus executores. A sentença seria cumprida dali a onze meses.

Mardoqueu fez essa informação chegar à rainha e lhe pediu para interceder pelo povo junto ao rei, mas ela lhe enviou uma mensagem dizendo que o rei não a chamava havia trinta dias e que ninguém podia entrar na presença dele sem ser chamado, sob pena de ser morto. Nem mesmo a rainha estava livre daquela sentença. Porém, seu primo pediu que lhe dissessem o seguinte:

> *Não imagines que, por estares no palácio do rei, serás a única a escapar entre os judeus, pois se te calares agora, socorro e livramento surgirão de outra parte para os judeus, mas tu e a tua família sereis eliminados. Quem sabe se não foi para este momento que foste conduzida à realeza?* (4.13-14).

Mardoqueu fez despertar a fé de Ester, aquela mesma fé que ela conheceu quando ainda era Hadassa e vivia sob seus cuidados. Ela entendeu seu propósito de vida e não fugiu de suas obrigações. Mas, antes de prosseguir com a história, eu gostaria de ressaltar um detalhe na fala de Mardoqueu: ele não estava colocando todas as suas esperanças em Ester, tanto que afirmou que, ainda que ela falhasse, Deus livraria seu povo de outro modo. Há pessoas que depositam toda sua confiança em coisas e em pessoas e, com isso, só se decepcionam. Elas emprestam seu nome para os outros e, depois, sentem-se traídas por terem de arcar sozinhas com as dívidas. Confiam na ajuda de terceiros e, depois, ficam desiludidas por não serem atendidas. Depositam todas as esperanças em alguém que lhe promete mundos e fundos e, depois, sentem-se sem chão diante do não cumprimento das promessas. Entregam a vida a um homem que, desde o namoro, as trata mal, não as respeita, aproveita-se delas e, depois, ficam traumatizadas com todo e qualquer relacionamento amoroso.

Quando apostamos todas as fichas em pessoas tão sujeitas a falhas e erros como nós, estamos assinando um termo de compromisso com a decepção. Essa é uma das razões pelas quais tantos ricos e famosos vivem depressivos, angustiados e, de vez em quando, protagonizam a cena final de sua vida:

o suicídio. Eles colocam todas as suas expectativas na fama e no dinheiro e, quando alcançam ambos, veem que isso não é suficiente para fazê-las felizes de verdade. Mas, mesmo com todos os exemplos que temos visto ao longo da história, a humanidade continua se empenhando em apenas ter dinheiro, poder e o mundo a seus pés. Por isso, este livro tem por objetivo que você saiba qual é o verdadeiro sucesso e que busque ter muito mais do que uma conta bancária recheada. Ser bem-sucedida na carreira, ter seu trabalho reconhecido e sentir-se realizada é o meu desejo para você, mas que isso não lhe sirva de armadilha em nenhum momento da vida.

Ester lembrou-se de que ainda era Hadassa e aceitou o desafio de interceder por seu povo. Ela criou uma estratégia, entrou na presença do rei e, além de não ter sido punida, foi ouvida e atendida em sua petição. Colocou seu plano em prática, desmascarou Hamã e conseguiu proporcionar a seu povo o direito de se defender. Dessa forma, os judeus foram salvos e até hoje estão aqui.

A história de Ester tem muito a nos ensinar, e vale a pena reservar um tempo para conhecê-la melhor. Se você já aprendeu algumas lições nesse breve resumo, imagine o que aprenderá bebendo direto da fonte! Para dar sequência à nossa busca pelo sucesso, vou destacar dez características de Ester que toda empreendedora deve ter.

1. MANTER O FOCO NAS COISAS POSITIVAS

Em vez de se achar uma vítima por ter perdido os pais, ainda bem menina, Ester focou suas energias no positivo: ter alguém para criá-la como filha. Valorizou os ensinamentos que aprendeu com seu primo e obedeceu a eles mesmo depois de ter sido coroada. Ela não viveu focando suas energias nos problemas e no que não tinha, e é isso o que devemos fazer também. Não devemos questionar os porquês das coisas ruins que acontecem na nossa vida, mas aproveitar as boas e seguir em frente. Talvez você tenha chorado muito por ter perdido o emprego ou ter afundado um negócio no qual investiu tempo, dinheiro e esperanças. Mas quem sabe isso não aconteceu justamente para você dar uma virada na sua vida?

Eu tinha um ótimo emprego, ganhava bem e estava confortável financeiramente, mas apostei tudo em um negócio que deu errado e fiquei com uma dívida enorme. Lamentei muito por isso, mas hoje entendo que, se eu não tivesse passado por aquela situação, não teria adquirido o conhecimento que tenho hoje e não poderia ajudar as inúmeras pessoas que esse trabalho de educação financeira tem alcançado. Eu não teria tido tantas noites sem dormir, não teria sofrido ameaças, não teria passado as humilhações que passei, mas também não teria o que tenho hoje. Não estou dizendo que você terá de passar por situações como estas, mas, sim, que, se passar, deve focar no plano maior, não nos problemas momentâneos.

2. RESPEITAR A HIERARQUIA

Ester tinha tudo para ser uma jovem rebelde, mas escolheu ser obediente ao primo e respeitá-lo como a um pai. Por seu temperamento descrito na Bíblia, não consigo imaginá-la discutindo, gritando, sendo insolente ou agindo de alguma forma desrespeitosa com quem quer que fosse. Ela ganhou a simpatia de todos no harém logo que chegou, e quem seria capaz disso se não fosse alguém extremamente amável e respeitosa?

Hoje em dia o respeito à hierarquia é pouco valorizado. Alunos agridem seus professores fisicamente, enquanto seus pais vão tirar satisfações com a direção da escola porque eles não ganharam o troféu da competição de educação física ou porque receberam alguma nota baixa. No mundo corporativo, não tem sido diferente, pois o atendimento ao cliente – que é quem paga as contas da empresa – tem se tornado a cada dia pior. Já soube de histórias arrepiantes, como uma em que o próprio dono de um estabelecimento colocou uma cliente para fora simplesmente porque ela pediu um sabor de bolo que não estava disponível no momento. Isso porque ela havia ido encomendar o bolo para o dia seguinte e ele queria que ela levasse qualquer um que já estivesse pronto. Inverteu-se a ordem das coisas agora? E o que dizer de funcionários que usam até as redes sociais para maldizer em público seus superiores e a empresa onde trabalham? Não basta mais apenas cochichar com o colega do lado; é preciso espalhar para o mundo todo...

O fato é que, sem respeito à hierarquia, ninguém vai muito longe. Por isso tanto negócio quebra, pois alguém que queria se ver livre da autoridade de um chefe, foi e abriu um negócio próprio, no melhor estilo "ninguém manda em mim". Porém, esse alguém se esqueceu de que cada um de seus clientes seria um "chefe" e, por não saber respeitar a hierarquia de que o cliente vem primeiro, o negócio foi para o único destino que lhe cabia: o buraco!

3. FAZER UM BOM MARKETING PESSOAL

Depois de tudo o que vimos sobre Ester, você não acha que ela fazia um ótimo marketing pessoal? Sua aparência, sua conduta e seu modo de tratar as pessoas foram as maneiras que estavam ao seu alcance para poder chegar aonde chegou.

Marketing pessoal não tem nada a ver com "se vender", como muita gente pode pensar, mas, sim, com oferecer sempre o melhor de si e **parecer** aquilo que você é. Não basta **ser** competente; você também precisa **parecer** competente. Agora seja sincera: você acha que alguém que vai para o trabalho toda mal arrumada, com a cara amassada e o cabelo de quem parece ter acabado de sair cama, passa a imagem de alguém competente? Ainda que essa pessoa seja excelente no que faz, ela precisa permitir que sua imagem passe a mensagem certa e não deponha contra si mesma. Não pense que fazer um bom marketing é falar bem de si mesma o tempo todo ou ter seus feitos na ponta da língua para despejar em toda e qualquer oportunidade. Mas também não é fazer o contrário: esconder suas qualidades e esperar que as pessoas adivinhem! Em tudo, o equilíbrio é a medida certa. Nem sempre você terá oportunidade de falar, então use a sua imagem para que ela fale bem de você. Use as redes sociais de forma que elas não deponham contra você e trate as pessoas da forma que você gostaria de ser tratada. Só isso já fará de você uma pessoa acima da média no quesito marketing pessoal.

4. SABER OUVIR

Hadassa era alguém sujeita à voz de Mardoqueu, mas a rainha Ester não. Mesmo assim, quando ele chamou sua atenção por meio de um recado, ela reagiu imediatamente, dando ouvidos à sua instrução.

Saber ouvir é uma virtude muito rara nos dias de hoje. Todo mundo quer falar ao mesmo tempo, mas quem tem paciência para sentar e simplesmente ouvir alguém? Vejo isso o tempo todo, pois a maior dificuldade quando estou dando uma palestra é que as pessoas – que supostamente foram ali para ouvir – não param de falar! Confesso que isso me incomoda bastante, pois minha audição é acima da média, ou como diz minha irmã, tenho "ouvido de cachorro", então consigo ouvir as conversas das pessoas mesmo não estando tão perto delas. Isso me desconcentra, me irrita, mas, acima de qualquer coisa, atrapalha aqueles que estão lá para realmente ouvir. Esse é um exemplo clássico de pessoas que não ouvem e ainda não deixam os outros ouvirem! Pergunte a qualquer professor qual é sua maior dificuldade em sala de aula e provavelmente a resposta não vai se referir à falta de estrutura da escola ou a qualquer outra coisa que possa atrapalhar seu trabalho, mas, sim, ao fato de os alunos simplesmente não ouvirem o que ele diz.

Quem não ouve não aprende, perde oportunidades e ainda demonstra uma tremenda falta de educação. Principalmente quando a pessoa não tem paciência nem mesmo de nos deixar terminar uma pergunta para, depois, respondê-la. Aliás, a Bíblia tem uma passagem específica para isso: "Quem responde antes de ouvir, comete insensatez e passa vergonha" (Pv 18.13).

Por isso, desenvolva a qualidade de saber ouvir. Às vezes, a sua amiga não quer que você resolva o problema que ela está lhe contando; ela quer simplesmente ser ouvida. O mesmo acontece com um cliente que vai até você fazer uma reclamação. Vai surtir muito mais efeito se você deixá-lo falar até se "esvaziar" e, em consequência disso, ficar mais calmo, do que querer falar mais alto. O mesmo critério se aplica a toda e qualquer conversa e, quando você chegar a esse nível, mais uma vez se colocará acima da média.

5. SABER LIDAR COM A COMPETITIVIDADE

Ester foi colocada entre centenas – talvez milhares – de jovens para disputar apenas uma vaga. Ela venceu todas as candidatas sem criar inimizades, sem fazer conchavos e sem cometer falhas de caráter. Assim como conquistou as pessoas responsáveis por ela no harém, Ester conquistou o coração do rei. Por isso, competitividade não é "vale tudo", não é achar que os fins justificam os meios, muito menos fazer qualquer coisa para vencer, ainda que tenha de usar medidas pouco aconselháveis. Só vence de verdade quem compete de forma justa, você concorda?

Nós vivemos em um mundo competitivo, portanto, devemos aprender a forma certa de competir. Sempre que se fala em competição, duas frases me vêm à cabeça:

"O importante é competir" (Barão de Coubertin).

"O importante é ganhar. Tudo e sempre. Essa história de que o importante é competir não passa de pura demagogia" (Ayrton Senna).

Não sei com qual delas você concorda, mas o que sei é que a frase que você adotar vai produzir em você resultados totalmente diferentes. Quando você entra numa competição com o espírito do "importante é competir", você já está se dando o direito de perder. Com isso, você não dá tudo de si e já se consola em, pelo menos, ter participado. Se, por acaso, você chegar a vencer, será até uma surpresa. Mas, quando você vai com o espírito de ganhar tudo e sempre, você se obriga a fazer o melhor e coloca toda a sua força para chegar lá. Se chegar a ganhar, será o resultado da sua fé e do seu empenho.

É óbvio que ninguém vai ganhar tudo e sempre, por isso achar que alguém pode fazer isso é estabelecer expectativas altas demais (até mesmo para o nosso saudosíssimo Senna). Mas, competir de verdade é buscar o prêmio, acreditar na possibilidade de vencer e fazer de tudo pelo objetivo, de maneira justa e honesta.

6. PRATICAR A HUMILDADE

A humildade que faltou a Vasti se achou em abundância em Ester. Praticar a humildade nunca nos deixará na mão, enquanto a arrogância nos fará passar altos carões. Lembro-me da primeira vez em que participei de um ato político oficial e me senti bastante deslocada no meio de tanto protocolo. Tratava-se da abertura de um seminário no qual eu iria dar uma palestra, em Brasília. Como meu hotel era próximo ao local do evento, dispensei o motorista e avisei à organizadora que iria caminhando. Saí bem cedo e sentei no auditório, que estava praticamente vazio. Fiquei logo na primeira fileira para poder avistar alguém da organização e dizer que já estava à disposição. Nisso, uma moça se sentou do meu lado, me cumprimentou e começou a conversar comigo. A conversa estava boa e acabei me distraindo; quando dei por mim, a sala já estava cheia e eu estava sentada bem na frente, sem saber se aquele era meu lugar. Pedi licença para a tal moça, dizendo que iria tentar descobrir onde deveria me sentar e ela me disse: - Pode ficar aqui mesmo por enquanto, se você não se importar.

Respondi que o lugar era ótimo, mas ali era tudo tão cheio de regras que era bem capaz de eu estar no lugar de alguém. Fui até a organização para perguntar onde deveria me sentar e percebi que havia uma discussão justamente sobre isso! Fiquei bem quieta esperando os ânimos acalmarem, quando uma das organizadoras me viu e desabafou: - Que horror! Essas pessoas "se acham" e vêm dar "carteirada" na gente para escolher onde sentar. Parece que não entendem que existem regras!

Nessa hora, dei graças a Deus por ter ido perguntar onde deveria me sentar e não ter permanecido logo na frente, onde pensei que era o local onde os "briguentos" queriam ficar. Que alívio! Mas não era nada disso... aquelas pessoas queriam um lugar ao lado do político que iria abrir a sessão, em uma mesa que estava bem no palco. Como foram barradas, estavam indignadas e foram reclamar os lugares de honra, mostrando suas credenciais e fazendo ligações não se sabe para quem. Para sair logo dali, só pedi que me mostrassem onde eu deveria me sentar e, para minha surpresa, era na tal mesa sobre o palco, ao lado do tal político... As regras eram: os palestrantes deveriam sentar na primeira fileira e aguardar a apresentadora do evento chamar pelo nome. Assim que eu ouvisse meu nome, deveria subir pela escada direita e sentar ao lado do político, que já estaria lá para me cumprimentar.

Voltei a sentar ao lado da moça que havia guardado o lugar e, vendo minha expressão, ela perguntou se estava tudo bem. Respondi: - Sim, mas é que terei de subir ao palco com todo mundo olhando e ainda sentar ao lado "do homem"!

Ela riu e disse alguma coisa que não pude ouvir, pois o evento começou com um forte aplauso. Terminando a abertura, fui informada de que haveria um jantar e que eu seria levada para determinada mesa, pois os lugares eram marcados. Honestamente eu só pensava na comida, porque ter chegado tão cedo me fez pular o café da tarde e eu estava faminta! Quando encontrei a mesa em que deveria me sentar, vejo a moça ao lado do político – o "homem" –, que se levantou e a apresentou: -Esta é minha esposa, é um prazer tê-la em nossa mesa!

Eu só pude rir e dizer que nós já havíamos nos conhecido, de certa forma... O jantar foi ótimo, com exceção do fato de algumas pessoas virem me parabenizar por ter "conseguido" um lugar na "mesa mais concorrida da noite", pela qual muito "cachorro grande" havia brigado. Senti vergonha por acharem que eu também havia brigado pela mesa e não via a hora de ir embora. Lembrei imediatamente da parábola sobre os primeiros lugares:

> *Quando fores convidado por alguém para uma festa de casamento, não ocupes o primeiro lugar; para que não aconteça de haver outro convidado mais digno do que tu, e quem convidou a ti e a ele venha e te diga: Dá o lugar a este; e então, envergonhado, tenhas de ocupar o último lugar. Mas, quando fores convidado, vai e ocupa o último lugar, para que, quando vier o que te convidou, te diga: Amigo, ocupa um lugar mais elevado. Então serás honrado diante de todos os que estiverem contigo à mesa* (Lc 14.8-10).

E a melhor explicação para praticarmos a humildade vem na sequência dessa passagem, no versículo 11:

> *Pois todo o que a si mesmo se exaltar será humilhado, e aquele que a si mesmo se humilhar será exaltado.*

7. SABER CONQUISTAR E ESTABELECER

Ester sabia que havia conquistado a posição de rainha, mas que isso não era o bastante. Ela continuou agindo conforme fora instruída por seu primo, mantendo em sigilo a sua origem judaica até que estivesse definitivamente estabelecida e pudesse revelar a verdade. Não é difícil vermos pessoas que ontem estavam lá em cima, mas hoje estão novamente embaixo. Isso acontece porque, apesar de terem conseguido conquistar, não souberam estabelecer. Quantas pessoas só se empenham até terem passado nos testes e conquistado a vaga de emprego, mas depois, já nos primeiros meses, relaxam? Algumas só se mantêm motivadas durante o período de experiência para, logo depois, se sentirem seguras demais e acharem que estarão ali até quando bem quiserem. Conquistar um emprego, abrir um negócio ou ganhar uma batalha é apenas o começo. É preciso estabelecer-se no emprego, consolidar o negócio e continuar lutando para vencer também a guerra.

Nunca se sinta confortável demais na sua posição, qualquer que seja ela, mas procure sempre assegurar-se de não perder o que conquistou.

8. TER CORAGEM E OUSADIA PARA ASSUMIR RISCOS

Uma coisa que precisamos entender é que será muito difícil – para não dizer impossível – ter alguma coisa realmente de valor sem termos de nos arriscar.

Ester é um exemplo de ousadia e coragem para correr riscos, pois desafiar um decreto do rei e entrar em sua presença sem ser chamada seria algo semelhante ao ato desrespeitoso de Vasti, que culminou na perda de sua coroa. Mas Ester assumiu os riscos e fez o que tinha de ser feito. Porém, correr riscos não é sair feito louca, agindo por impulso ou "chutando o balde" para ver onde as coisas vão parar.

Antes de entrar efetivamente na presença de Assuero, Ester se preparou, refletiu durante três dias para criar uma estratégia e só depois se submeteu ao risco, crendo que tudo daria certo.

Devemos ser ousadas e corajosas, sabendo que os riscos são inevitáveis, mas, ao mesmo tempo, devemos agir de forma a minimizar os riscos e a não nos colocarmos em perigo por qualquer coisa. Empreender não é um jogo de roleta no qual apostamos inadvertidamente e depois comemoramos a vitória ou choramos a derrota. É preciso ter discernimento para saber a hora de arriscar e a hora de ser conservadora. Essa é uma das chaves para uma carreira bem-sucedida. Há tempo para tudo, como diz o provérbio.

9. SABER GERENCIAR AS CRISES

Achar que no seu negócio ou na sua carreira nunca haverá crises a serem gerenciadas é um erro que não você não deve cometer. Igualmente, você jamais deve contratar um colaborador achando que ele nunca dará o menor problema ou que, por agirmos de forma justa e honesta, tudo correrá sempre às mil maravilhas. Precisamos criar estratégias diante das crises que surgirão, e não apenas torcer para que elas não venham.

Ao se deparar com um inimigo poderoso, Hamã, Ester traçou uma estratégia para resolver a situação. Com muito planejamento e cuidado, ela preparou o ambiente e criou situações para enfrentar o problema (os banquetes que organizou para o rei e Hamã registrados nos capítulos 5 e 7). Com muita prudência, ela denunciou um alto oficial do império e amigo do rei. Era arriscado, mas inevitável.

Nem sempre é possível evitar o confronto; por isso, é preciso estar pronta caso você tenha de fazer isso. Nessa hora, as melhores atitudes são não agir por impulso, não dar vazão aos sentimentos e manter a cabeça fria. Esse é mais um desafio para quem quer estar acima da média.

10. SABER CONQUISTAR CONFIANÇA E SABER EM QUEM CONFIAR

Assuero já sabia que Ester era uma pessoa de confiança, tanto por sua conduta quanto pela ocasião em que ela denunciou a trama dos oficiais para matá-lo. Ele viu que a rainha era fiel ao seu povo e, por mais que tivesse ocultado sua origem, arriscou a própria vida para salvá-lo.

Confiança é a base de todo e qualquer relacionamento de sucesso, mas ela não vem da noite para o dia; ao contrário, quem confia em qualquer um, cedo ou tarde, vai se dar mal. E quem pede para que os outros confiem em si também está seguindo pela rota errada. Confiança se adquire, e isso vale para os dois lados, ou seja, você deve agir (não pedir) de maneira a demonstrar que as pessoas podem confiar em você, da mesma forma que deve provar as ações (não apenas palavras) das pessoas em quem terá de depositar confiança. Esses são os dois lados da moeda e, no mundo corporativo, essa moeda é de ouro. É claro que existem ocasiões em que você precisará confiar apenas na palavra, como quando vai contratar alguém cujo trabalho ainda não conhece. Será preciso confiar no que a pessoa diz, mas não devemos ir muito além disso e já entregar tudo de mão beijada. Quantas não são as pessoas que se arrependeram amargamente por terem contratado os serviços de alguém em quem confiaram a ponto de pagar antecipado, mas depois ficaram na mão? Por isso, as duas coisas são extremamente importantes: saber conquistar confiança e saber em quem confiar. Confiança e prudência não podem faltar na vida de quem deseja ser uma pessoa bem-sucedida.

DANIEL E AS QUATRO CARACTERÍSTICAS QUE TODO PROFISSIONAL DEVE TER

Diante disso, os supervisores e os sátrapas procuraram motivos para acusar Daniel em sua administração governamental, mas nada conseguiram. Não puderam achar nele falta alguma, pois ele era fiel; não era desonesto nem negligente.
Daniel 6.4

Quando o rei Nabucodonosor sitiou Judá, tomou para si os utensílios sagrados do Templo de Deus e ainda levou os judeus cativos à Babilônia. Para fortalecer seu reino, ele ordenou ao chefe de seus oficiais, Aspenaz, que separasse todos os jovens da nobreza de Judá que não tivessem nenhum defeito físico, fossem de boa aparência, inteligentes, cultos, e que tivessem conhecimento em diversos assuntos. Esses jovens deveriam aprender o idioma e ser educados segundo a cultura babilônica pelo período de três anos para, depois, servirem no palácio real. Eles receberiam também uma porção diária da mesma comida e do mesmo vinho servido na mesa do rei.

Nabucodonosor sabia que, para que seu império crescesse, conquistasse mais territórios e prosperasse, não bastava apenas um exército forte e muita mão de obra, mas, sim, pessoas preparadas intelectualmente para governar e liderar todo o povo. Entre os jovens separados para esse treinamento, estavam Daniel e seus três amigos: Hananias, Misael e Azarias, que receberam os nomes de Sadraque, Mesaque e Abede-Nego. Os quatro fizeram um pacto de não se contaminarem com as iguarias do rei e pediram ao oficial que lhes trouxessem apenas vegetais e água. Com medo de que eles ficassem fracos, o oficial não concordou em mudar sua alimentação, mas eles fizeram a proposta de que, por dez dias, lhe fossem dados apenas os vegetais para comer e água para beber e, passado o prazo, ele observasse se estariam mais fracos que os demais. Assim foi feito e, depois dos dez dias, eles tinham uma aparência melhor do que todos os outros jovens.

Essa passagem é emblemática e já nos deixa uma grande lição. Veja que o problema não era a comida em si, pois obviamente aquela era a melhor alimentação de todo o reino, uma vez que vinha da mesa do rei. A questão é que eles não queriam perder sua essência, seus valores e sua identidade. Eles eram judeus, portanto, diferentes daquele povo, com outros costumes e com o objetivo de viverem debaixo das leis de Deus. O rei podia tê-los tirado de sua nação e mudado seus nomes, mas jamais mudaria o interior deles. Não aceitar aqueles manjares era uma forma de dizer: você pode mudar o que quiser externamente, mas dentro de nós nada mudará; continuaremos sendo o que fomos criados para ser. Hoje em dia muitos são os que se deixam levar pelas circunstâncias e, com a impressão de que estão ganhando, se sujeitam a práticas que não têm nada a ver com seus valores e princípios. Mentem, enganam, contam meias-verdades e justificam dizendo que é impossível se dar bem nos negócios falando apenas a verdade, o que é uma grande mentira. É difícil falar a verdade? É sim. A gente pode se dar mal falando a verdade? Pode sim. Há casos em que a pessoa pode ser demitida se falar a verdade? Há sim. Mas o que importa é o seguinte: mentir e enganar pode ser fácil e até parecer que resolve algum problema, mas também pode fazer a pessoa se dar muito mal e perder o emprego. A pergunta é: o que você prefere: acabar mal porque disse a verdade ou porque mentiu? É uma questão de escolha. Eu já fui ridicularizada quando disse que não ia mentir para salvar a pele de um chefe, já fiquei sem o emprego por não entrar em um esquema que lesava a empresa e já perdi "amizades" por não concordar em encobrir suas mentiras. Se eu me arrependi? Não, claro que não. Tenho plena convicção de que nenhum salário compra o meu caráter, simplesmente porque não é algo que está à venda. Quando você não está disposta a vender algo, o preço que lhe oferecerem não fará a menor diferença, e não me refiro apenas a bens materiais.

Quando escolhemos o caminho mais longo, ou seja, o da honestidade, desenhamos um alvo nas nossas costas. Isso mesmo: passamos a ser perseguidas pelas pessoas que se incomodam com a nossa posição e falta de apoio às suas práticas, mas isso não precisa ser um problema seu, mas deve continuar sendo um problema delas.

Passado o prazo de treinamento, Daniel e seus amigos foram testados pelo próprio rei, que fez a eles "perguntas sobre todos os assuntos que exigiam sabedoria e conhecimento e descobriu que eram dez vezes mais sábios do que todos os magos e encantadores de todo o seu reino" (1.20).

Depois de ter interpretado um sonho de Nabucodonosor, Daniel recebeu o cargo de governador da província da Babilônia e foi honrado com muitos presentes, o que obviamente enfureceu os outros oficiais. Nada muito diferente dos dias de hoje, não é mesmo? Os seus colegas de trabalho não fazem nada para crescer, mas, quando você faz e cresce, eles ficam com raiva. Raiva deles mesmos porque não fizeram nada? Não! Raiva de você que foi lá e fez. Tem algum cabimento isso? De jeito nenhum. Mesmo assim, é o que mais acontece.

Mais tarde, já no reinado de Dario, sucessor de Nabucodonosor, foram nomeados 120 sátrapas para governarem todo o reino e, sobre eles, três supervisores, dos quais Daniel era um deles. Seu posto subiu ainda mais, porque agora ele governava um terço de todo o reino, e não apenas uma província. E como você já sabe, quanto mais você sobe, mais as pessoas vão atirar pedras para tentar fazer você cair. O rei Dario confiava em Daniel mais do que em qualquer sátrapa ou supervisor, pois ele era extremamente competente. Por isso, o rei pensava em nomeá-lo acima de todos eles, somente abaixo de si próprio, e é aí que chegamos ao versículo de abertura deste capítulo, que segue novamente abaixo:

> *Diante disso, os supervisores e os sátrapas procuraram motivos para acusar Daniel em sua administração governamental, mas nada conseguiram. Não puderam achar nele falta alguma, pois ele era fiel; não era desonesto nem negligente* (Dn 6.4).

Desse pequeno trecho, vamos extrair as quatro características que todo profissional que almeja ser bem-sucedido deve ter.

"NÃO PUDERAM ACHAR NELE FALTA ALGUMA..."

Daniel era um homem normal, e não um ser sobrenatural com superpoderes, por isso cometia erros como qualquer uma de nós. A questão aqui não é não errar nunca, até porque isso não é possível, mas é não deixar margem para que as pessoas possam apontar alguma falta na nossa conduta (uma vez que já sabemos que elas estão procurando). Para ilustrar, vou dar um exemplo bem comum aqui no Brasil, a falta de pontualidade. Digamos que você seja aquela pessoa que está sempre atrasada a ponto de todo mundo saber que você não chegará no horário, nem que seja para um compromisso importante. Você mesma já se acostumou tanto com isso que de antemão "não garante" que chegará na hora; afinal, você se atrasa e as pessoas têm de aprender a lidar com o seu erro, não é mesmo? Porém, isso é mais do que apenas um erro. Errar seria chegar atrasada de vez em quando, se houvesse algum acidente pelo caminho, um ônibus quebrado, uma greve, um filho que adoeceu e você teve de deixar com um familiar ou levar ao médico, enfim, algo que fuja ao seu controle. Mas reincidir nesse erro já passa a ser uma falta que, cedo ou tarde, vai lhe garantir um rótulo negativo: "a atrasada". Uma falta costuma trazer consigo outros erros, que chamo de "falhas acessórias", as quais têm por objetivo tentar consertar essa falta, mas que acabam só piorando a situação. Continuando com o exemplo dos atrasos, as falhas acessórias seriam as seguintes: falta de respeito com o tempo dos outros, falta de compromisso com o trabalho, irresponsabilidade, desorganização. Você percebe que não se trata de um simples erro, mas de algo que desencadeia outras ações negativas? E essa reação em cadeia continua com "mentirinhas" e "maquiagens" para minimizar a falha e omissão de fatos para fazer parecer que a culpa não foi sua.

Lembro-me de uma pessoa que, embora tenha trabalhado comigo por pouco tempo, logo de cara já mostrou ser alguém em quem não se podia confiar. Ela atendia ao celular no escritório dizendo que estava no trânsito, a caminho da reunião, e, por causa de um acidente, chegaria atrasada. Para piorar, ela ainda demorava mais uns 10 minutos para sair e, quando o cliente ligava de novo, ainda brincava: "Olha, a coisa está tão parada que juro que nem saí do lugar desde a sua última ligação!"

Daí em diante, percebemos práticas muito nocivas na conduta dela, como mentir para o nosso chefe para se safar de uma simples bronca, atravessar os clientes dos outros, tomar para si os méritos de coisas que outras pessoas fizeram, inventar histórias para prejudicar os colegas e por aí vai. Até que ela entrou numa tremenda saia justa com um cliente que a esperava havia mais de meia hora no nosso escritório. A cada ligação ela dava uma desculpa, até que parou de atender. Com mais de uma hora de atraso, ela chegou bem devagar, achando que o cliente tinha ido embora, mas, como foi avisada de que ele ainda estava lá, correu, bagunçou o cabelo, amassou um pouco a roupa e entrou na sala soltando a pérola:

- Querido, desculpe-me... não quero alarmar você, mas é que bati o carro e tive de fazer tantas ligações que a bateria do meu celular já era e eu não trouxe carregador!

Nós, que já a conhecíamos, não ligamos a mínima, mas o cliente ficou superpreocupado:

- Nossa, mas está tudo bem? Você se machucou?
- Não... não foi nada... foi só o susto mesmo...
- Mandou o carro para o conserto? Guincharam? Como você chegou aqui?
- Não, não... não foi preciso guinchar. Eu vim com o carro mesmo e...
- O seu carro está aqui? Deixe eu dar uma olhada para você; eu já tive um centro automotivo!
- Não, imagina! De jeito nenhum, não quero tomar mais do seu tempo!
- Que nada, eu faço questão! Estou vendo que você está até branca. Vamos lá dar uma olhada!
- Olha, na verdade foi só um "totozinho", e meu marido vai querer mandar no funileiro de confiança dele. Deixa quieto...
- Deixa você de bobagem. Eu já perdi meu outro compromisso mesmo; vamos lá ver!
- NÃO! Quer dizer... não precisa mesmo...
- Agora você vai ter que me mostrar, pois estou começando a achar que você está inventando!

Nisso, o celular dela toca milagrosamente, aquele cuja bateria tinha acabado... Ela saiu da sala muito sem graça para atender e mandou me chamar em seguida. Queria que eu a ajudasse a resolver o "probleminha", porque ela não podia perder o cliente. Óbvio que não tinha acontecido acidente nenhum. Óbvio que eu não a ajudei. Óbvio que ela perdeu o cliente. No final das contas, ela jogou a culpa em mim, e eu levei uma tremenda bronca do nosso gerente por não ter confirmado que as mentiras dela eram "verdades"...

Em um mundo no qual o errado virou certo em nome do lucro e das aparências, não é fácil ter uma conduta correta, mas isso não nos isenta de agir corretamente. O relato anterior não ficou só na bronca, mas virou motivo de piada por muito tempo e ainda ganhei o apelido de "dona santinha", aquela que age com "santipati". Qualquer coisa que acontecesse, por menor que fosse, alguém já dizia: – Cuidado com a santinha, hein! Ela é santa, mas gosta de ferrar os outros. Olha a "santipati" passando!

Mas esse é o preço que pagamos por não entrar nesse jogo de mentiras e enganos. O que importa é que a minha consciência estava tranquila e que, embora eles estivessem bagunçando comigo, todos sabiam que o erro não foi meu e que metade das coisas que ela contava não passava de mentiras. Mais adiante, quando houve um corte no nosso departamento, ela foi uma das primeiras a ser demitida, pois os poucos que ficaram teriam de "trabalhar de verdade", e não apenas enrolar os clientes. Na hora do "vamos ver", as pessoas sabem em quem podem confiar. Cabe a cada uma de nós escolher de que lado queremos estar.

2. "... POIS ELE ERA FIEL"

Já falamos sobre a fidelidade, mas faço questão de reforçar, pois esta é uma característica sem a qual ninguém chegará muito longe quando o assunto é sucesso. Desta vez, quero abordar o seguinte viés: ser fiel consigo mesma em primeiro lugar.

Você já entendeu o que é ser fiel em relação às pessoas ao seu redor, à empresa em que você trabalha ou a seus clientes, colaboradores, fornecedores e parceiros de trabalho, mas o que dizer da fidelidade consigo mesma? Além de ser fiel aos seus princípios, será que você tem sido fiel em cumprir as promessas que faz a si mesma? Quantas vezes você prometeu que começaria uma dieta na segunda-feira, mas não cumpriu? Quantas vezes prometeu que não faltaria mais na academia, mas o cansaço a fez quebrar a promessa? Quantas vezes prometeu que não mais gastaria seu dinheiro com bobagens, mas na primeira liquidação encheu a casa de tranqueiras? Quantas vezes prometeu que não falaria mais da vida alheia, mas assim que viu uma rodinha já correu para "contar as novidades" da sua colega?

Antes de mais nada, você precisa ser fiel ao que você diz; caso contrário, nem você mesma vai conseguir acreditar nas próprias promessas. Recebo uma porção de *e-mails* de pessoas que dizem: "Eu não tenho jeito, não vou conseguir; preciso mudar, mas aposto que vou chegar no meio do caminho e farei tudo errado de novo". Quer dizer, são pessoas decepcionadas com sua própria infidelidade, e isso é muito triste. Por isso, tenha em mente que, se você não for fiel a si mesma, dificilmente será fiel às pessoas ao seu redor. Para isso, existem algumas dicas práticas para empregar no seu dia a dia:

- **Não prometa o que você sabe que não pode cumprir** – não estou falando do que você pode cumprir e faz corpo mole, mas, sim, o que você realmente não pode cumprir. É irreal querer calçar um sapato dois números menor, então saiba dosar o que promete;
- **Não prometa que vai fazer algo só porque alguém fez** – o incentivo maior de cumprir uma promessa pessoal é que ela realmente seja pessoal; caso contrário, você acabará não cumprindo;
- **Não prometa prazos irreais** – é comum quando estamos atrasadas em algo querermos nos impor metas irreais para adiantar as coisas, mas se é irreal vai virar outra promessa não cumprida.

3. "... NÃO ERA DESONESTO..."

Lembre-se de que Daniel era o governador que comandava um terço de todo o império do rei Dario, portanto um político poderoso. Quando falamos em honestidade, a maioria das pessoas pensa em ser alguém que não rouba nem engana ninguém. Porém, na posição de Daniel, outra coisa que poderia cegar seu entendimento e fazer dele uma pessoa desonesta era o próprio poder que sua posição lhe conferia. Quando se tem poder sobre tantas coisas e pessoas, não é difícil que a sensação de "dominar o mundo" suba à cabeça. Aliás, às vezes nem precisa que o poder seja tão "poderoso" assim.

Certa vez, fui dar uma entrevista em uma emissora de televisão pequena, que tinha pouquíssimos recursos. Para ajudar, o maquiador – que também era cabeleireiro – não havia ido trabalhar e tive de me arrumar sozinha, em um camarim cheirando a mofo e que mais parecia um porão. Quando entrei no estúdio, o operador de áudio veio colocar o microfone em mim e disse em um tom desnecessariamente alto que eu precisava tirar o lenço do pescoço, pois ia atrapalhar o som. Respondi que eu tinha usado aquela mesma roupa em outra entrevista e não havia dado nenhum problema, mas ele falou ainda mais alto: - Aqui não é lá, e você vai ter que tirar.

Perguntei se ele ia mesmo me fazer desmanchar o figurino, uma vez que ele sabia que não ia atrapalhar em nada. Para finalizar, ele respondeu: - Atrapalhando ou não, você vai tirar, porque aqui quem manda sou eu!

Isso é apenas um exemplo de "exercício de pequeno poder" que as pessoas impõem às outras. E a pergunta é: isso é um trabalho honesto? Será que pressionar as pessoas, impor cargas desnecessárias para oprimi-las ou fazê-las de bobas só porque você pode é agir honestamente? Eu creio que não.

Ser honesto não se resume a não roubar, não enganar e não passar os outros para trás, mas significa também ter consideração pelas pessoas e não praticar esses exercícios tolos de poder, pois eles só demonstram insegurança e infantilidade.

Já imaginou como seria o nosso país se os nossos políticos fossem honestos em todos os sentidos? Se, além de não se apoderarem do dinheiro público, ainda nos tratassem de forma honesta, sem nos fazer de marionetes nem nos reduzir a um bando de ignorantes que não conhecem seus direitos? Seríamos certamente uma potência mundial! Se conseguimos crescer em meio a essa bandalheira toda que só atrapalha, imagine se não tivéssemos mais de carregar essa âncora no nosso pescoço. Mas já que não podemos fazer o que cabe aos outros, vamos fazer o que cabe a nós. Ofereça um tratamento honesto às pessoas que dependem dos seus serviços, sabendo que isso faz parte de um conjunto de características que poucas pessoas têm. Você certamente vai se sobressair no meio da multidão.

4. "... NEM NEGLIGENTE..."

Negligente é aquele que age com descuido, lentidão, que faz as coisas sem vitalidade, que é desleixado, preguiçoso, relapso. Acho que até podemos pular essa parte porque nem existe gente assim, não é mesmo? Antes pudéssemos!

Quando você é do tipo "faz quando quer", está sendo negligente. Já ouvi o dono de uma empresa elogiar um funcionário dizendo quanto ele era ótimo, que nunca havia visto trabalhos como os dele, que jamais poderia perder uma joia daquela e que ele havia sido um achado, mas... que ele só fazia as coisas "no tempo dele". Perguntei qual era o tempo dele e, diante da resposta, posso dizer que era tempo demais! Aquela "joia" era tão lenta que os clientes perdiam a paciência e cancelavam os pedidos. O trabalho era muito bom mesmo, mas dentro do que se espera no mundo corporativo ele era negligente.

É certo que nem todo mundo se adapta aos prazos que, diga-se de passagem, estão cada vez mais apertados, mas é necessário saber que tipo de trabalho se encaixa no seu perfil para que não sejam cometidas negligências. Esse rapaz era de fato ótimo, mas só conseguiu deslanchar quando partiu para o mundo das artes, onde tinha tempo e dinheiro para elaborar os projetos que sua criatividade artística demandavam.

Cabe a cada uma de nós botar para correr a preguiça, o descuido, a falta de vitalidade e coisas do gênero, pois para isso não há desculpas. Mas, quanto à questão de prazos, é preciso ser cautelosa. Querer fazer algo correndo, além do seu ritmo, pode resultar em um trabalho desleixado, que é o que tanto vemos por aí. Se você é funcionária de uma empresa, tente se adequar ao ritmo que ela impõe. No início, pode parecer puxado demais, pois você não está acostumada àquela nova realidade, mas, se você se empenhar, fizer o seu melhor e negociar os prazos sempre objetivando a qualidade, você ganhará agilidade sem prejudicar o resultado.

E se você tem seu próprio negócio, deve deixar seu cliente ciente da máxima "Preço, prazo, qualidade – escolha dois":

- Quem quer preço baixo e prazo curto terá de abrir mão da qualidade.
- Quem quer qualidade e prazo curto pagará um preço alto.
- Quem quer qualidade e dá o prazo necessário terá preço justo.

E também esteja ciente da sua parte, que é não prometer entregar as três coisas. Eu sei quanto é tentador fazer isso para garantir um cliente, mas é preciso vencer a tentação e ser realista a fim de não negligenciar a sua promessa. É muito importante que cada uma de nós desenvolva essa característica, por isso não podemos nos atrapalhar de forma a comprometermos o trabalho por prometermos demais.

O livro de Daniel é um tanto quanto complexo, pois narra diversos acontecimentos cheios de simbolismos, mas também repleto de ensinamentos ricos. Por isso, aconselho que você o leia com calma, meditando e absorvendo cada lição presente. Lembre-se: dê prazo para que a leitura seja de qualidade! Trata-se de um livro com fortes exemplos de integridade, determinação, disciplina e muitos acontecimentos impressionantes, como a passagem da cova dos leões e o livramento da fornalha, que inspiraram roteiros de diversos filmes e certamente servirão não só para o seu crescimento profissional, mas também pessoal.

Esse Daniel prosperou no reinado de Dario e no reinado de Ciro, o persa (Dn 6.28).

15

A MULHER DO DISCÍPULO DE ELISEU

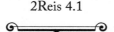

Uma das mulheres dos seguidores dos profetas gritou a Eliseu: Meu marido, teu servo, morreu; e tu sabes que o teu servo temia o Senhor. Agora o credor acaba de chegar para levar meus dois filhos para serem escravos.

2Reis 4.1

ESSA PASSAGEM É CONHECIDA COMO o "milagre do azeite da viúva", tendo recebido esse título em algumas traduções e versões. Porém, o que quero destacar aqui não é o fato de que uma botija de azeite se multiplicou a ponto de encher várias vasilhas, mas, sim, alguns detalhes que podem passar despercebidos por um leitor desatento.

Para tirar melhor proveito das histórias relatadas na Bíblia, é preciso ter fé para crer que não se tratam de ficção. Muitas narrativas já foram comprovadas pela ciência e pela arqueologia, mas para aprender o que vamos ver nesta passagem do segundo livro de Reis nem é preciso crer em nada. Há duas lições tão óbvias para quem quer ser bem-sucedida que nem é preciso usar a fé; basta raciocinar e ter a mente aberta para absorvê-las.

Eliseu foi o sucessor do profeta Elias e, sem dúvida, era um homem bastante arrojado. Quando ainda era discípulo de Elias, Eliseu conviveu muito de perto com ele, pois, ainda que não soubesse, estava sendo preparado para ficar em seu lugar. Elias era temido em toda terra de Israel, pois o povo havia se distanciado de Deus e ele teve de profetizar coisas terríveis, que foram se realizando uma a uma. Ele mandou matar todos os profetas de Baal, afrontou a famosa e cruel rainha Jezabel, anunciou face a face ao rei Acabe que ele morreria e matou cem mensageiros do rei Acazias, só para citar alguns de seus feitos. Eliseu viu as grandes coisas que Elias fez e quanto seria difícil manter-se à sua altura, mas foi arrojado o suficiente para dizer ao próprio mestre que queria fazer o dobro das coisas que ele havia feito (2.9). Imagine-se dizendo ao seu chefe – aquele bem severo que demite sem dó – que você será duas vezes melhor do que ele; ou então dizer ao seu cliente que seu produto ou serviço tem o dobro da qualidade de seu concorrente. É preciso ter coragem, não?

Eliseu assumiu a função de Elias e angariou seus próprios discípulos para o auxiliarem no serviço. Um deles era casado, tinhas dois filhos e era fiel a Deus e ao profeta, mas veio a falecer e deixou a família na miséria e com altas dívidas. A viúva, além de não ter nem o que comer, havia sido ameaçada pelos credores que perderia também os dois filhos, os quais serviriam como escravos para pagar os débitos do falecido. E é aí que vem a primeira de várias lições: como pode um discípulo de Deus, fiel e temente, andar ao lado de um homem tão poderoso como Eliseu, ver seus feitos de perto e, mesmo assim, ter uma vida miserável e estar cheio de dívidas?

Isso significa que não basta estar cercada por pessoas de sucesso, encher-se de informações sobre como vencer profissionalmente, repetir frases motivacionais e ser testemunha de que tudo aquilo funciona na vida dos outros. Mas e quanto à sua vida? Quando tudo isso começará a funcionar na sua? Quando seus sonhos vão sair do papel e se tornar realidade? E a resposta é: quando você deixar a passividade e partir para a atividade. Só que, entre o passivo e o ativo, há um enorme abismo que só pode ser atravessado quando construímos uma ponte chamada coragem.

A viúva do discípulo fez em questão de segundos o que o marido jamais teve coragem de fazer em toda a vida: cobrar uma resposta. Ela não falou com Eliseu, mas **gritou** e apresentou a ele a injustiça que estava vivendo, esperando que ele desse uma solução. É como se ela tivesse dito: "Como o meu marido pode ter vivido lado a lado com você, sendo fiel ao seu Deus, e ter me deixado nessa situação?"

Veja que interessante, pois isso nem sequer foi uma questão de fé, mas, sim, de lógica. Indo um pouco mais longe, posso imaginá-la pensando: "Que tanto milagre esse pessoal faz se me deixam aqui passando fome e correndo o risco de perder meus filhos? Qual é a dessa gente?" Ela raciocinou e foi ousada em reivindicar seu direito.

Há momentos na nossa vida que não basta fazermos tudo certo e apenas ficarmos esperando que as coisas caiam do céu. É preciso impor as suas condições, cobrar o que é justo e, se preciso, colocar algumas pessoas contra a parede. Você leu aqui diversas dicas, características de sucesso e atitudes que podem ser tomadas nas mais variadas ocasiões, inclusive para evitar confrontos. Mas o que você deve considerar é que nem todas as coisas se resolvem da mesma forma. Há tempo de esperar, de calar e de ficar na sua, mas há também tempo de agir, de falar e de ir para cima daquilo que queremos. E, para isso, é preciso coragem!

O segmento de cursos e palestras é um exemplo claro disso que estou falando: há muita gente que anda ao lado de pessoas de sucesso, falando sobre sucesso, ensinando as outras a terem sucesso, mas tem uma vida de fracasso. Claro que não estou dizendo que a vida de quem faz esse tipo de trabalho precisa obrigatoriamente ser 100% de sucesso. Quem empreende está sujeito a passar por poucas e boas, não tem garantia de futuro e não está imune às perdas. Mas, me refiro a pessoas que nunca deram certo em nada, que jamais tiveram um projeto sequer de destaque e que estão apenas vendendo teorias vazias.

Tempos atrás, recebi uma mensagem de alguém que dizia ser "o maior profissional em alavancar perfis no Instagram". Segundo ele, ao seu lado, meu Instagram sairia dos 15 mil seguidores que eu tinha na época e alcançaria mais de 100 mil em "tempo recorde". Não me interessei pela proposta porque não estou buscando números, mas, sim, pessoas que realmente sigam por interesse o meu tema de trabalho. Sei que muita gente "compra" seguidores, mas de que adianta? Você gostaria de comprar seus amigos ou pagar para as pessoas verem o que você tem a mostrar? Realmente esse tipo de coisa não é para mim... Mas ele insistiu nas mensagens e, pela forma de sua escrita, percebi que era conversa fiada. Para dar um fim naquilo, fui olhar o perfil dele apenas para me certificar de que teria poucos seguidores – e eu estava certa. Como alguém que não tinha nem mil seguidores estava prometendo multiplicar os meus? Perguntei por que ele não empregava suas ditas "técnicas infalíveis" em seu próprio perfil e a resposta foi: - Não preciso de seguidores; meu negócio é fazer crescer o "Insta" dos meus clientes.

Pedi, então, que me dissesse quais eram esses clientes e nem fiquei surpresa quando ele respondeu que, "por enquanto", ainda não tinha nenhum.

Ora, como alguém pode dizer que uma coisa não só funciona, mas é infalível, se nunca empregou aquilo?

Quando escrevi meu primeiro livro, a assessoria de imprensa da editora publicou uma nota sobre o lançamento, e o primeiro comentário que recebi foi uma crítica que dizia: "Eu conheço a tal da Patricia Lages e sei que ela não é economista e não deveria nunca ter escrito um livro sobre economia!" O pessoal da assessoria ficou superpreocupado com a reação que eu poderia ter e até se propôs a redigir uma resposta, mas eu pedi que simplesmente ignorassem, pois o livro falaria por si só. Eles insistiram para que fizéssemos algo, pois poderia vir uma "chuva" de críticas e deveríamos nos preparar; porém, continuei com a minha decisão de deixar o livro falar por si mesmo. Afinal, para que iríamos dar crédito a uma pessoa que estava me criticando como autora de um livro que ainda nem havia sido lançado? Como ela poderia saber se eu tinha ou não condições de escrever sem ao menos ter lido? Minha posição sobre isso foi: leitoras inteligentes chegarão à conclusão de que o livro é bom, e o que estamos buscando são leitoras inteligentes, e não críticos de plantão. Além disso, nenhum livro meu é sobre economia, mas, sim, sobre finanças pessoais e empreendedorismo, pois **vivi** na pele muitos problemas financeiros e criei um método de organização que, antes de mais nada, funcionou para mim. Cheguei a ter mais de 150 mil dólares em dívidas e, através desse método, saí daquela situação, limpei meu nome e segui em frente. Que curso teórico sobre economia tem mais valor do que isso? Empreendo desde 2004, experimentando de fato o que é ter um negócio próprio em um país onde tudo muda (para pior) da noite para o dia. Qual curso poderia me dar mais respaldo do que isso?

O que faz a diferença é **viver** aquilo que se prega, e foi isso que a viúva requereu de Eliseu. Como ele era verdadeiramente um homem que vivia o que ensinava, não se indispôs com ela, não mandou que se calasse e não considerou seus gritos como falta de respeito; ao contrário, ele perguntou o que poderia fazer por ela e o que havia em sua casa.

Tua serva não tem nada em casa, a não ser uma vasilha de azeite (4.2).

Nesta fala, a viúva reproduz um comportamento muito comum quando somos questionadas a respeito do que temos. Nossa primeira reação é dizer o que **não** temos. Ela podia apenas ter dito que tinha o azeite, pois a pergunta era essa, mas, assim como muitas pessoas, ela valorizou mais o que não tinha do que o que tinha. Muita gente me escreve dizendo que precisa ter uma renda extra, mas que não tem tempo, nem dinheiro, nem talento para fazer nada, e minha resposta sempre é: "E o que você tem?" Algumas respondem essa pergunta relatando todos os problemas de sua vida para "me convencerem" de que realmente não têm nada, não podem nada e que o seu caso não tem solução. Outras respondem à mesma pergunta mandando uma lista das coisas que poderiam fazer, pois passaram a focar no positivo e descobriram que ele estava lá o tempo todo. E um último grupo, o das mais ligeiras, responde apenas: "Ok, já entendi!" Você tem de lutar para estar entre as ligeiras, aquelas que pegam as coisas no ar, que estão ligadas o tempo todo e não buscam consolo para os problemas, mas, sim, solução. Coloque o que você pode na frente do que não pode, o que você tem – ainda que seja pouco ou quase nada – acima do que não tem, suas qualidades e dons em mais evidência do que seus defeitos. Precisamos entender que não devemos transmitir aos nossos clientes as nossas fragilidades, mas, sim, os nossos pontos fortes. Todo negócio, produto ou serviço tem pontos fracos e fortes, seja no ramo que for. Por isso, nos cursos para empreendedores, sempre falamos sobre a estratégia *Blue Ocean*[1] e a importância de criar uma curva de valor para trabalhar sobre aquilo que temos de melhor. Veja na página 179 o exemplo da curva de valor em que são comparados alguns telefones celulares.

Sabemos que o iPhone se tornou um dos celulares mais cobiçados do mercado (se não o mais), mas, se observarmos essa curva de valor, veremos que ele não é o melhor em tudo. Agora, se puxarmos pela memória, vamos lembrar que o marketing feito em cima do iPhone enaltecia seu ponto mais forte: a câmera. A publicidade se baseava no seguinte: onde você estiver, fazendo o que quer que seja e com quem quer que esteja, você precisa fazer uma *selfie*. Jamais você viu qualquer publicidade sobre o iPhone que mencionasse, ainda que por alto, o fato de ele ter o pior armazenamento de memória. Não importa se você vai fazer um monte de fotos e vai lotar a capacidade do seu telefone; o que importa é que você adquira o costume de fazer *selfies* em todos os momentos da vida e, para isso, queira ter o celular

---

[1] [NE] É um conceito de negócios, apresentado em um livro de mesmo nome, que diz que a melhor forma de superar a concorrência é parar de tentar superá-la. Ou seja, buscar mercados ainda não explorados, chamados pelos autores do conceito de "oceano azul".

A MULHER DO DISCÍPULO DE ELISEU

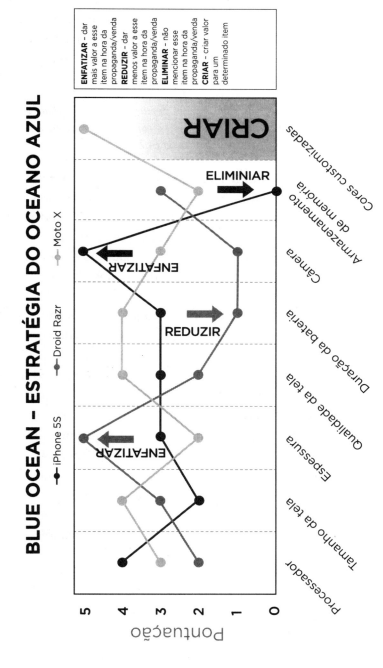

com a melhor câmera. Enquanto isso, o Droid Razr valorizava o fato de ser um aparelho mais fino, sem mencionar que a duração da bateria era a pior entre os concorrentes. É assim que se constrói uma marca: dizendo o que se tem, e não o que não se tem.

Eliseu trabalhou em cima do que a viúva possuía – o azeite – e logo a instruiu sobre o que fazer:

> *Vai, pede emprestadas vasilhas a todos os teus vizinhos, vasilhas vazias, não poucas. Depois, entra com teus filhos e fecha a porta; coloca o azeite em todas essas vasilhas e separa a vasilha que estiver cheia* (4.3-4).

Ele não chorou pela morte do discípulo, não tentou consolar a viúva, não mandou que algum de seus companheiros a ajudasse e nem lhe deu dinheiro vivo. Muita gente pode achar que ele foi insensível, que o certo seria dar um jeito de pagar a dívida da viúva e não mandar que ela se virasse, mas será que essa seria mesmo uma solução permanente? Do que ela viveria depois de quitar as dívidas? Certamente iria endividar-se novamente e, dali a algum tempo, voltaria a sofrer as mesmas ameaças.

O que ele fez foi ensiná-la a direcionar aquela revolta para o alvo certo e canalizar suas energias para fazer alguma coisa que verdadeiramente a tirasse daquela situação. E um detalhe curioso: ele mandou que ela pedisse vasilhas emprestadas, mas não disse que ela deveria explicar para quê; ao contrário, ele a instruiu a fechar a porta para que só ela e seus filhos vissem o que seria feito. Agora, imagine se as vizinhas não perguntaram para que tantas vasilhas... Assim também deve ser a nossa conduta antes de qualquer projeto que venhamos a desenvolver, ainda que precisemos da colaboração de terceiros. Não abra os seus planos para todo mundo; seja cautelosa. O que foi proposto a você não foi proposto à sua vizinha, então guarde para si. Saiba aproveitar o que lhe foi confiado e espere dar frutos antes de comemorar a colheita.

A viúva acatou a instrução de Eliseu e fez tudo exatamente como ele determinou:

> *Então ela se foi, entrou em casa com seus filhos e fechou a porta. Eles lhe traziam as vasilhas, e ela as enchia* (4.5).

Ela recrutou seus filhos para a empreitada, os orientou e trabalhou em conjunto com eles, a portas fechadas. Uma das maiores reclamações que recebo de mulheres empreendedoras é que seus maridos e filhos não as ajudam em seus negócios. Há então dois caminhos a serem tomados: seguir sozinha até que eles vejam que não era "fogo de palha" nem brincadeirinha, ou despertar neles o interesse em colaborar. Há maridos que realmente não vão ajudar, seja lá pelo motivo que for, e aí cabe a você escolher se vai parar por falta de ajuda ou se vai em frente. Afinal de contas, ninguém é obrigado a viver o sonho do outro. Eu sei que muitos "empreendedores de palco", aqueles palestrantes que falam sobre o que não vivem, empolgam as pessoas dizendo que a família vai ajudar, que o marido vai deixar o trabalho para empreender junto com a esposa e que os filhos pularão cedo da cama para colaborar no crescimento do negócio, mas a realidade que temos visto não é essa. A vida real mostra que muitas famílias têm sido o maior empecilho para o crescimento da carreira das mulheres; então, cabe a nós fazer disso um problema, ou seguir em frente. Mas também temos visto que não são poucas as mulheres que fazem uma abordagem errada quando pedem a ajuda de que precisam. Elas reclamam do trabalho o tempo todo, só falam em problemas, maldizem os clientes, vivem dizendo que o dinheiro nunca é suficiente e que estão com a paciência esgotada. Ora, quem vai querer entrar num barco furado desses? Eu remaria para bem longe! É preciso, mais uma vez, enaltecer o positivo e inspirar as pessoas a desejarem estar ao seu lado, e não as espantar para mais longe ainda. De alguma maneira, a viúva fez isso e obteve a ajuda dos filhos na realização da tarefa que o profeta havia designado. Outro fato curioso é como o "negócio" da viúva parou de "lucrar". Veja:

> *Quando as vasilhas ficaram cheias, ela disse ao filho: Traze-me mais uma vasilha. Mas ele respondeu: Não há mais vasilha alguma. Então o azeite parou* (4.6).

A passagem não diz que o azeite acabou, mas, sim, que **parou**, e essa cessão aconteceu pelo fato de que não havia mais nenhuma vasilha para ser cheia. Podemos concluir que, se houvesse mais vasilhas, ela teria continuado a enchê-las a partir da botija que tinha inicialmente. O que isso nos ensina? Que nós só chegamos aonde nossa visão chega primeiro.

Eliseu não disse quantas vasilhas ela deveria pedir para as vizinhas; ele só deu a dica: "não poucas". Não se sabe quantas ela conseguiu, se eram dez, vinte ou cem, mas sabemos que foi o número suficiente para que ela vendesse, pagasse as dívidas e vivesse da sobra. Também não sabemos qual seria o padrão de vida que ela teria a partir do dinheiro que lucraria com as vendas, mas novamente foi o bastante para que não lhe faltasse nada e que seus filhos não corressem mais o risco de serem escravos.

Isso vale para cada uma de nós, pois quando empreendemos um negócio próprio, tudo vai depender da nossa visão. Se a sua visão está em, pelo menos, conseguir pagar as contas, você não irá muito além disso. Na verdade, terá até certo receio de vender ou de cobrar quando não estiver precisando de dinheiro para apagar algum incêndio. Não é à toa que o argumento mais usado pelas pessoas que cobram seja: "Eu preciso desse dinheiro para pagar uma conta urgente". Não, amiga, você tem direito a esse dinheiro porque foi o acordado, esteja você precisando ou não. É claro que, se você não está na iminência de atrasar uma conta, pode oferecer uma forma mais elástica de recebimento, mas, de todo modo, não é porque você não está com a corda no pescoço que pode se dar ao luxo de levar calote. Esse tem sido o mal de muitas empreendedoras: contentar-se com o mínimo que seu negócio pode render e não ter a visão de que é possível crescer. Se está ruim, elas têm consciência de que precisam fazer alguma coisa para melhorar, mas, se está bom, são poucas as que têm visão para atingir o ótimo e, mais adiante, o excelente. A maioria só se mexe mesmo quando a coisa não tem mais jeito, quando se torna mais difícil remediar.

Outro comportamento comum de algumas leitoras que me escrevem é dizer que compraram um dos meus livros logo que se endividaram, mas, como o cartão de crédito ainda estava liberado e o limite da conta estava cobrindo as despesas extras, não leram. Elas só começaram a ler quando estouraram o limite, perderam o emprego ou a dívida se tornou alta demais para continuarem remediando. Não devemos ser como a maioria, que tem uma visão curta e limitada. Devemos vislumbrar sempre uma nova paisagem, trabalhar para subir um degrau a mais, aceitar os desafios que surgem e, se não surgirem, criar e bater nossos próprios limites.

Ninguém me disse que eu deveria escrever um livro por ano; fui eu que coloquei essa meta para mim mesma e me organizei para cumpri-la. Eu não queria ficar limitada ao sucesso do *Bolsa blindada*, pois minha visão já estava além dele e, por isso, não foi necessário que as pessoas me motivassem. Aliás, a maior "motivação" que recebi das pessoas foi, na verdade, um tipo de limitação, pois elas diziam: - Seu primeiro livro é muito bom; dificilmente o segundo será melhor.

É um tipo de bate e assopra invertido, primeiro assopra para depois bater! É como se dissessem: *Até aqui tudo bem, mas não sei se você pode ir mais longe*, mesmo que elas não percebessem a negatividade das palavras e não tivessem, sinceramente, a intenção de desmotivar o outro. Enaltecer os problemas e suscitar as dificuldades está na nossa linguagem, no nosso estilo de vida e, indo um pouco mais longe, no nosso DNA; afinal de contas, não é natural sermos positivos.

Um dos países que quero conhecer é Botsuana, na África, pois há anos estudo sobre a cultura local, pela qual me interessei lendo a série de livros *The Nº 1 Ladies Detective Agency* [A Agência Nº 1 de Mulheres Detetives], de um dos meus escritores favoritos, Alexander McCall Smith (Anchor Books, 6 ed. 2003, UK). O que me chama a atenção sobre as pessoas naquele país é que elas sempre destacam o lado positivo de tudo. Nos dias superquentes, quando o sol está a pino e mal dá para caminhar pelas cidades próximas ao deserto do Kalahari, eles se alegram por terem a sombra de alguns poucos pés de acácia. Quando venta e a poeira sobe invadindo todos os poros do corpo e se alojando em cada centímetro das casas, as pessoas se alegram, pois pode ser que venha chuva. E, falando em chuva, no idioma setsuana se diz *pula*, que também significa bênção e, por sua vez, é o nome da moeda local. Dinheiro, para eles, é bênção, e não sinônimo de dor de cabeça, trambique, engano ou qualquer outra coisa negativa. E como não amar a história do último rei do país, Seretse Khama, que proclamou a independência e deixou de viver sob o comando do Reino Unido, abriu mão de seu direito de reinar, aboliu a monarquia e instituiu eleições para que o povo escolhesse quem deveria governar? Ele mesmo concorreu às eleições e venceu, pois o povo entendeu que um homem que abre mão de seu direito de nascimento para fazer a vontade de seu povo era o mais bem preparado para liderá-lo. Um de seus filhos, Ian Khama, é o atual presidente do país que, em cinquenta anos, multiplicou sua riqueza por cem, mesmo tendo uma vasta área deserta. E você sabe que no deserto não tem nada, certo? Errado! No deserto de Botsuana há diamantes. E não poucos!

Sua situação pode estar muito ruim, mas, se você parar de focar no que não tem e buscar soluções usando aquilo que tem – ainda que seja pouco –, terá tudo aquilo de que precisa para encher muitas vasilhas.

PARTE 3

FAZENDO AS COISAS ACONTECEREM

VENCENDO O SEU MAIOR CONCORRENTE

É bem melhor adquirir sabedoria do que o ouro! É bem melhor escolher entendimento do que a prata!
Provérbios 16.16

É MUITO PROVÁVEL QUE VOCÊ já tenha percebido quem é a sua maior concorrente, mas, se ainda há dúvidas, vamos pensar juntas em busca da confirmação dessa resposta. A palavra "concorrente", no dicionário Houaiss da Língua Portuguesa, entre seus diversos significados, é também definida desta forma: "que ou o que se encontra em oposição de interesse, na pretensão de um mesmo objetivo". E quem é que, muitas vezes, se opõe a você indo totalmente contra o seu interesse, que pretende o mesmo objetivo, mas se coloca como oponente o tempo todo? Se você respondeu que essa pessoa é você mesma, acertou! Podemos analisar isso de diversas formas, então vamos a algumas delas.

Lembro-me de ter participado de apenas um processo daqueles em que vários candidatos concorrem à mesma vaga. Nos demais empregos, o processo deu-se por indicação e fui avaliada em conversas até bem informais, com os próprios donos ou responsáveis diretos pelas empresas. Nessa única ocasião em que concorri com outros candidatos, minha preocupação era ser melhor do que eles. A cada etapa do processo, o número de candidatos ia diminuindo e eu podia avaliar melhor quem eram meus adversários. No final, restaram apenas três ou quatro candidatos para a entrevista, e meu foco estava totalmente neles: em tentar perceber quais eram suas fraquezas e se eles estavam nervosos, em ouvir suas conversas e tentar elaborar uma fala melhor que a deles. Mas eu me esqueci de um detalhe crucial: a entrevista era individual e, por mais que eu tirasse conclusões a respeito deles, jamais saberia como se sairiam diante do entrevistador. Foquei todas as minhas energias nos concorrentes errados, em vez de trabalhar e me preparar para vencer minha maior concorrente: eu mesma. O que eu deveria ter feito era pensar em quais eram as **minhas** fraquezas e abafá-las com os pontos fortes da curta carreira que eu havia empreendido até ali. Eu deveria ter focado em vencer o **meu** nervosismo e a minha falta de experiência em entrevistas, prestar atenção em mim, na minha postura, na minha interação com os demais candidatos e em como eu iria vencer a mim mesma na sala de entrevista. Porém, focando no que eu não podia controlar e deixando de me voltar ao que cabia a mim, eu me saí muito mal e não passei, óbvio! Na época, eu tinha hiperidrose que, como mencionei anteriormente, é um quadro de transpiração excessiva. Minhas mãos chegavam a pingar de tanto suor e era muito desagradável cumprimentar quem quer que fosse com um aperto de mão, tanto para a pessoa, que tocava em uma coisa gelada e molhada (imagine-se segurando uma rã!), quanto para mim, que ficava muito constrangida ao ver a reação de surpresa e repulsa da maioria das pessoas, buscando desesperadamente "limpar" a mão que tinham acabado de "sujar". Para completar o quadro, meu constrangimento era visível por meio do tão temido rubor facial. Meu rosto pegava fogo e eu não tinha como esconder aquela reação. Preocupada com os demais candidatos, não trabalhei em mim mesma, não previ que aquilo poderia acontecer, não me acalmei, não sequei as mãos antes de entrar e não preparei uma explicação plausível caso essa saia justa acontecesse.

Após o malfadado aperto de mão, a recrutadora colocou a mão embaixo da mesa (certamente para enxugá-la na roupa) e perguntou: - Você fica sempre nervosa desse jeito em situações de estresse?

Sentindo meu rosto arder em chamas, percebi que não tinha preparado nenhuma resposta, embora aquilo já tivesse me acontecido inúmeras vezes. Gaguejei e disse que não estava nervosa (claro que estava!) e, sem muito controle sobre o que saía da minha boca, respondi que tinha hiperidrose e que precisava fazer uma cirurgia quanto antes. Você pode pensar em uma resposta pior do que essa em uma entrevista de emprego? Dizer que, em vez de estar preparada para dar o melhor, declarar que precisará se submeter a uma operação? Eu não precisava que meus concorrentes se saíssem mal, pois eu mesma estraguei tudo por conta própria! A recrutadora, depois de dizer que nunca tinha ouvido sobre essa "doença", perguntou por que eu não tinha feito ainda a tal cirurgia. Sem pensar, novamente, respondi que era muito cara e que, sem convênio, eu não poderia pagar. Aproveitando o gancho, ela declarou: - Certo... então você está planejando operar quanto antes, usando o convênio aqui da empresa... entendi.

Tentei consertar, mas já era tarde.

Saí tão desnorteada da entrevista que, ao passar pela sala de espera, os demais candidatos se encheram de esperança, pois estava claro que, apesar de ter as melhores notas em todos os testes, eu tinha acabado de ser trucidada na etapa final!

Aos 20 anos de idade, eu não sabia ainda que a minha maior concorrente era eu mesma e que a forma de vencer esse páreo era me esforçar para ser melhor do que meu próprio eu. A pessoa que eu devia analisar, estudar e esquadrinhar era eu mesma. Era preciso focar em mim, trabalhar os meus pontos fracos, reconhecer e enfatizar os pontos fortes e aprender a ser um pouco melhor hoje do que fui ontem. Mas essa não é uma tarefa fácil, longe disso! Nós temos uma tendência enorme em apontar nossos canhões para os erros dos outros e simplesmente ignorar os nossos. Porém, o que ignoramos a nosso respeito é o que pode nos derrubar com muito mais facilidade do que aquilo que vemos nos outros.

Quantas vezes você não foi surpreendida por suas próprias palavras? Quantas vezes não se arrependeu amargamente por ter dito algo sem pensar e depois não ter ideia de como contornar a situação? Há uma palavra que resume bem a luta que travamos conosco todos os dias:

> *Pois toda espécie de feras, aves, répteis e animais marinhos doma-se e tem sido domada pelo gênero humano. Mas nenhum homem pode domar a língua. É um mal que não se pode conter; está cheia de veneno mortal* (Tg 3.8).

A língua tem sido a pior adversária de muitas de nós. Não é à toa que se diz que somos donos do que calamos e escravos do que falamos. Uma vez dito, é muito difícil voltar atrás. Só em filmes é que as personagens falam altos absurdos umas às outras e, depois de um simples "Desculpe, eu estava nervoso", todos se abraçam e vivem felizes para sempre. A vida real não é assim, ainda mais no universo feminino. Nós, mulheres, em momentos de discussão e cabeça quente, podemos ressuscitar histórias do século passado como se tivessem acontecido ontem! O marido não quer ir ao supermercado em um sábado à tarde e a esposa, mudando completamente o foco da questão, diz:

– Você **nunca** me ajuda em nada!

– Como nunca? Claro que ajudo!

– Não, você não ajuda nunca. Você me deixou sozinha na enfermaria, cheia de pontos e com um bebê para cuidar, enquanto comemorava com seus amigos o nascimento do nosso filho no restaurante do hospital... É isso que você faz, você larga **tudo** nas minhas costas!

– Mas, querida, o nosso filho já está na faculdade, vai casar ano que vem e...

– E daí? Isso só prova que **você é o mesmo egoísta** desde sempre!

Pois é... nós temos o costume de generalizar, de tirar o foco da questão e transformar uma situação em ofensa pessoal, de guardar certos acontecimentos na nossa mente como se fossem trunfos, para dar o troco em momentos oportunos.

O filho de 10 anos largou, de novo, a mochila em cima do sofá? Não tem problema, a mãe coloca a mochila no lugar – em total silêncio e pela milésima vez –, mas sua mente maquina que, daqui a alguns anos, quando o filho trouxer a namorada em casa, ela vai ressuscitar a história da mochila e revelar que ele é um desordeiro, um relaxado que fará da casa deles um chiqueiro e a vida da garota vai virar um inferno!

Precisamos, acima de qualquer coisa e de qualquer pessoa, **dominar nossos sentimentos** e viver mais pela razão do que pela emoção. Todas as vezes que agimos movidas pelo que sentimos, as chances de tomar péssimas decisões são altíssimas. Quantas pessoas não se enrolam financeiramente durante meses, e até anos, em prestações de compras feitas por impulso, sem a menor necessidade e sem nenhum planejamento? Em momentos de tristeza, elas vão se "aliviar" no *shopping* e voltam para casa cheias de sacolas, com tudo que possa fazê-las **sentir-se** melhor. Mas, quando a fatura do cartão chega, é só derrota! E quantas não são as pessoas que, em momentos de alegria, comemoram fazendo a mesma coisa? Passam o cartão de crédito com um sorriso no rosto, dizem sim para todos os seus desejos momentâneos e, depois, amargam um prejuízo no orçamento que vai gerar muita tristeza até se reequilibrarem. Puro sentimento, zero razão e muito arrependimento. Da mesma forma, uma decisão ou uma palavra mal-empregada em questão de segundos pode levar muito tempo para ser contornada e até anos para ser consertada (ou, quando muito, apenas remendada). É preciso que desenvolvamos esse autocontrole, pois sem ele seremos nossa pior concorrente e nos autossabotaremos a vida toda.

O mundo em que vivemos não nos incentiva a pensar; ao contrário, ele nos convida, o tempo todo, a passar pela vida sambando. É, sambando! Um dia cheguei à conclusão do motivo de eu não saber sambar: é que estrago tudo pensando... Sambar é daquelas coisas que se você "teorizar" muito não vai dar em nada. É preciso copiar o passo e deixar o corpo se mover. Se você ficar pensando: girar o pé para fora sobre o calcanhar, trocar de pé, girar novamente o pé para fora sobre o calcanhar, mas do lado contrário e, enquanto isso, requebrar os quadris e mover os braços graciosamente, mantendo o ritmo, repetir tudo mais rápido, mais rápido e mais rápido, um, dois, três, um, dois, três, um, dois, três... Gente, é impossível fazer isso consciente de cada movimento! Mesmo para quem não gosta muito de samba, como é o meu caso, não dá para deixar de dizer que é um som contagiante. Certa vez, um programa de aniversário do antigo "Note & Anote" – apresentado no final da década de 1990 por Ana Maria Braga, na Record TV, onde eu trabalhava – foi gravado no Ginásio do Palmeiras, em São Paulo. Foi totalmente diferente do que estávamos acostumados: não estaríamos no estúdio, mas em um espaço enorme, onde receberíamos uma plateia numerosa e sobre a qual não teríamos praticamente nenhum controle. Ainda por cima, a atração principal era uma escola de samba. Particularmente, detesto barulho e não aprecio o carnaval, então eu não estava nem um pouco animada em trabalhar naquele dia. Mas na hora em que a bateria começou a tocar, entendi por que as pessoas gostam tanto! Parei por uns instantes para ver a simetria dos músicos e como eles formavam um conjunto harmonioso e consistente. Eles estavam mantendo toda uma disciplina, mas pareciam muito à vontade, como se os sons saíssem sozinhos de cada instrumento. Porém, era clara a concentração que mantinham na pessoa que conduzia toda a melodia com um mover de braços bem marcado e um pequeno apito que, mesmo em meio àquele som altíssimo, era perfeitamente ouvido. Já as pessoas da plateia estavam totalmente em outra dimensão! Dançavam de qualquer jeito e se moviam tão alucinadamente que nem percebiam as saias subindo e os decotes se ampliando... Elas não estavam nem aí com o fato de estarem em frente às câmeras; simplesmente aquele não era momento para pensar em nada, mas, sim, para sentir a *vibe* e deixar a emoção e a alegria fluírem. Afinal, samba é para se sentir, não para se pensar, concorda? Só que não dá para querer sambar na passarela da vida; é preciso raciocinar.

Não é à toa que, em muitos casos, a estratégia de venda de certos produtos é não deixar as pessoas pensarem. Isso vai desde aquela música alta nas lojas e a correria das vendedoras demonstrando que quem não comprar logo vai ficar sem, até as "oportunidades únicas" nas quais, se o cliente não decidir na hora, não fará mais negócio. *It's now or never*, é agora ou nunca, porque, se você pensar, pode perceber que não precisa daquilo, que o preço não está tão bom assim, que não combina com o seu estilo, que vai comprometer seu orçamento, que aquele produto nem é tudo aquilo... Os conselhos que o mundo quer que você considere são: "Siga o seu coração", "Aproveite a vida, curta ao máximo", "Viva como se não houvesse amanhã". Mas é esse mesmo mundo que apoia e incentiva comportamentos inconsequentes, que também exige responsabilidade: "Seguiu o coração e fez o que quis? Pois que aguente as consequências!", "Na hora do bem-bom não pensou em nada, né? Agora pague o preço!" e "Não sabia que o que você fez ontem ia refletir hoje? Você não tem jeito mesmo!" É assim ou não é? As pessoas que curtem o vestido curto colado e pregam que o que é bonito é para se mostrar são as mesmas que culpam a mulher que sofreu estupro "por estar usando" o vestido curto colado! É um mundo hipócrita, preconceituoso e que só traz decepções; por isso, aja segundo a sua cabeça. Pense, pondere e meça as consequências de seus atos, independentemente da opinião alheia, sem se preocupar com o que "todo mundo faz".

Mas, para poder tomar suas próprias e boas decisões, você precisa buscar o que diz o versículo inicial deste capítulo: a sabedoria e o entendimento. Não só hoje, mas todos os dias. E isso só é possível se você estiver disposta a um cessar-fogo, como veremos a seguir.

FAÇA AS PAZES COM O APRENDIZADO

Já falamos sobre fazer as pazes com o dinheiro e creio que, a esta altura do campeonato, você já não tem mais dúvidas de que, enquanto isso não acontecer, viverá às voltas com problemas financeiros. Mas há outro "cessar-fogo" que precisa ser decretado na sua vida quanto antes: aprender não é chato!

É certo que o nosso sistema de ensino não colabora e que, muitas vezes, no afã de querer o melhor para os filhos, alguns pais também não os incentivam a aprender. Forçar o estudo e impor castigos diante de notas baixas tem sido a estratégia utilizada em muitas famílias, mas isso só causa mais repulsa ao aprendizado e mais distância do sucesso como aluno. E você sabe bem que uma pessoa desmotivada a aprender tem chances menores de ser bem-sucedida. O ser humano é curioso por natureza; porém, ao longo da vida, a curiosidade de muitos não é estimulada e acaba ficando adormecida. Crianças tendem a fazer inúmeras perguntas durante o dia, mas, se formos parar para analisar, poucas delas são respondidas de forma a transformar essa curiosidade em aprendizado para a vida toda. Não estou, de forma alguma, criticando os pais ou responsáveis, pois todos sabemos que é virtualmente impossível ter tempo – o tempo todo – para atender às questões dos pequenos. Mas creio que devemos dar mais valor à curiosidade, porque é dela que vem o desejo de aprender. Ao suprimir a curiosidade, abafamos o desejo de aprender no momento em que ele ocorre e, depois, queremos impor o aprendizado da forma que nos convém. E isso não se aplica apenas às crianças.

É bem comum, durante uma palestra, *workshop* ou curso, que eu seja interrompida pela pergunta de um participante. No início, confesso, essas interrupções não eram bem-vindas, pois tiravam o meu raciocínio e mudavam a ordem das minhas explicações. Porém, ao longo dos anos, percebi que, se realmente é uma pergunta interessante, não é uma interrupção, mas, sim, uma interação (e interações são muito bem-vindas!). É claro que há alunos que querem contar – em detalhes – seu caso particular e obter uma resposta individual, tirando o caráter coletivo da aula. Não é a esse tipo de pergunta que me refiro, mas, sim, a um questionamento surgido ali, no momento da explicação, mostrando que a pessoa está raciocinando junto e está buscando formas de não só armazenar informações, mas de aprender de fato. E isso, na minha opinião, deve ser incentivado. Aulas e palestras ensaiadas não passam de meras exibições de conhecimento e estão longe de significar aprendizado a quem está do outro lado. Por isso, seja curiosa! Pergunte, busque entender, questione, cerque-se dos melhores e extraia deles coisas positivas para si. E não deixe de incentivar a curiosidade, responder aos questionamentos, buscar as respostas que não tiver na hora e cercar-se de pessoas que demonstrem o desejo de aprender. Aquilo que mais incentivamos é aquilo que mais estará em evidência. Por que você acha que as pessoas estão mais dispostas a pagar para se divertir do que a pagar para aprender? Enquanto a diversão é altamente incentivada – em alguns casos, até demais –, o aprendizado é visto como uma coisa chata, quase sempre deixada para o último segundo e feita apenas quando realmente não há escapatória. Não é à toa que nosso país está como está...

Você entra em qualquer rede social e se depara com um *show* de horrores em vários aspectos: pessoas que escrevem pessimamente mal, não conjugam os verbos decentemente, matam o infinitivo, dizendo "Amanhã eu '*vo acorda*' tarde", "Neste fim de ano eu '*vo come*' muito" e que o evocam nas horas mais malucas como em "Eu já *pedir* para não *mim* mandar convite de jogos". E esse mim? O que é isso, gente? O que está acontecendo para que tantas pessoas cometam os mesmos erros? As pessoas estão saindo das faculdades escrevendo assim, falando assim e, com isso, demonstrando a cada fala e a cada frase escrita quanto seu conhecimento do próprio idioma – aquele que elas ouvem desde que nasceram – é fraco, sofrível e pobre. E isso tudo na era das comunicações! Não, aprender não é chato; chato é passar por "carões" como esses e nem sequer perceber... Isso sem entrar no mérito do conteúdo vazio das discussões, na falta total de sentido em muitos "raciocínios" e no efeito manada que espalha as tão comuns *fake news* [notícias falsas], que já causaram inúmeros problemas a muita gente e até algumas tragédias por decretarem pessoas inocentes como culpadas.

Em seu livro *As 3 escolhas para o sucesso*, Stephen R. Covey cita algumas frases de autorias diversas sobre o aprendizado. Destaco algumas delas aqui:

> "Se você não está aprendendo enquanto está ganhando, está roubando de si mesmo a melhor parte de sua recompensa." (Napoleon Hill)

> "Nenhum homem foi sábio por acaso." (Sêneca)

> "Tento reservar algum tempo para ler todas as noites. Além dos jornais e revistas usuais, **obrigo-me** a ler pelo menos uma revista semanal do começo ao fim. Se lesse apenas o que me atrai – por exemplo, as seções científicas e negócios –, eu acabaria a leitura exatamente igual à pessoa que era quando comecei. Por isso, eu leio de tudo." (Bill Gates)

> "Ler sem refletir é como comer sem digerir." (Edmund Burke)

Quando você aprende, significa que você está ganhando, jamais perdendo. O segredo do aprendizado é estar disposta, aberta e **condicionada** a aprender, em toda e qualquer situação. Neste mesmo capítulo, usei como exemplo um dia de trabalho em que eu não estava nem um pouco empolgada. Desde o dia que fiquei sabendo que teríamos todas aquelas mudanças e pouquíssimo controle da situação, já comecei a me aborrecer. Porém, estou sempre disposta a aprender, ainda que não esteja disposta a outras coisas. Esse fato aconteceu há mais de vinte anos, mas, além de me lembrar daquele dia (que ficou ainda pior quando percebi que perdi um anel de ouro logo no início da gravação), lembro-me dos diversos aprendizados que tive: saber trabalhar em qualquer local, não só dentro do estúdio; apesar de todas as mudanças, meu trabalho tinha de ser feito com a mesma competência de sempre, pois erros não eram justificáveis só porque estávamos "fora de casa"; ter paciência, pois aquela multidão estava lá para se divertir e não ligava a mínima para o fato de que estávamos trabalhando; saber lidar com as críticas, pois as pessoas reclamavam de tudo e de qualquer coisa (o calor, a demora, a sede, os assentos desconfortáveis, a Ana Maria que não retribuiu um dos milhares de acenos, não ter iogurteira Top Therm de presente para todo mundo); e, claro, aprendi a jamais usar uma joia cara em uma "muvuca" daquela!

O bom aprendizado é para a vida toda. Os anos passam, mas a sabedoria não envelhece; ao contrário, renova-se e faz de você uma pessoa muito mais bem preparada para o sucesso. Aliás, não existe nenhuma possibilidade de sucesso onde se despreza o conhecimento. Um livro pode ter o preço de 40, 50, 100 reais, mas o valor do conhecimento que ele pode lhe proporcionar não tem como ser medido. Por isso, busque o conhecimento com muito mais afinco do que você busca qualquer outra coisa material. Seu trabalho é importante, ter dinheiro é imprescindível, mas você não conseguirá se sair bem em um ou acumular o outro se não tiver conhecimento.

"A mente que se abre a uma nova ideia jamais voltará ao seu tamanho original." (Albert Einstein)

OS FRACASSOS ESTÃO NAS ENTRELINHAS

O Senhor te abrirá o céu, seu bom tesouro, para dar à tua terra chuva no tempo certo e para abençoar todas as obras das tuas mãos. E emprestarás a muitas nações, mas não tomarás emprestado.
Deuteronômio 28.12

ANTIGAMENTE, A MAIORIA DOS TREINAMENTOS de pessoal em empresas, cursos ou sessões de *coaching* cometia um erro que custou a ser detectado: ensinar o que fazer sem mencionar o que não fazer. Hoje, com o crescimento da procura por treinamentos de qualidade, está sendo mais trabalhado o conceito "sempre e nunca", que visa enfatizar tanto o que deve ser feito quanto o que não deve.

Em um *workshop* que desenvolvemos especialmente para dentistas, uma das alunas, dona de uma clínica dentária, expôs um caso muito curioso que aconteceu entre sua recepcionista e uma paciente. A clínica oferece regularmente treinamento a todos os funcionários, principalmente aos que estão na linha de frente e lidam diretamente com os pacientes. Em especial, as recepcionistas haviam acabado de sair de um desses treinamentos quando a proprietária passou pela secretaria e ouviu uma delas ao telefone:

-Que ótimo que seu tratamento está acabando, dona Fulana! Agora a senhora vai ficar em paz e estará livre da gente por muito tempo!

A proprietária da clínica sentiu um arrepio percorrer sua coluna de alto a baixo e teve de se segurar para não tomar o telefone da mão da funcionária. Depois de respirar fundo, contar até dez e tomar três copos d'água, ela se sentou calmamente diante da recepcionista e perguntou:

- Querida, por que você disse para a paciente que ela se livraria de nós? Você entende que acabou passando a ideia de que vir à clínica é ruim? E quem disse que ela pode ficar sem vir por muito tempo? É uma senhora de idade que precisa de acompanhamento periódico; ela terá de voltar, no máximo, dentro de seis meses... De onde você tirou isso? Por acaso, pediram para você falar algo assim no treinamento?

A resposta: - Não, ninguém disse para eu falar isso... Mas também não disseram que não podia!

Pois é, disseram o que ela podia falar, mas não mencionaram o que ela não podia e, uma vez que não disseram que eu não posso..., então, eu posso! Esse é o raciocínio da maioria das pessoas e, por mais que até faça algum sentido, não evita a perda de clientes, você concorda?

Mais uma vez a Bíblia nos ensina uma grande lição sobre conceitos de administração que devem ser empregados por quem deseja alcançar o sucesso. O exemplo agora são os Dez Mandamentos. Veja que eles foram dados de forma ordenada e equilibrada e podemos dividi-los em duas categorias: 1) relacionamentos; 2) o que fazer e o que não fazer. Vejamos:

Conduta com os superiores (Deus, pai e mãe)

1. Não ter outros deuses
2. Não fazer ou adorar ídolos
3. Não usar o nome de Deus em vão
4. Guardar o sétimo dia
5. Honrar pai e mãe

Conduta com o próximo:

1. Não matar
2. Não adulterar
3. Não furtar
4. Não mentir
5. Não cobiçar

O que fazer

1. Guardar o sétimo dia
2. Honrar pai e mãe

O que não fazer

1. Não ter outros deuses
2. Não fazer ou adorar ídolos
3. Não usar o nome de Deus em vão
4. Não matar
5. Não adulterar
6. Não furtar
7. Não mentir
8. Não cobiçar

Você percebe que 80% se referem a coisas que **não** devemos fazer? Isso não é por acaso; aliás, nada na Bíblia é por acaso. O título deste capítulo é "Os fracassos estão nas entrelinhas" justamente porque, quando acreditamos que as pessoas entenderão automaticamente o que ficou nas entrelinhas, caímos do cavalo! Geralmente as pessoas sabem o que deve ser feito, mas ignoram o que não devem fazer, por isso é exatamente no que não queremos que seja feito que precisamos nos focar.

Com que palavra se educa uma criança: com o sim ou com o não? Com o não, claro! Hoje em dia, para poupar os filhos dos aborrecimentos do não, muitos pais deixam as crianças por conta própria, dizendo sim para tudo e, sem perceber, deixam passar um período de aprendizado extremamente importante. Os pais podem poupar seus filhos do não, sem dúvida, mas a vida não os poupará. Isso não é uma crítica, mas um fato. Fiquei estarrecida quando uma professora de educação infantil relatou o caso de uma criança que a agrediu fisicamente e atirou várias coisas em sua direção porque ouviu o primeiro não da sua vida! Quando os pais foram chamados à escola, vieram também os avós (porque é preciso muita gente para defender uma criança indefesa!), e foi aí que eles deixaram bem claro que "não pode falar não; ele não aceita!" E eu pergunto para você: que tipo de adolescente esse menino será? E, quando chegar à idade adulta, o que será dele e das pessoas que o cercarem? Não sei nem o que pensar...

Outro comentário que me deixou perplexa foi o de uma seguidora do meu canal do YouTube, em um vídeo no qual mencionei as onze regras de sucesso de Bill Gates. Como as regras foram citadas durante a formatura de uma escola americana, muitas se referem especialmente aos adolescentes. Entre as onze, uma delas diz: "Se você acha seu professor chato, espere até ter um chefe!" E foi aí que a seguidora comentou que, na empresa onde trabalha, alguns pais telefonam para tirar satisfações com o superior que deu bronca no filho. Gente, onde nós estamos? Isso não é poupar o filho, mas, sim, torná-lo um tirano... Nós não podemos tudo; nós precisamos do não para sermos pessoas civilizadas. O não é bom para nós!

Por isso, não deixe que coisas importantes fiquem nas entrelinhas; seja clara. Nós, mulheres, somos *experts* em esperar que o resto do mundo entenda nossos códigos: dizemos não quando queremos dizer sim, dizemos sim quando queremos dizer não, esperamos que o marido adivinhe que queremos sair no próximo final de semana, e falamos que aquele presente que queremos não é necessário (querendo que a pessoa entenda que é para comprar "ontem"!).

Isso não funciona. Simples assim. Fazemos isso a vida inteira, quebramos a cara todas as vezes, ficamos frustradas e, em seguida, fazemos tudo de novo! É preciso quebrar esse ciclo tanto nos relacionamentos pessoais quanto no trabalho. Você não está contente com algo que aconteceu na sua empresa? Procure o momento adequado e fale com a pessoa que resolve (não com a sua colega de trabalho, não com a amiga da academia, não com o porteiro do prédio, não com a mãe do amiguinho do seu filho). Fale apenas com quem resolve e não fale com mais ninguém. Quer que seu marido não deixe mais o sapato no meio da sala? Fale para ele, em momento oportuno, que aquele calçado no lugar errado a incomoda. Não faça cara feia, não bufe virando os olhos, não chute o cachorro, enfim, não faça nada para que ele adivinhe que você está aborrecida por causa do sapato, seja clara e diga do que se trata. A vida fica mais clara quando resolvemos ser mais diretas e práticas.

Por outro lado, procure desenvolver um radar para captar e entender o que há nas entrelinhas de coisas importantes (eu disse coisas importantes!). Se, por um lado, nós, mulheres, somos *experts* em enviar códigos, por outro, temos uma sensibilidade muito mais apurada para perceber as coisas que não estão às claras. E é por isso que esperamos que os homens nos entendam sem termos de falar tudo: porque nós entendemos sem que eles tenham de dizer tudo. Mas é preciso entender que não somos melhores nem piores do que os homens; somos apenas diferentes.

A Bíblia tem passagens muito claras, mas outras funcionam como uma caça ao tesouro, em que devemos escavar para extrair as preciosidades encobertas por camadas de terra. E também há passagens que lemos tantas vezes que acabamos deixando de meditar nelas, mesmo sem perceber. Uma delas é a que está na abertura do capítulo e que repito a seguir:

> *O Senhor te abrirá o céu, seu bom tesouro, para dar à tua terra chuva no tempo certo e para abençoar todas as obras das tuas mãos. E emprestarás a muitas nações, mas não tomarás emprestado* (Dt 28.12).

Quantas vezes você já leu esse versículo? Imagino que muitas. Mas, por acaso, conhecer essa passagem a impediu de pedir empréstimos? A mim não! Perdi as contas de quantas vezes já li isso, assim como perdi as contas de quantas vezes pedi empréstimos... A princípio, eu achava que Deus estava se referindo a um momento futuro, ou seja, quando eu fosse abençoada, não precisaria mais pedir empréstimo a ninguém, mas teria o suficiente para mim e para emprestar a muitos. Só que a ordem das coisas com Deus não é "Ele faz para depois eu fazer", mas, ao contrário, primeiro eu faço, para que depois ele faça, primeiro eu obedeço, para que depois ele me honre. Por isso, a partir do dia que entendi que eu deveria fazer a minha parte primeiro, nunca mais contraí empréstimos, mesmo nas ocasiões em que estive apertada financeiramente e com o crédito à disposição no aplicativo do banco no celular. O crédito hoje está a um clique de distância, mas, em contrapartida, os juros estão mais altos do que nunca.

É preciso entender duas coisas acerca da contratação de empréstimos e financiamentos:

1. A pessoa/instituição credora poderá ter direitos sobre seu CPF, seus bens e sua conta bancária (dependendo do tipo de negociação);
2. Você pagará juros.

As transações que envolvem empréstimos e financiamentos estão tão corriqueiras que não paramos mais para analisar quanto elas impactam na nossa vida e no nosso bolso. Por isso, vale a pena refletir a respeito. Ao contratar um empréstimo, você se coloca em uma posição vulnerável, pois passará a correr algum tipo de risco:

- Ter seu CPF negativado em caso de não honrar o compromisso;
- Pagar mais juros, caso atrase algum pagamento;
- Perder o bem financiado (no caso de veículos, imóveis etc.);
- Perder bens dados como garantia.

Isso para citar apenas alguns riscos, sem entrar no mérito de que, com o nome negativado, você pode perder oportunidades de emprego ou contratações como pessoa jurídica, pois há empresas que consultam o cadastro e não contratam quem tiver algum tipo de restrição. Também há o risco de perder o controle da dívida em caso de inadimplência, quando mais juros são acrescentados todo mês, aumentando o saldo devedor rapidamente.

A facilidade com que se concedem empréstimos hoje deveria ser vista com mais cautela, pois, se a oferta é grande, é porque o negócio é muito bom (para quem oferece). Com a onda dos empréstimos consignados a juros baixos, muita gente contratou mesmo sem precisar. É o tal negócio: quem não quer um dinheirinho a mais, não é mesmo? Mas quando você contrata um empréstimo, quem fica com um dinheirão a mais é o credor, não você. Um dos temas das palestras que dou em empresas é justamente voltado para funcionários que estão cheios de empréstimos consignados e precisam reorganizar o orçamento contando com menos dinheiro por um longo período de tempo. Há pessoas que comprometeram o salário pelos próximos quatro, cinco anos, por terem pegado um dinheiro que nem lembram em que foi gasto. É muito triste ver quanto essas pessoas perderam a motivação para o trabalho por conta de uma decisão tomada por impulso e sem a menor necessidade. Mais triste é saber de casos de senhoras aposentadas cujos parentes (na maioria das vezes filhos e netos), comprometeram a pequena pensão adquirindo consignados em nome delas só porque os juros pareciam tão baixos... Muito triste mesmo.

Por isso, pense muito bem antes de contratar um empréstimo, pois a vontade de Deus é que tenhamos para emprestar, e não que nos coloquemos em risco pegando emprestado. Se você está cheia de dívidas com empréstimos, organize suas contas, veja se há uma linha de crédito a juros mais baixos do que os juros que você está pagando atualmente, negocie bem e procure quitar tudo o mais rápido possível. Venda o que tiver à mão, faça uma renda extra, se necessário, mas livre-se da bola de neve dos juros compostos quanto antes.

E, se você não está nessa situação, ótimo! Mas considere uma coisa: empréstimos e financiamentos não são as melhores soluções para adquirir o que se quer. É muito melhor optar por fazer uma compra programada do que querer tudo agora e pagar mais caro depois. Veja um exemplo das vantagens que uma compra programada pode trazer para o seu bolso.

FINANCIAMENTO DE VEÍCULO X COMPRA PROGRAMADA[1]

Vamos usar como exemplo um comparativo entre a compra de um veículo no valor de 30 mil reais, por meio da modalidade de financiamento CDC

---

[1] Baseado em http://bolsablindada.com.br/financiamento-de-veiculo-vale-pena/.

(Crédito Direto ao Consumidor), a uma taxa média[2] de juros praticados pelo mercado de 2,5% ao mês e por um prazo de 48 meses.

Simulação de financiamento:

- Valor do veículo: R$ 30.000
- Entrada: (20%) R$ 6.000
- Valor financiado: R$ 24.000 + IOF
- IOF a pagar: R$ 432 (incluído no financiamento)
- Valor total a ser financiado (com IOF): R$ 24.432
- Tipo de financiamento: CDC
- Taxa de juros: 2,15% a.m.
- Prazo: 48 meses (4 anos)
- Valor das parcelas: R$ 821,04

O que você deve considerar não é apenas se o valor da parcela de R$ 821,04 cabe no seu bolso, mas, sim, qual o valor total que você vai pagar pelo veículo. Veja o exemplo da nossa simulação:

- Valor pago no financiamento: R$ 39.410 (48 X R$ 821,04)
- Total pago só de juros: R$ 14.977,70
- Valor total pago: parcelas + entrada = R$ 45.410

O que muitas pessoas **não sabem sobre financiamento de veículo** é sobre a existência da "tabela de amortização", e isso pode fazer toda diferença quando você financia um veículo com a intenção de adiantar as parcelas e quitar antes do prazo. O que acontece é que as primeiras parcelas amortizam uma proporção maior de juros e uma parte menor da dívida em si, ou seja, o banco/financeira "se paga" primeiro, abatendo uma parte menor sobre o saldo que você deve. Por isso, muita gente não entende por que paga, paga, paga e quando consulta o *status* do financiamento está com uma dívida mais alta do que seus cálculos mostravam.

---

[2] Taxa média usual no momento em que este livro foi escrito, podendo haver variações futuras para mais ou para menos.

OS FRACASSOS ESTÃO NAS ENTRELINHAS

A seguir, você vê os primeiros 12 meses da tabela de amortização referente à nossa simulação:

Mês	Parcela	Taxa	Juros	Amortização	Saldo devedor
1	R$ 821,04	2,15	R$ 525,29	R$ 295,75	R$ 24.136,55
2	R$ 821,04	2,15	R$ 518,94	R$ 302,11	R$ 23.834,44
3	R$ 821,04	2,15	R$ 512,44	R$ 308,60	R$ 23.525,84
4	R$ 821,04	2,15	R$ 505,81	R$ 315,24	R$ 23.210,60
5	R$ 821,04	2,15	R$ 499,03	R$ 322,02	R$ 22.888,58
6	R$ 821,04	2,15	R$ 492,10	R$ 328,94	R$ 22.559,64
7	R$ 821,04	2,15	R$ 485,03	R$ 336,01	R$ 22.223,63
8	R$ 821,04	2,15	R$ 477,81	R$ 343,24	R$ 21.880,39
9	R$ 821,04	2,15	R$ 470,43	R$ 350,62	R$ 21.529,78
10	R$ 821,04	2,15	R$ 462,89	R$ 358,15	R$ 21.171,62
11	R$ 821,04	2,15	R$ 455,19	R$ 365,85	R$ 20.805,77
12	R$ 821,04	2,15	R$ 447,32	R$ 373,72	R$ 20.432,05

Veja que as primeiras parcelas abatem muito mais de juros do que amortizam a dívida em si. Se você somar os valores das 12 primeiras parcelas, verá que no primeiro ano de financiamento terá pago R$ 9.852,48, mas terá amortizado apenas R$ 4.000,25. O valor de R$ 5.852,23 terá sido apenas para pagar os juros.

Mas aí você pode perguntar: "Como faço para comprar um carro se não tenho o valor à vista?" E a resposta é: faça uma compra programada. Programando a sua compra, você estará invertendo o jogo, ou seja, em vez de pagar juros, você receberá juros. Isso é totalmente possível se você se disciplinar para poupar a mesma quantia que pagaria pelo financiamento para fazer uma compra inteligente. Veja como a seguir.

Compra programada:

Vamos usar as mesmas condições do financiamento para que o comparativo seja o mais real possível. Utilizamos um investimento simples no Tesouro Selic com índices praticados quando preparamos a simulação, podendo haver mudanças para mais ou para menos no momento em que você lê este livro. Acompanhe os cálculos:

- Investimento inicial: R$ 6.000 (mesmo valor da entrada)
- Valor a ser investido mensalmente (o mesmo da prestação): R$ 820

Com esta aplicação você chegaria a um valor maior do que os 30 mil que precisa para comprar o carro em menos tempo do que o prazo de financiamento. Veja:

- Em 28 meses de aplicação, você chegará ao valor líquido de R$ 30.860
- Já foram descontadas as taxas (R$ 128) e o IR (R$ 499)
- O carro será quitado 20 meses mais cedo que no financiamento
- Sobrarão mais de R$ 800 para ajudar no pagamento do seguro, na documentação, em algum acessório extra ou no combustível durante um período

Resumo do comparativo:

Financiamento:

- O veículo de R$ 30 mil custará R$ 45.410 (um carro e meio)
- Serão necessários 48 meses para pagar (4 anos)
- Não sobrará nada para seguro, documentação etc.
- Se você não pagar as prestações, os juros serão ainda maiores e o veículo pode ser apreendido para pagar a dívida

Compra programada:

- O veículo de R$ 30 mil custará R$ 30 mil
- Serão necessários 28 meses para pagar (2 anos e 4 meses)
- Sobrarão mais de R$ 800
- Se você não puder investir em algum mês, não haverá penalidade alguma

Estas informações vão na contramão de tudo o que você vê todos os dias: anúncios e mais anúncios de bancos e financeiras mostrando que "as parcelinhas cabem no seu bolso" e que você pode ter o que quer agora mesmo, sem precisar juntar dinheiro, sem precisar esperar. E quem gosta de esperar? Ninguém, não é mesmo? E é por isso que, apesar de os juros serem altíssimos no Brasil, as pessoas consomem quase tudo de forma parcelada, mas, se há parcelamento, há juros.

Minha intenção não é fazer "terrorismo" e colocar as pessoas contra os bancos e as financeiras, nada disso! É conscientizar você (e as pessoas com quem você compartilhar essas informações) sobre as "letrinhas miúdas" que quase ninguém lê. Eu decidi não depender de bancos para adquirir o que quero, mas essa decisão é pessoal, e cada um deve guiar-se pelo que achar mais adequado para si. Porém, na próxima vez em que você for adquirir algo financiado ou pensar em contratar um crédito pessoal ou empresarial, não considere apenas as facilidades. As pessoas que oferecem esse tipo de operação financeira mostram o rosto, geralmente são bem-apessoadas, educadas, sorriem o tempo todo e tratam você como se fosse uma velha amiga. Já as pessoas que fazem as cobranças em caso de inadimplência não mostram a cara, telefonam o dia todo nos horários mais inconvenientes, muitas vezes se dirigem ao devedor de forma grosseira e constrangedora e o tratam como um criminoso. Pense na disparidade entre uma coisa e outra; reflita, não aja por impulso e lembre-se: o fracasso está nas entrelinhas.

18

ABUNDÂNCIA NÃO É DESPERDÍCIO

E da parte dos filhos de Judá tirou-se a herança dos filhos de Simeão, porquanto a porção dos filhos de Judá era muito grande para eles; assim os filhos de Simeão receberam herança no meio da herança deles.

Josué 19.9

JÁ VIMOS QUE DEUS É um Deus de grandeza, riqueza e abundância, porém, assim como tudo o que provém do Altíssimo, há também equilíbrio. E uma das coisas que devemos aprender é que abundância não tem nada a ver com desperdício.

Uma mesa abundante não é aquela em que, ao final da refeição, todos estão passando mal devido ao consumo exagerado de comida, nem é aquela em que boa parte dos alimentos vai para o lixo. A mesa abundante é aquela que supre as necessidades de cada pessoa, sem lhes faltar nada e sem nada ser desperdiçado.

Na passagem de abertura deste capítulo, vemos que Deus não concedeu à tribo de Judá uma extensão tão grande de terras a ponto de eles não conseguirem administrá-las. A boa terra que ele mesmo preparou para o seu povo, a nação escolhida, era abundante, sem dúvida, mas não estava ali para ser desperdiçada.

Outro momento que deixa claro quanto Deus não aprova o desperdício é a instituição do *Pessach*, a "Páscoa Judaica", também conhecida como "Festa da Liberdade", antes de os hebreus deixarem a escravidão no Egito.

> *Dizei a toda comunidade de Israel: No décimo dia deste mês, cada um tomará para si um cordeiro, conforme a família dos pais, um cordeiro para cada família. Mas, se a família for pequena demais para um cordeiro, deverá comê-lo com o vizinho mais próximo de sua casa, conforme o número de pessoas. Calculareis o cordeiro conforme a porção adequada para cada um* (Êx 12.3-4).

O texto é tão claro que dispensa comentários, mas vamos apenas relembrar o contexto: os hebreus viveram como escravos no Egito por mais de quatrocentos anos e, finalmente, estavam fazendo sua última refeição como "propriedade do faraó". No dia seguinte, eles partiriam como um povo livre, que teria sua própria terra e viveria sob as leis de Deus. Imagine quão esperada havia sido aquela festa! Para Deus, festa significa abundância, mas jamais desperdício. Ele foi muito direto ao definir como o cordeiro deveria ser dividido e que o cálculo deveria se basear em uma porção adequada para cada pessoa. Nem mais, nem menos.

Sempre que as pessoas me perguntam qual é o segredo para ter um orçamento saudável, respondo com uma palavra: equilíbrio. Infelizmente, mais uma vez a cultura brasileira joga contra o sucesso financeiro, pois o "sonho" de muita gente se resume à frase: "Um dia eu vou ficar muito rico!" Veja que curioso, o pensamento não é trabalhar todos os dias para conquistar riqueza ao longo da vida, mas, sim, **esperar** por **um dia** em que toda a riqueza irá "aparecer". Chega a ser até fantasioso e infantil, porém muita gente não só acredita nisso, como baseia sua vida nessa expectativa.

Para que você entenda melhor o que significa equilíbrio, vou usar o exemplo do 13º salário a fim de ilustrar como a falta de constância pode prejudicar um orçamento mesmo quando supostamente deveria beneficiá-lo.

O brasileiro está tão acostumado à máxima de que "dinheiro foi feito para gastar" que, conforme o final do ano se aproxima, começa o frenesi pelo recebimento do 13º salário. Como jornalista, posso afirmar que uma das pautas que nunca falta nessa época é descobrir o que as pessoas farão com esse dinheiro "extra" (você já vai saber por que a palavra "extra" está entre aspas). Os institutos de pesquisa saem a campo para entrevistar as pessoas e suprem as redações com informações como: "Este ano X% da população afirma que usarão o 13º para pagar dívidas adquiridas durante o ano, X% gastarão com as compras de Natal e X% pretendem poupar parte do dinheiro". Invariavelmente o número de pessoas que têm a intenção de poupar é bem menor do que os que vão dar um fim no dinheiro antes mesmo de o ano acabar.

Esse movimento todo ao redor de um suposto dinheiro extra nada mais é do que uma grande ilusão. Muitos trabalhadores ainda acreditam que o 13º salário é um bônus e lutam com unhas e dentes para que esse "benefício" seja mantido, mas não, não se trata de benefício algum. Pior que isso: essa injeção de dinheiro em um único mês maquia os números da economia e dá a falsa sensação de que todo mundo está "mais rico". Mas vamos por partes.

Se você acha que a CLT (Consolidação das Leis do Trabalho) garante ao empregado trabalhar 12 meses por ano e receber 13 salários, você está enganada. Agora você pode estar pensando: "Como assim, Patricia? A gente trabalha 12 meses e recebe 13 salários sim!" E tem gente que até prova mostrando a conta, como você pode conferir no exemplo a seguir, considerando um salário de 3 mil reais mensais:

Salário mensal = R$ 3.000
Salário anual sem o 13º salário: R$ 3.000 X 12 meses = R$ 36.000
Salário anual com o 13º salário: R$ 3.000 X 13 meses = R$ 39.000

Quem tem um salário mensal de R$ 3.000 realmente recebe R$ 39.000 por ano, mas isso não significa que se trata de um salário extra. Complicou? Que nada, você vai entender rapidinho que a história não é bem assim!

Para o cálculo dos salários, é considerado que um mês é composto de quatro semanas, logo, 4 semanas X 12 meses = 48 semanas por ano. Veja o cálculo:

Salário base mensal = R$ 3.000
Salário semanal = R$ 3.000 : 4 = R$ 750
Salário anual: R$ 750 X 48 semanas = R$ 36.000

Daí, supostamente a pessoa "ganha" um salário a mais no final do ano e fica muito feliz com esse "direito trabalhista". Porém, apesar dessa conta estar matematicamente certa, o resultado é irreal, pois **você não trabalhou apenas 48 semanas, mas, sim, 52**. O 13º salário foi instituído para incluir essas 4 semanas que faltavam na conta. Sendo assim, a pessoa tem direito – pela lógica matemática, e não pela CLT – a exatos 3 mil reais que, por conveniência, receberam o nome de 13º salário. Afinal, ninguém queria alertar que as pessoas recebiam menos que o devido e causar um pandemônio! Na verdade, a pessoa está apenas recebendo, no final do ano, todos os dias a mais que trabalhou ao longo do ano inteiro. Então, onde está o salário extra mesmo?

Veja como seria o cálculo se o 13º fosse realmente um salário a mais no final do ano:

Salário base mensal = R$ 3.000
Salário semanal = R$ 3.000 : 4 = R$ 750
Salário anual: R$ 750 X 52 semanas = R$ 39.000
Salário mensal correto = R$ 3.250 (R$ 39.000 : 12 meses)
Salário extra = R$ 3.250
Total anual = R$ 42.250

Além de reter o dinheiro que deveria ser pago mensalmente e injetá-lo de uma vez só na economia, o mito do 13º salário causa outra grande ilusão: que o final do ano é época de lucrar mais. Para atender à grande demanda, os fabricantes têm de contratar pessoal extra, o que obviamente aumenta custos e despesas. Os lojistas, por sua vez, também contratam pessoal temporário para suprir o aumento da demanda. Essa é a época do ano em que tudo fica mais lento e mais caro. E isso inclui desde o trânsito carregado que eleva o consumo de combustível, até a ampliação do horário de funcionamento do comércio em geral, que encarece todas as despesas dos lojistas (horas extras, pessoal temporário, mais água, mais luz, mais telefone, mais segurança, mais publicidade etc.). Vende-se mais, porém gasta-se bem mais também. No final das contas, tudo não passa de mais uma ilusão.

Mas a **sensação** de estar com mais dinheiro traz outras consequências prejudiciais para o bolso. Entra ano, sai ano, e as empresas de proteção ao crédito apontam o mesmo comportamento: muitos pagam suas dívidas no final do ano, limpam o nome, mas, em abril ou maio, voltam a figurar na lista dos inadimplentes. E por quê? Uma das causas é exatamente essa sensação de "mais dinheiro", que faz as pessoas acharem que podem gastar mais. Não é difícil encontrar pessoas que, quando ganhavam um salário menor, não eram endividadas, pois mantinham tudo na ponta do lápis, mas, depois de receberem um aumento, entraram em dívidas e não sabem nem como isso foi acontecer. É ilusão, falsa sensação ou qualquer nome que deixe claro que não se trata de algo real. E, se quisermos resumir em uma única palavra, reitero o que eu disse anteriormente: desequilíbrio.

Seria muito mais saudável, tanto para a economia como um todo quanto para o seu bolso, que houvesse mais equilíbrio. Que os salários fossem explicados abertamente e de forma clara, que cada pessoa lembrasse que todo início de ano as despesas sobem (IPTU, IPVA, matrícula, material e uniforme escolar e por aí vai), que há meses que gastamos mais que outros (época de renovação de seguros, de fazer alguma melhoria em casa, gastos com viagens de férias) e que imprevistos acontecem (alguma doença, quebra de um equipamento, manutenção do carro etc.). Apesar de esses acontecimentos serem comuns na vida de todo mundo, poucos são aqueles que se prepararam para manter o equilíbrio. Imagine se o faraó do Egito não atendesse ao conselho de José e se esbaldasse nos anos de fartura, não armazenando parte da colheita abastada durante os sete anos de vacas gordas? A fome que viria pelos sete anos seguintes aniquilaria aquela sensação de "riqueza que não acaba mais". Riqueza acaba, principalmente quando a pessoa é perdulária e desperdiçadora. Deus é o Senhor da abundância, mas não aprova o desperdício, como podemos constatar nas passagens a seguir:

"Na casa do sábio, sempre há tesouro precioso e azeite, mas o homem insensato os desperdiça" (Pv 21.20).

"Por que gastais o dinheiro naquilo que não é pão? E o produto do vosso trabalho naquilo que não pode satisfazer? Ouvi-me atentamente, comei o que é bom e deliciai-vos com finas refeições" (Is 55.2).

É bem verdade que a linha que divide a abundância do desperdício é bem tênue, mas faz toda diferença entre agradar ou não a Deus. Por isso, devemos manter o equilíbrio e saber que temos o direito de possuir o melhor desta terra, mas devemos fazer uso de tudo com sabedoria e de acordo com a nossa necessidade. Para entender um pouco mais esse conceito, vamos analisar algumas formas comuns de desperdiçar dinheiro e que, obviamente, devem ser abolidas da nossa vida.

AQUISIÇÃO DE PASSIVOS E A LUTA CONTRA O DESPERDÍCIO

Há certa confusão quando o assunto é aquisição de ativos e passivos, então vamos esclarecer um pouco o assunto. Ativo é o conjunto de bens que uma pessoa ou empresa possui, e passivo são as obrigações e dívidas. Automóveis são exemplos bem simples de passivos comumente confundidos com ativos. A pessoa começa a prosperar e logo pensa em comprar um automóvel para começar seu "patrimônio". Normalmente ela junta o valor para dar de entrada e financia o restante, em parcelas que "cabem no bolso". Do ponto de vista financeiro, essa pessoa não tem nenhum patrimônio; ao contrário, acaba de contrair uma dívida que, no final do parcelamento, terá tirado de sua conta o valor de, no mínimo, um carro e meio. Pior que isso é saber que aquele bem valerá muito menos do que valia na época em que foi adquirido devido à desvalorização causada pela depreciação. Além disso, um veículo traz despesas de IPVA, manutenção, combustível, seguro e outros custos chamados de gastos acessórios, como lavagem, estacionamento etc.

Se uma empresa bem administrada precisa de dez carros para fazer o trabalho acontecer, ela certamente não terá onze, pois esse carro extra só iria trazer gastos sem aumentar o lucro. Mas, como pessoa física, esse tipo de pensamento raramente passa pela cabeça da maioria das pessoas, pois normalmente não se adota a prática de reduzir perdas e gastos. Empatar dinheiro em quatro carros quando você efetivamente usa um ou dois não é uma boa estratégia financeira. Essa "abundância" pode até lhe trazer *status*, mas não vai muito além disso. Acumular coisas além do que realmente podemos administrar pode tornar-se um ralo de dinheiro, ou seja, desperdício. É comum que pessoas que tiveram um passado de necessidade e privação confundam abundância com desperdício.

A medida do que Deus nos dá é descrita como "cheia, generosa e transbordante" (Lc 6.38), e ele promete que teremos o suficiente para nós mesmos e para emprestar a muitos, sem termos de tomar empréstimos (Dt 28.12). Mas você não encontrará em toda a Bíblia uma única linha de conivência com o desperdício. Os ensinamentos de Deus sempre requerem uma ação e nunca um enterrar de talentos. Se teremos dinheiro além do que precisamos, não é para "torrar", mas, sim, com o intuito de darmos testemunho a muitas pessoas, de ajudarmos a quem precisa, e não para gastarmos à toa, esbanjando o que ele nos deu. A pessoa que tem a intenção de prosperar apenas para atender a seus próprios exageros é considerada alguém que "pede errado", como diz o texto de Tiago 4.3:

> *Pedis e não recebeis, porque pedis de modo errado, só para gastardes em vossos prazeres.*

Deus não aprova gastos por puro capricho ou com aquilo que não é pão (Is 55.2). Tudo o que excede os limites e não é utilizado nem revertido em bem para algo ou alguém, cai na categoria do desperdício e, portanto, não agrada a Deus. Do Altíssimo vêm a abundância, a fartura e a prosperidade, mas a perda, o gasto inútil, os excessos e as vaidades não provêm de Deus. Se você quer passar a ser uma pessoa mais consciente com seus gastos e abolir o desperdício da sua vida, veja algumas medidas que podem ser tomadas:

1. **Pare de comprar aquilo de que você não precisa** – seja no supermercado, na rua, no *shopping* ou em gastos pequenos, médios ou grandes. Comprar coisas das quais não precisamos é jogar dinheiro fora, por isso detecte quais são as compras que você faz por costume, mas que só entulham sua casa, geladeira ou despensa à toa. Corte isso, e sobrará dinheiro para ser mais bem empregado.
2. **Fique de olho nas contas de consumo** – você já sabe que tomar banhos demorados, escovar os dentes com a torneira aberta ou deixar luzes acesas e aparelhos ligados onde não há ninguém é puro desperdício. Então, adquira o hábito de verificar cada ambiente antes de sair e de tomar medidas que não desperdicem esses recursos e o seu dinheiro. Especialmente em relação à água, nos prédios onde a conta é única e dividida igualmente pelo número de apartamentos, o consumo vai às alturas. Isso porque as pessoas acham que o vizinho sempre está gastando mais, então elas vão gastar também, uma vez que pagarão valores iguais. Essa concorrência para ver quem gasta mais, além de parecer coisa de criança, só encarece a conta para todo mundo. Sejamos conscientes em fazer a nossa parte.
3. **Não pague por produtos e serviços que você não usa** – há várias coisas em que você deve ficar de olho, por exemplo, assinaturas diversas e aplicativos pagos por mês. Se você fez assinatura de algum serviço que fazia sentido, mas agora não está usando mais, cancele. Se todo mês

você recebe algum tipo de produto por assinatura, mas não dá conta de consumir, cancele. Fiz uma assinatura de cápsulas de café, mas percebi que eram muitas e estavam acumulando a ponto de não conseguirmos usar antes de vencer. No começo, parecia que a economia seria grande, mas depois vi que podia virar desperdício e passei a tesoura! Também cortamos a TV a cabo, pois mal tínhamos tempo de assistir (além da programação ser tão repetida que dava até nervoso!). Corte o que está demais por aí também.

4. **Tarifas, taxas de manutenção e anuidades** – bancos e cartões de crédito lucram alto cobrando esse tipo de taxa que, no fundo, não traz benefício algum. Você não é obrigada a pagar taxa de manutenção de conta pessoa física (o mesmo não se aplica à pessoa jurídica), caso use apenas os serviços básicos gratuitos. Não importa qual seja o seu banco, você tem direito a um pacote mínimo de serviços para pessoa física sem pagar nada. Consulte o *site* do Banco Central (www.bcb.gov.br) e veja se os serviços gratuitos são suficientes para você. É melhor pagar quando e se usar do que pagar todo mês para usar apenas de vez em quando. Prefira também cartões de crédito que não cobrem anuidade ou ligue na operadora do seu cartão e veja se eles podem deixar sua anuidade como cortesia. Eles não são obrigados a dar a anuidade, mas não custa tentar.

5. **Não invista demais em tecnologias que se tornam rapidamente obsoletas** – se você vai instalar um novo aparelho de ar-condicionado na sua casa, aconselho que compre o mais *high tech* que seu dinheiro possa pagar, pois é o tipo de coisa que você não vai trocar tão cedo. Mas, se você vai comprar algo que, em breve, ficará obsoleto – como um celular, por exemplo – não invista demais. Comprar uma tecnologia assim que ela é lançada é ruim por dois motivos: estará com o preço mais caro possível (porque depois do lançamento o custo sempre cai) e você não tem como saber se aquele produto veio com algum problema. Meus celulares sempre foram iPhones, mas não o último modelo lançado (a não ser o 6, que comprei nos Estados Unidos por menos da metade do que se paga no Brasil). Há três anos uso o mesmo celular e só vou trocar pelo 10 (que é o mais recente). quando não for mais novidade!

6. **Mude anualmente seu plano de celular** – eu tenho um compromisso todo mês de julho: ir pessoalmente à loja da minha operadora de

celular trocar meu plano antigo por um mais novo. No ano passado, aumentei o pacote de internet de 5 para 16 Gb e, mesmo assim, passei a pagar 62 reais a menos na conta mensal. As operadoras estão sempre criando pacotes novos que podem ser mais adequados ao seu uso e custar menos. Vale a pena marcar esse compromisso anualmente na sua agenda.

7. **Dê preferência aos medicamentos genéricos e aos produtos de marcas próprias em supermercados** – ainda há muita gente que acha que remédio genérico não faz efeito. Entrevistei vários médicos e farmacêuticos e todos dizem a mesma coisa: genéricos são os mesmos medicamentos, só que sem marca. A marca custa mais caro sim, mas, a menos que você se importe em dizer que a sua dor de cabeça passou com o comprimido da "grife" X, não faz sentido pagar mais pela mesma coisa! Experimente também usar produtos de marcas próprias de supermercado. As grandes redes não fabricam os produtos que levam suas marcas, por isso escolhem ótimos fabricantes para fazê-lo; afinal, eles conhecem todos e jamais colocariam em risco o nome do estabelecimento para vender produtos ruins. Geralmente esses produtos – tanto alimentos como higiene e limpeza – são muito bons e têm preços mais baixos. Uso vários e recomendo.

8. **Está sobrando? Venda!** – hoje em dia existem *sites* para vender tudo e mais um pouco. Dê uma busca na sua casa e, se estiverem sobrando roupas, calçados, brinquedos, eletrodomésticos, móveis etc., coloque para vender. Fotografe da melhor maneira possível, busque *sites* confiáveis e faça aquilo que estava entulhando a sua casa virar dinheiro.

9. **Não compre em altas temporadas** – todo mundo sabe que em altas temporadas as coisas estão sempre mais caras, mas muita gente ainda é pega desprevenida, como, por exemplo, com o material escolar. Todo início de ano é aquela corrida maluca para comprar **tudo** o que a escola pede. Há, porém, um detalhe que passa despercebido a muita gente: por que você precisa comprar **tudo** no começo do ano? Nenhuma escola pode obrigar os pais a comprarem a lista completa no começo do ano, por isso verifique o que será usado no primeiro bimestre e compre apenas isso. Passada a correria das compras, os preços vão baixar e você poderá ir comprando o restante aos poucos, conforme o uso. Além da economia, você notará que seu filho não

vai usar tudo o que a escola pediu e poderá cortar vários itens que estavam lá à toa. Olho vivo!
10. **Não vá ao supermercado sem uma lista** – você já sabe disso, mas não custa reforçar! Assim que terminar um produto na sua casa, tenha o costume de ir anotando para repor. Dessa forma, além de ter a lista pronta e não precisar parar para escrever tudo de uma vez, você só comprará o que estiver na lista, deixando de gastar com o que já tem ou com o que não será usado.

Essas são apenas dez dicas do que você pode fazer para parar de jogar dinheiro fora, porém não se prenda a elas achando que, se esses exemplos não se encaixam na sua vida, não há nada a fazer. A ideia é que você analise todos os seus gastos e contas a pagar e veja se há alguma coisa que pode ser reduzida ou eliminada. Vai valer a pena, e seu bolso vai agradecer.

19

A DIETA FINANCEIRA

E não nos cansemos de fazer o bem, pois, se não desistirmos, colheremos no tempo certo.
Gálatas 6.9

NO CAPÍTULO 6, MENCIONEI UMA das perguntas mais frequentes recebidas no meu *blog*: "O que fazer quando equilibramos as contas, mas depois voltamos a nos endividar?" Mencionei também a resposta simples que costumo dar: "Continue fazendo o que fez para equilibrar as contas!" Mas, pela alta recorrência da pergunta e por ver que essa resposta não satisfazia à maioria das leitoras, resolvi me aprofundar um pouco mais no assunto para entender o que as leva a cometer o mesmo erro e também tentar formular uma explicação melhor. Aliás, o estudo do comportamento humano é algo que me interessa muito. Gosto de entender o motivo pelo qual as pessoas fazem o que fazem, pensam como pensam, compram como compram e tudo mais que as move a ser como são. Se eu fosse fazer uma faculdade hoje, certamente seria de sociologia; afinal, existe coisa mais interessante do que gente?

E foi conversando com uma pessoa muito interessante que, juntas, chegamos à conclusão de que dieta e finanças caminham lado a lado. Estava eu em Porto Alegre quando, ao término do meu *workshop*, uma amiga muito querida me aborda com toda pressa:

- Paty, querida, tenho de correr, mas não podia deixar de te convidar para passar lá em casa amanhã, antes de você voltar para São Paulo. Vou receber uma pessoa muito interessante que conheci esta semana e você também precisa conhecê-la! Não tenho a menor ideia se vocês podem fazer alguma coisa juntas, mas como sei que tu gostas de conhecer gente do bem, vem conhecer a Remi. Depois te passo um WhatsApp, beijo!

E lá se foi a Cláudia correndo para o estacionamento enquanto eu fiquei pensando: "Como ela sabe que eu gosto de conhecer gente do bem?" Engraçado como emitimos sinais o tempo todo sobre nós mesmas, ainda que sem perceber! É a mais pura verdade: eu amo conhecer pessoas. Ainda mais pessoas como a Remi!

No dia seguinte, chego à casa da Cláudia para passar uma tarde entre amigas, coisa que não fazia havia muito tempo. E eis que chega uma nigeriana alta, magra, linda e com um sorriso encantador. Pensei: "A Cláudia não me disse que a Remi era modelo!" Tratava-se de Remilekun Owadokun, ex-estilista formada na Itália, cujos clientes eram artistas e cantores famosos em seu país de origem. Remi abandonou todo o *glamour* do mundo da moda quando percebeu que aquele trabalho não a fazia feliz. Ela queria algo mais, só não sabia o quê. Apesar de estar muito acima do peso, ela nunca havia se incomodado com isso, mesmo convivendo com modelos e celebridades o tempo todo, até que um namorado a chamou de gorda, de forma bastante pejorativa. Aquela ofensa foi, na verdade, um estalo que a despertou para o fato de que ela não estava feliz consigo mesma, por isso se vestia de qualquer jeito e comia muito mais do que o necessário. Escondia-se cada vez que via uma câmera e só saía em fotos se estivesse atrás de todo mundo, dando a desculpa de que era a mais alta. Remi decidiu mudar e, antes de buscar um trabalho que a fizesse feliz, priorizou fazer-se feliz primeiro. Por conta própria, ela desenvolveu um método de emagrecimento, pois ninguém a conhecia mais do que ela mesma. Ela perdeu 40 quilos, escreveu o livro *How I lost 40 Kg – The journey that changed my life* (Amazon digital services, 2016), contando sua experiência, e hoje ela trabalha ajudando outras pessoas a terem uma vida mais saudável. Filha de brasileira, Remi lançou o livro também em português *Como eu perdi 40 quilos – a jornada que mudou minha vida*.

Durante a conversa, fomos percebendo quanto nossas histórias eram parecidas; afinal, eu também escrevi um livro – *Bolsa blindada* –, contando como paguei uma dívida enorme, depois de ter criado meu próprio método de organização financeira, e também por trabalhar ajudando pessoas a cuidarem melhor do seu dinheiro. Nós não descobrimos nenhum conceito novo, apenas percebemos quanto a dieta alimentar e a "dieta financeira" são parecidas e que, para ter o controle sobre ambas, não basta apertar o cinto ou fechar a boca temporariamente; é preciso que haja uma mudança de vida, uma reeducação. Veja se não é a mais pura verdade!

Ciclo alimentar vicioso:	Ciclo financeiro vicioso:
• A pessoa sabe que está engordando, mas continua comendo	• A pessoa sabe que está gastando demais, mas continua comprando
• Para não ficar chateada, evita subir na balança	• Para não ficar chateada, evita fazer contas
• Compra roupas de tamanho maior para ter a impressão de que estão largas	• Faz um empréstimo para ter a impressão de que o dinheiro está sobrando
• Quando não há mais jeito, sobe na balança e se desespera com o peso	• Quando não há mais jeito, tira um extrato e se desespera com o saldo
• Decide fazer uma dieta radical para emagrecer mais depressa	• Decide fazer cortes radicais para pagar as dívidas mais depressa
• Emagrece, mas passa fome, priva-se de tudo, fica doente, sofre	• Paga as dívidas, mas passa necessidade, priva-se de tudo, fica desmotivada
• Passa a detestar a palavra "dieta"	• Passa a detestar o verbo "economizar"
• Volta à vida normal, comendo tudo o que quer para descontar o período de privações e engorda ainda mais!	• Volta à vida normal, comprando tudo o que quer para descontar o período de privações e passa a dever ainda mais!

O que precisamos entender é que, assim como devemos nos manter no peso ideal, comendo aquilo de que necessitamos, sem exageros que nos façam viver no tão nocivo efeito-sanfona, devemos também manter o orçamento equilibrado, vivendo dentro das nossas posses, sem exageros que prejudiquem nosso orçamento e nos façam viver de altos e baixos.

Não é à toa que Deus nos deixou o versículo que abre este capítulo, pois nos cansamos muito facilmente de fazer o bem. Nós nos acostumamos rápido com hábitos nocivos e custa muito nos livrar deles, mas, uma vez que conseguimos, devemos fazer todos os esforços para manter uma boa conduta. É comum ouvirmos desabafos como: "Cansei de ser boazinha" e "De hoje em diante vou chutar o pau da barraca!" Fazer as coisas da forma correta e manter bons hábitos não é natural ao ser humano.

A DIETA FINANCEIRA

É preciso esforço, mas como diz a Palavra: "Se não desistirmos, colheremos no tempo certo".[1]

Para manter as contas equilibradas, não existe segredo: é preciso prestar muito mais atenção no que você gasta do que no que você recebe. Se você é funcionária, já sabe quanto entra todo mês, então foque no que sai. Anote todos os seus gastos, mantenhas suas planilhas atualizadas e não faça isso apenas em momentos de aperto, mas sempre. O ideal é que você tenha planilhas mensais para os próximos seis ou doze meses, a fim de visualizar um panorama mais completo das suas finanças. Isso evitará, por exemplo, que em um mês que você receba mais – como em época de 13º salário –, você gaste mais, esquecendo-se de que em janeiro e fevereiro haverá mais despesas. Visualizando os meses seguintes, você saberá antecipadamente que precisará de dinheiro para cobrir gastos maiores e inevitáveis como IPVA, IPTU etc.

O seu saldo bancário não deve ser uma surpresa para você, mas apenas um informativo de conferência. Ele não deve trazer débitos dos quais você não se lembra ou tarifas que você não contabilizou na sua planilha. Se você gosta de viver intensamente, vá dar uma volta de montanha-russa ou salte de paraquedas, porque emoções fortes diante do extrato bancário raramente são um bom sinal!

Seja responsável por como você cuida do seu dinheiro, pense antes de gastar, de contratar serviços, de assumir compromissos e não tente manter um padrão de vida incompatível com sua renda. Como você administra seu dinheiro diz muito sobre quem você é. Se você é do tipo que vive endividada, que compra e não paga, e está sempre correndo atrás de dinheiro para tapar os buracos que faz no seu orçamento, passará uma imagem de pessoa em quem não se pode confiar, irresponsável, que não pode ser levada muito a sério. Seu bom testemunho também depende disso!

---

[1] [NR] Gálatas 6.9.

TRÊS CHAVES PARA O SUCESSO

Assim diz aquele que é santo, verdadeiro, o que tem a chave de Davi; o que abre e ninguém pode fechar, e o que fecha e ninguém pode abrir.
Apocalipse 3.7

A ESTA ALTURA, VOCÊ JÁ deve ter notado que o sucesso é composto por uma série de atitudes combinadas e executadas com constância, que ele não acontece por acaso e que não vai bater à sua porta em um belo dia de sol e calor. O sucesso se encontra seguro, atrás de várias portas – bem trancadas – e só é alcançado por quem tiver as chaves certas.

Neste capítulo final, quero deixar três chaves fundamentais para você abrir as portas do sucesso. Tenha em mente que será necessário guardar estas chaves sempre, pois, ao longo da sua trajetória, você terá de usá-las várias vezes. Elas deverão estar à mão o tempo todo para que você não seja pega desprevenida e tenha de atrasar sua caminhada se alguma porta se fechar. Nem sempre encontraremos portas abertas, por isso ter a chave certa no momento certo é crucial para chegar à reta final.

Cada uma das chaves se baseia em uma passagem bíblica que vai ao encontro dos maiores problemas enfrentados por quem quer alcançar o sucesso. São situações que acontecem com todo mundo, mas que, se não forem resolvidas da forma correta, se instalam e resultam em fracasso. Mas isso não vai acontecer com você, pois tenho certeza de que, a partir de hoje, você pendurará essas chaves no pescoço e não descuidará de nenhuma delas. Vamos lá?

1. PRATIQUE O CONHECIMENTO

Todo aquele, pois, que ouve estas minhas palavras e as põe em prática será comparado a um homem prudente, que edificou sua casa sobre a rocha (Mt 7.24).

Uma das chaves não só para o sucesso profissional, mas para abrir muitas portas na vida, é praticar o conhecimento que se tem. Muitas pessoas se enchem de informações, fazem cursos, assistem a palestras, leem livros, mas apenas enchem o cérebro de coisas que acabam ficando por lá mesmo e que, cedo ou tarde, serão esquecidas. Quem não pratica o conhecimento dificilmente sairá do lugar por seus próprios méritos.

Não estou falando que, para alcançar o sucesso, é preciso ser cheia de conhecimento, mas, sim, que é preciso praticar o que se sabe, seja pouco ou muito. Não adianta saber dez coisas e não praticar nenhuma. É muito melhor saber uma e praticá-la com excelência para, depois, aprender mais uma e, novamente, colocá-la em prática. Dessa forma, passo a passo, a pessoa vai crescendo e conquistando.

O mundo está cheio de teóricos, gente que supostamente tem solução para tudo, mas que não se levanta do sofá nem para buscar um copo d'água, que não conhece o dia a dia da vida prática nem as dificuldades de realizar qualquer coisa que seja. Esse tipo de pessoa costuma ser aquela que desmotiva todo mundo, que emite raios "problematizadores" o tempo todo, que "só não faz o que você quer fazer porque sabe que não vai dar certo".

Lembro-me de ter assistido a uma aula magna a convite de uma faculdade em um momento em que eu estava com mil coisas para fazer. Investi uma hora e meia do pouco tempo que eu tinha não só para atender ao convite, mas para tirar algum proveito do conhecimento que seria transmitido. Fiz diversas anotações e saí dali com um projeto semipronto, bastando apenas uns toques finais para aperfeiçoá-lo e colocá-lo em prática. Dois meses depois, encontrei uma pessoa que esteve comigo na mesma aula e, durante a conversa, ela elogiou meu projeto e perguntou de onde eu havia tirado aquela ideia. Respondi que tudo surgiu da aula a que assistimos juntas, mas, para minha surpresa, ela disse que não se lembrava de nada daquilo e ainda tentou me convencer de que eu devia estar fazendo alguma confusão, que não devia ter sido daquela aula, mas de outra. Impossível ser de outra, pois eu só havia assistido àquela...

Você não precisa acumular muito conhecimento para, então, começar a agir. Se há uma coisa que me entristece é quando alguém me escreve dizendo: "Acompanho seu *blog* diariamente e li todos os seus livros, mas minha vida financeira ainda está uma bagunça. Você dá consultoria particular?" É realmente muito frustrante ver que as pessoas se enchem de dicas e informações, mas não empregam nada em sua vida. Elas preferem contratar alguém para fazer algo que já pagaram para aprender e que poderiam realizar por conta própria. E esse é um dos motivos pelos quais não dou consultoria particular. Meu trabalho não é fazer o que as pessoas têm de fazer, mas ensiná-las a fazer. Ao término de um dos meus cursos de precificação, um aluno pediu a palavra e disse estar saindo insatisfeito, pois achava que, ao final do curso, teria todos os seus produtos e serviços precificados, mas isso não havia acontecido. Minha resposta foi: "Quando você quer aprender a fazer, você vai a um curso; quando você quer que alguém faça para você, você contrata uma consultoria". O aluno não se deu por vencido e disse que estava indo para casa sem levar o que queria. Repassei todo o cálculo e perguntei se, com aquela informação, ele seria ou não capaz de precificar tudo por conta própria. Ele disse que seria, mas que teria sido mais fácil sair com tudo pronto e, por isso, continuava insatisfeito. Na hora fiquei bem aborrecida, mas depois realinhei meu alvo e reafirmei minha posição: não trabalho para pessoas que não querem aprender.

Minha alegria é quando recebo e-mails como este: "O *post* de hoje no *blog* abriu meus olhos e já sei exatamente o que fazer. Se aprendi tanto com um texto só, imagine o que farei quando puder comprar um de seus livros. Vou arrebentar!" Essa pessoa está mais do que certa: com essa atitude, ela só pode mesmo arrebentar!

Planejamento é bom, mas se você não partir para a prática, nunca sairá da estaca zero. A prática costuma amedrontar as pessoas, pois não é possível ter o controle de tudo o que acontece, as coisas não saem como na teoria e a gente se sente perdida. Mas é só por meio da experiência do dia a dia, dos erros e dos acertos que vamos aprender de fato. É como um bebê que começa a aprender a caminhar. Ele ainda não tem linguagem, não aprende por meio de explicações teóricas e não tem o devido equilíbrio para usar as pernas. Mesmo sem ter nenhum problema físico que o impeça de andar, o bebê precisa **desenvolver a prática** do caminhar. Ele vai começar se arrastando, depois vai engatinhar, vai se apoiar em alguma coisa para ficar de pé, vai se sentir inseguro, perder o equilíbrio, tropeçar, cair, chorar e até ganhar alguns machucados, mas acabará levantando e tentando novamente. Com a prática constante, é certo que ele vai andar, adquirir naturalidade e, daqui a pouco, já estará correndo.

Da mesma forma, no início as coisas não parecerão naturais, você terá de fazer mais esforço, não se sairá tão bem assim, as pessoas vão rir de você, vão criticá-la e apontar seus erros, mas, quando você superar essa fase, essas mesmas pessoas terão duas escolhas: ficar caladas ou parabenizar você.

Por isso, não enterre os seus talentos, não tenha medo de praticar seu conhecimento, pois essa é a melhor forma de aprender: fazendo!

2. NÃO ABRA AS PORTAS DA SUA VIDA

Ezequias se alegrou com eles e lhes mostrou o lugar do seu tesouro, a prata, o ouro, as especiarias, os óleos finos e todo o seu arsenal, e tudo quanto se achava nos seus cofres. Ezequias não deixou de mostrar coisa alguma de sua casa ou de seu reino (Is 39.2).

O capítulo 39 de Isaías descreve a visita dos mensageiros da Babilônia a Ezequias, rei de Judá, e as consequências desse erro a todo o reino. Depois de ter ouvido que Ezequias esteve muito doente, o rei da Babilônia mandou que seus mensageiros lhe entregassem um presente em comemoração ao restabelecimento de sua saúde. Muito feliz com a visita, Ezequias retribuiu a gentileza abrindo as portas de seu palácio real e mostrando todas as riquezas que possuía, inclusive suas armas de guerra. Sem ocultar absolutamente nada, o rei permitiu que os mensageiros tivessem acesso a tudo, pois aparentemente se tratava de pessoas do bem, que saíram de uma terra distante só para vê-lo e para festejar com ele sua recuperação. No entanto, Ezequias, que havia acumulado muitas bênçãos e tido um reinado vitorioso até então, cometeu um erro grave, ainda que com a melhor das intenções.

Depois disso, Deus enviou o profeta Isaías para alertar Ezequias sobre as consequências de sua atitude imprudente:

> *Chegarão os dias em que tudo quanto houver em tua casa será levado para a Babilônia, incluindo tudo o que teus antecessores acumularam até os dias de hoje; não ficará coisa alguma, disse o Senhor* (Is 39.6).

Ezequias deixou-se levar por um simples agrado, por uma demonstração de amizade e gentileza, mas se esqueceu de que os babilônios não faziam parte do povo de Deus, não tinham a mesma fé e não eram pessoas de confiança. Quando você abre a sua vida para as pessoas, elas simplesmente entram, reparam em tudo e, quando você menos esperar, irão expor os seus segredos e usá-los contra você mesma.

As redes sociais têm sido verdadeiras armadilhas para muita gente, principalmente para quem não vê limites para a exposição. Essas pessoas relatam todos os seus passos, o que fizeram, o que estão fazendo e o que pretendem fazer. Todos sabem onde estão, pois, ao chegar, uma das primeiras coisas que fazem é realizar o *check in* no Facebook, depois marcar com quem estão, o que estão fazendo e quando irão voltar. Elas expõem a si mesmas, a sua casa, seus filhos, sua família, seus bens, e acreditam que seus seguidores são, de fato, seus amigos. Já presenciei uma série de publicações que me deixaram surpresa com o grau de imprudência a que as pessoas podem chegar. Tiram a CNH e postam a foto do documento todo para "provar" e "agradecer" (?) pela conquista; fotografam os filhos com uniforme da escola e com uma legenda indicando a classe que estudam, que horas entram, que horas saem, as atividades extras depois da aula (onde e com quem), quem vai buscar, quem vai levar e ainda compartilham o trajeto numa *live* para que ninguém perca um lance sequer. Postam foto de teste de gravidez de farmácia mostrando o resultado positivo que acabaram de presenciar, para "compartilhar" uma gestação que mal começou... Depois, não deixam de voltar dentro de algumas semanas, para reclamar de quanto as pessoas dão palpites na conduta de quem está grávida, pedindo que cada um vá cuidar da sua vida. Não estou usando exemplos fictícios apenas para ilustrar, nem precisei usar a imaginação, pois vi cada uma dessas postagens com meus próprios olhos.

É certo que cada um é livre para fazer o que quiser, mas o que não podemos ignorar é que tudo o que fazemos produz consequências, algumas boas, outras ruins. Precisamos ter responsabilidade e maturidade para assumi-las. As redes sociais podem ser um mundo virtual no qual as pessoas se sentem seguras, mas o perigo que a alta exposição pode causar é bem real.

Não são poucas as pessoas que me aconselham a estar mais presente nas redes, a fazer mais postagens por dia e a dividir com meus seguidores um pouco mais da minha vida pessoal, mostrar mais meu marido (enfatizando quão estranho é que ele raramente apareça na minha *timeline*); afinal, "o povo quer saber". Mas esse é o tipo de coisa que não me interessa. Quero que as pessoas sigam o meu trabalho, que se interessem pelo conteúdo que forneço, e não por mim. Onde eu moro, que carro tenho, aonde vou com meu marido, não são assuntos que deveriam interessar a ninguém; por isso, raramente exponho alguma particularidade, a não ser que tenha o intuito de ensinar algo, dar uma dica, passar alguma coisa que possa ajudar outras pessoas. Essa tem sido a minha forma de usar as redes e, mesmo com todo o cuidado, já passei por alguns aborrecimentos.

Em 1949, George Orwell publicou seu último livro – *1984* – uma ficção incrivelmente atual, na qual a personagem principal, Winston Smith, vive em uma sociedade totalmente dominada pelo Estado. Ele trabalha para o governo e sua função é falsificar registros históricos, segundo os interesses do Estado. Criando uma falsa história para beneficiar a si mesmo, o governo consegue exercer um imenso controle sobre os cidadãos. Smith, apesar do trabalho que realiza, questiona o tempo todo a opressão e a sede de poder do chamado "Partido" e do "Grande Irmão", sim, o Big Brother! Uma das frases mais conhecidas do livro é: "O Grande Irmão está de olho em você!"

E o que são as redes sociais hoje? As fotos e legendas não criam falsas histórias de felicidade e vida perfeita o tempo todo? Elas não são usadas por muitos como um tipo de Big Brother, no qual quem quiser, detém o controle da vida do outro? Se você acha que estou exagerando, procure saber sobre os diversos casos em que os reclamantes perderam causas na justiça por terem exposto demais sua vida nas redes sociais. Lembro-me especialmente de uma advogada que requereu assistência gratuita para receber uma herança, alegando que não tinha condições financeiras para pagar pelo processo. O juiz do caso fez a lição de casa e foi investigar se ela realmente não tinha condições de pagar. No Facebook, ele encontrou facilmente fotos recentes da advogada com os amigos em uma viagem nada barata, e outras nas quais ela ostentava ingressos *vip* para um *show*, com uma legenda confirmando que aquele "vidão" não era para "qualquer um". Ela não só teve seu requerimento negado, como foi impossibilitada de receber a herança por ter mentido para a justiça.

O livro *1984* é uma crítica ao totalitarismo, mas vale a leitura, pois não se trata apenas disso, mas de como as pessoas submetem sua vida ao controle de terceiros. Um livro de quase setenta anos, mas assustadoramente atual em alguns aspectos. Quanto a você, poupe-se de aborrecimentos desnecessários, não se exponha demais, não abra a sua vida para todo mundo, pois nem todas as pessoas que sorriem para você ou tecem mil elogios são de fato suas amigas. Seja prudente e lembre-se do ditado dos antigos: em boca fechada, não entra mosquito!

3. MANTENHA SUAS CONVICÇÕES

Deus viu que a luz era boa; e fez separação entre a luz e as trevas (Gn 1.4).

Um trecho tão pequeno e, ao mesmo tempo, tão cheio de ensinamentos! Você se lembra de que comentei que há momentos na Bíblia em que parece que estamos numa caça ao tesouro e temos de escavar para descobrir o que há nas entrelinhas? Pois bem, esse é um desses momentos. Repare que, logo após criar a luz, Deus viu que ela era boa e, em seguida, **fez separação** entre a luz e as trevas. E essa é uma das chaves para o sucesso: desenvolvermos a habilidade de nos separar das trevas.

Hoje em dia, nem é preciso dizer que o certo virou errado e vice-versa. Porém, por mais que alguns digam que, no mundo moderno, alguns erros já não são tão errados assim, precisamos manter nossas convicções e não nos deixar influenciar. Nós, seres humanos, somos altamente influenciáveis, por mais que haja pessoas que bradem aos quatro ventos que isso não acontece com elas, pois não se deixam levar. Todos nós somos influenciáveis. Todos, sem exceção.

O americano Jim Rohn, empreendedor, escritor e um dos mais renomados palestrantes na área da motivação (tendo sido mentor de Tony Robbins), afirma que "você é a média das cinco pessoas com quem mais passa tempo". Leia novamente e veja quanto isso é importante. Aliás, se a convivência não nos influenciasse a ser como somos, não teríamos tantas passagens no livro de Provérbios nos alertando a ter cuidado com as pessoas a quem nos associamos. Uma delas, particularmente, chamou a minha atenção, pois fala para mantermos distância até dos mal-humorados!

Não se associe com quem vive de mau humor, nem ande em companhia de quem facilmente se ira; do contrário, você acabará imitando essa conduta e cairá em armadilha mortal (Pv 22.24).

Se você assistiu ao filme *O diabo veste Prada*, deve lembrar de uma cena em que Andrea Sachs, personagem vivida por Anne Hathaway, debocha da escolha dos acessórios para um ensaio fotográfico da revista *Runway*, onde ela trabalhava como assistente da poderosa Miranda Priestly (inspirada na editora da *Vogue*, Anna Wintour). Vale a pena relembrar, com uma ajudinha do *site* "Picadinho de Roteiro".[2]

Uma assistente mostra dois cintos muito parecidos (praticamente iguais), para que Miranda defina qual deles vai para o editorial; Andrea ri e começa o diálogo:

– Algo engraçado? – pergunta Miranda.

– Não, nada. É que para mim estes dois cintos são iguais. Eu ainda estou aprendendo sobre esta coisa... – responde Andrea, tentando amenizar a fúria que acaba de despertar na chefe, que logo acrescenta a resposta à qual eu queria chegar!

– Esta "coisa"? Ah, entendi... Você acha que isso não tem nada a ver com você. Você abre o seu guarda-roupa e pega, sei lá, um suéter azul todo embolado, porque você está tentando dizer ao mundo que é séria demais para se preocupar com o que vestir. Mas o que você não sabe é que esse suéter não é somente azul. Não é turquesa. É "cerúleo". E você também é cega para o fato de que, em 2002, Oscar de la Renta fez uma coleção com vestidos somente nesse tom. E eu acho que foi Yves Saint Laurent – não foi? – que criou jaquetas militares em cerúleo... que começou a aparecer nas coleções de muitos estilistas. E logo chegou às lojas de departamentos. E acabou como um item de liquidação nessas lojinhas de esquina. E foi assim que chegou a você. E, sem dúvida, esse azul representa milhões de dólares em incontáveis empregos. E é meio engraçado como você acha que fez uma escolha que a exclui da indústria da moda, quando, na verdade, você está usando um suéter que foi selecionado para você pelas pessoas nesta sala entre uma pilha de "coisas".

Sim, nós somos influenciáveis e não há como mudar essa realidade. O que podemos e devemos fazer é ter muito cuidado com quem convivemos e reavaliar sempre quem faz parte do nosso rol de amizades. No exemplo

---

[2] Disponível em: https://picadinhoderoteiro.wordpress.com/2009/08/24/o-diabo-veste-prada/.

que Deus nos deixou, fica bem claro que não foi suficiente ver que a luz era boa; ele teve de separá-la das trevas. Esse é outro grande exemplo, que mostra como devemos tratar as pessoas com quem não queremos nem devemos conviver. O Criador não destruiu as trevas, mas simplesmente as separou da luz. E é isso que temos de fazer. Não devemos destratar as pessoas que vivem no erro, que não agem como deveriam, que falam mal dos outros, que enganam, mentem, roubam etc., mas também não podemos nos misturar com elas. Não cabe a nós condenar, criticar, bater boca, mas, sim, manter uma distância respeitosa. Se você decidiu ser luz, mantenha suas convicções mesmo que a maioria viva no escuro.

Eu sou cristã e, se por um lado, não vivo dizendo isso o tempo todo, por outro, não escondo minha fé e minhas convicções. Nunca usei o fato de ter uma fé como "currículo", como vejo várias pessoas fazendo, declarando coisas do tipo: "Eu não minto porque sou evangélica!", como se isso fosse prova de alguma coisa. Eu mostro que não minto com a minha conduta de falar a verdade, e pronto. Eu vivo a convicção que tenho baseada na minha fé, e isso não precisa ser falado; isso tem de ser **mostrado**. Se eu andar com pessoas que mentem e enganam, obviamente, em algum momento, vou acabar achando aquilo normal; afinal, todo mundo mente, não é mesmo? Posso trabalhar com pessoas cuja conduta eu não aprovo, mas pode ter certeza de que não convivo com elas. Não crio inimizades; eu me dou bem com todo mundo e procuro ser amiga de todos, no sentido de estar presente para o que elas precisarem, mas não misturo a minha vida com a vida delas. Eu vou ao cinema, vou ao teatro, leio muito e sou fã de diversas séries da Netflix, mas não assisto a qualquer coisa, não leio qualquer coisa e não tenho o menor problema em colocar de lado algo que percebo que não vai ser bom para mim. Já saí no meio de um *show* por perceber que o clima estava ficando estranho. Perdi o dinheiro da entrada, mas nada paga a minha paz quando me guardo do que poderia me fazer mal.

Você também deve ser seletiva quando escolhe os *sites* que acessa, os livros que lê, ao que assiste na TV, no YouTube, no cinema, as músicas que ouve, o teor das suas conversas, os lugares que frequenta e até os pensamentos que alimenta na sua mente. Isso não é ser bitolado; é ser prudente. Portanto, como última frase deste livro, escolho dizer a você, minha querida leitora que esteve comigo durante toda essa jornada: Seja luz, sabendo separar-se das trevas!

REFERÊNCIAS BIBLIOGRÁFICAS

BARBOSA, Christian. *A Tríade do Tempo*. Rio de Janeiro, RJ: Sextante, 2011.
BARBOSA, Christian. *60 estratégias práticas para ganhar mais tempo*. Rio de Janeiro, RJ: Sextante, 2013.
CORTELLA, Mario Sergio. *Qual é a tua obra? Inquietações propositivas sobre gestão, liderança e ética*. Petrópolis, RJ: Vozes, 2015.
COVEY, Stephen R. *As 3 escolhas para o sucesso*. Rio de Janeiro: Vida Melhor, 2013.
ORWELL, George. *1984*. São Paulo, SP: Companhia das Letras, 2009.
PASCOAL, Candice. *Seu sonho tem futuro*. São Paulo, SP: Gente, 2017.

Filmes:

QUARTO de guerra. Direção: Alex Kendrick. Produção: Affirm Films. USA: Distribuição Canzión Filmes, 2015. 120 min.
O DIABO veste Prada. Direção: David Frankel. Produção: Wendey Finerman. USA: Distribuição Fox Film do Brasil, 2006. 109 min.

Sua opinião é importante para nós. Por gentileza, envie seus comentários pelo e-mail editorial@hagnos.com.br

Visite nosso site: www.hagnos.com.br

Esta obra foi composta na fonte Adobe Caslon, corpo 11,5.
Foi impressa na Imprensa da Fé.
São Paulo, Brasil.
Outono de 2018